Contents

LIVRE VINGT ET UNIÈME ....- 1 -

CORRESPONDANCE ET DOCUMENTS ....- 61 -

LIVRE VINGT-DEUXIÈME ....- 75 -

CORRESPONDANCE ET DOCUMENTS ....- 144 -

LIVRE VINGT ET UNIÈME

1814-1815

On a vu par quel enchaînement de circonstances je me suis trouvé lié d'une manière toute particulière à la Restauration. Je cherchai d'abord à rendre utile pour le pays l'influence que les circonstances et ma position pouvaient me donner; mais je ne découvris pas, dans les premiers dépositaires du pouvoir, un seul sentiment conforme à mes espérances. Le malheur de la Restauration a été d'être faite par des gens uniquement animés par des intérêts personnels et dépourvus de sentiments généreux et patriotiques. Si elle eût été dirigée par des hommes de quelque vertu, elle pouvait et devait faire le bonheur de la France. En jetant les yeux sur ceux qui se trouvèrent à la tête des affaires, à l'exception de trois individus, MM. Dessole, Jaucourt et l'abbé de Montesquiou, on ne voit que corruption.

Donner des détails sur M. de Talleyrand serait superflu: tout le monde le connaît. Il n'est ni un méchant homme ni un homme aussi capable qu'on s'est plu à le représenter. Réunissant en lui tout ce que les temps anciens et nouveaux peuvent offrir d'exemples de corruption, il a dépassé à cet égard les limites connues avant lui. Homme habile sur un terrain donné, et pour une chose déterminée, par exemple pour une négociation, sa capacité ne va pas au delà. Possédant tout juste la nature d'esprit et de caractère qui rend propre à ce genre d'affaires, il est dénué, comme chef de gouvernement, des premiers éléments indispensables à ces hautes fonctions. On ne peut se passer d'un certain degré de force pour suivre un système, et il n'a pas même celle de le concevoir. Il n'a ni fixité dans les principes ni constance dans la volonté. Instrument utile dans les mains d'un gouvernement établi, il ne sera jamais un principe d'action.--Que dire de l'abbé Louis, ce brutal personnage, ce financier philosophe? Que dire encore de Dalberg, homme avide, infidèle au pays qui lui a donné naissance, comme à celui qui l'a adopté, qui ne répugnait à aucune espèce de combinaisons du moment où elle pouvait l'enrichir. L'amour de l'argent était La seule passion de son coeur. Parlerai-je de Beurnonville, ce militaire de parade, hâbleur de profession, et dépourvu de toute capacité? Quant à Dupont, c'était un homme d'esprit. Pendant quelque temps, il fut un objet d'espérance pour l'armée; mais il était flétri par une capitulation dont l'objet, disait-on, avait été de sauver les fruits de son pillage et de ses dévastations.

J'arrive maintenant aux trois personnages que j'ai nommés d'abord, et que je regarde comme estimables. Le plus capable des trois était Dessole, un des généraux de l'armée, homme d'esprit, très-fin, mais malheureusement d'un caractère faible, sans élévation, trop préoccupé de ce qui concernait sa personne, et, par suite, hors d'état d'exercer une grande influence. L'abbé de

Montesquiou était un homme d'un esprit piquant, mais bizarre, capricieux, irritable comme un enfant. Il était livré à la fois à des principes tout opposés; car il y avait en même temps chez lui du grand seigneur féodal et du doctrinaire. Enfin, Jaucourt, également doctrinaire, était plus remarquable par ses bonnes intentions que par son esprit et son caractère. Ce gouvernement provisoire, s'il eut eu tant soit peu le sentiment de ses devoirs envers la France, aurait dû s'occuper à conserver les troupes qui l'avaient reconnu. C'était le noyau d'une armée nationale qui aurait donné le moyen de combattre les étrangers, s'ils avaient voulu abuser de leurs avantages. J'avais compris ainsi sa position et sa marche; mais, quant à lui, il l'entendit tout autrement. Ses agents intervinrent pour achever la destruction de ces faibles débris de troupes dont j'ai fait le tableau. La désertion prit bientôt le développement le plus rapide, j'en fus alarmé, et j'en parlai à mes camarades, les maréchaux Ney et Macdonald. Nous étions d'accord de conserver et d'augmenter ce qui existait, au lieu de le laisser disperser. Je demandai, en mon nom et en celui des deux maréchaux que je viens de citer, à M. de Talleyrand, une conférence avec le gouvernement provisoire, pour parler de cette question. M. de Talleyrand ne s'en souciait nullement. Ses vues étaient tout autres qui les nôtres. Une sorte de pudeur seule l'y fit consentir. On nous assigna un jour et une heure. Nous fûmes exacts. On nous fit d'abord attendre sous divers prétextes. Le temps s'écoulait, et, la patience échappant à mes collègues, ils s'en furent. Plus tenace qu'eux, et y mettant plus d'intérêt, je restai. Enfin, de guerre lasse, à onze heures du soir, on se réunit, et on forma une espèce de conseil, où se trouvaient plusieurs individus dont je voyais les figures pour la première fois.

Je fis l'exposé de l'état des choses, et je cherchai à faire sentir la nécessité de prendre des mesures pour conserver le peu de forces françaises existantes encore. Un homme habillé de noir, de mauvaise figure, que je ne connaissais pas, me dit: «Monsieur le maréchal, nous manquons d'argent pour payer les troupes; ainsi nous avons plus de soldats qu'il ne nous en faut.--Monsieur, lui répondis-je, ce qui prouve qu'au lieu d'en avoir trop nous n'en avons pas assez, c'est que l'ennemi est entré dans la capitale. Je conçois qu'en temps de paix on règle la force des troupes sur les revenus; mais, en ce moment, il n'est pas question de système; il s'agit de conserver les débris que nous avons encore.»

Mon interlocuteur m'interrompit avec humeur et me dit: «Je vous répète, monsieur le maréchal, que nous avons trop de troupes, puisque nous n'avons pas d'argent, et d'ailleurs qu'elles nous sont fort inutiles; au surplus, M. le ministre de la guerre nous rendra compte de l'état des choses et nous proposera ce qu'il convient de faire.»

Tout homme, à ma place, aurait été irrité d'une réponse si impolie et si inconvenante; mais on jugera l'impression qu'elle me fit quand je vis percer l'idée de se mettre, sans garantie, à la disposition des étrangers.

Quand on réfléchira que, venant de passer tant d'années au milieu des troupes, avec cette autorité du quartier général que rien ne balance et ne contrarie, accoutumé à des expressions de respect, je devais au moins en obtenir de déférence. Je m'indignai, et je lui dis: «Qui êtes-vous donc, monsieur, pour me tenir un tel langage? Vous voulez détruire le peu de forces qui nous restent! Vous avez apparemment le goût de recevoir des coups de knout des Russes; mais, ni moi ni aucun de mes amis, nous ne partageons ce singulier caprice. Vous parlez du ministre de la guerre: eh mais, depuis six ans il est éloigné de l'armée; il ignore entièrement en quoi elle consiste et ce qui s'y passe. Au surplus, les sentiments que vous montrez sont ceux d'un mauvais Français. La manière dont vous les exprimez me blesse et m'offense; et, si vous continuez sur le même ton, je vous ferai sauter par la fenêtre: c'est toute la réponse que vous méritez.»

On juge l'impression que fit sur les auditeurs présents cette sortie, trop vive sans doute, mais en vérité bien justifiée, et dont je n'ai jamais eu la force de me repentir. Cet homme noir, si grossier, était l'abbé Louis, dont j'ai déjà dit un mot. Il se mit à trembler de colère. Sa mâchoire inférieure était si violemment agitée, qu'il ne pouvait parler et qu'on ne pouvait l'entendre. Le prince de Talleyrand s'approcha de lui, et lui dit: «Monsieur Louis, il faut parler d'affaires d'une manière plus calme.»

Après une pareille scène, on discuta peu et on se sépara sans résultat, mauvais début de toutes les manières et de bien mauvais augure.

Le jour de l'entrée de Louis XVIII à Paris, M. Louis m'aborda à Saint-Ouen pour me faire des excuses et m'exprimer ses regrets de m'avoir parlé d'une manière inconvenante. On suppose sans peine qu'il n'a jamais existé depuis entre nous que quelques relations obligées.

Il y eut sur-le-champ à agiter une immense question: celle de savoir si l'on garderait la cocarde tricolore, ou si l'on reprendrait la cocarde blanche, autrefois celle de la France, et depuis devenue celle de l'émigration. La première fois, ce fut un soir, chez M. de Talleyrand. Je soutins, comme on peut le croire, avec ardeur, les couleurs sous lesquelles nous avions combattu pendant vingt ans. Je dis que leur conservation était juste et politique; que la Restauration n'était pas la contre-révolution, mais le complément du dernier acte de la Révolution; qu'il fallait quelque chose qui constatât l'existence des intérêts nouveaux, et empêchât de confondre les intérêts de la France avec ceux d'un parti. Cette disposition, ajoutai-je, était encore politique. Elle empêcherait les émigrés de se supposer vainqueurs; et en effet, ils n'étaient pas vainqueurs, car ils n'avaient pas combattu. Les Bourbons revenaient en conséquence d'une révolution intérieure faite avec un sentiment universel. (On a beau le nier aujourd'hui, ce mouvement d'opinion n'en a pas moins existé alors.) Cette conservation des couleurs nationales était juste; car il était dur pour une armée, après de si longs et de si glorieux travaux, de changer le drapeau sous lequel elle avait combattu. Il était prudent d'enlever aux gens disposés à la révolte un signe de réunion toujours puissant sur les imaginations. Enfin la cocarde tricolore me paraissait alors, pour cette époque, le gage d'une restauration raisonnable, et le temps ne m'a pas fait changer d'avis. À part les idées religieuses, et seulement sous le rapport politique, qu'était-ce autre chose que la messe de Henri IV?

On reconnut qu'il y avait dans tout cela beaucoup de choses vraies; mais on n'en tint compte. M. de Talleyrand, dont l'opinion était d'un grand poids et aurait peut-être entraîné tout le monde, M. de Talleyrand avait déjà repris les moeurs de Versailles et ne s'occupait que de ses intérêts particuliers. Pas une pensée généreuse et politique n'était entrée dans son esprit. Il crut flatter les passions des Bourbons et de leur entourage, il crut faire acte de bon courtisan en leur sacrifiant les trois couleurs.

À travers ses discours, je crus apercevoir son opinion. Je lui en parlai avec franchise et chaleur. Alors il me répondit qu'il me conseillait, en ami, de ne pas me mêler de cette question. Au lieu de suivre ce conseil, je courus chez l'empereur Alexandre pour l'éclairer. Ce monarque eut l'air de me comprendre. Il me fit les promesses les plus formelles à cet égard, et m'annonça qu'il allait en écrire à Monsieur pour qu'il eût à faire son entrée à Paris avec la cocarde tricolore. M. de Talleyrand s'y opposa sous main, et la lettre ne partit pas. Je retournai chez l'empereur, qui me dit que la lettre était faite et qu'elle partirait sans retard.

M. de Talleyrand eut l'air de céder, et il fut convenu qu'un article paraîtrait dans le *Moniteur* pour indiquer que la cocarde blanche avait été arborée comme signe de ralliement momentané, mais qu'aujourd'hui, tout le monde étant d'accord sur le retour des Bourbons, elle devait faire place aux couleurs sous lesquelles tant de grandes choses avaient été faites, et qui devaient rester définitivement celles de la nation. Tout cela avait seulement pour but de gagner du temps et tachait un piége. Le gouvernement provisoire fit écrire au maréchal Jourdan, commandant à Rouen, que mon corps d'armée avait pris la cocarde blanche, ce qui n'était pas vrai, et lui, au même instant, la fit adopter par ses troupes en leur faisant un ordre du jour. Quand je revins sur cette question, on me répondit que j'étais bien difficile, puisque le doyen des années de la République venait de donner l'exemple. Le maréchal Jourdan ne se doutait guère du rôle qu'on lui faisait jouer. Il n'avait pas prévu qu'il deviendrait l'instrument de l'émigration. Ce grand changement, dont les conséquences ont été si graves, a donc été obtenu par une espèce d'escamotage. Fidèle à ma conviction, je conservai encore cette cocarde, et c'est avec elle que j'ai été à la rencontre de Monsieur à la barrière, le 12 avril. Le lendemain, personne, absolument personne, ne l'ayant plus, je la quittai.

C'est une chose remarquable que ces délicatesses de conscience si singulièrement placées. Monsieur ne pouvait pas entrer à Paris avec la cocarde tricolore à son chapeau, et il portait l'habit national aux trois couleurs.

Le Sénat, constamment servile sous l'Empire, avait cru se réhabiliter, aux yeux de la nation, par l'acte de vigueur qu'il venait de faire; mais il montra bientôt quel était le véritable mobile de ses actions. L'espèce de constitution qu'il se hâta de rédiger, et surtout la disposition par laquelle il garantissait aux familles des sénateurs la propriété des biens, dont les titulaires avaient seulement la jouissance viagère, trahirent promptement ses intentions.

Enfin arriva le 12 avril, jour fixé pour l'entrée solennelle de Monsieur. Une députation des corps constitués alla le complimenter et le recevoir à la barrière. Presque tous les maréchaux s'y trouvaient. Monsieur nous reçut avec grâce et bienveillance, et le charme de ses manières eut un succès universel, la population entière de Paris et des environs était dans les rues, sur les boulevards, aux fenêtres des maisons. Jamais transports de joie ne furent plus énergiques et plus unanimes. Il y avait une sorte d'ivresse dans les esprits. Ces faits ne seront contredits par aucune personne de bonne foi ayant été présente à ce spectacle.

Je l'ai déjà dit, et je te répète, ces acclamations, cette joie folle, n'étaient pas et ne pouvaient pas être de l'amour pour les Bourbons. À peine si la génération d'alors en avait entendu parler. Elles exprimaient seulement la fatigue extrême que l'on avait du pouvoir déchu, dont l'oppression des dernières années avait été insupportable. La présence des Bourbons semblait alors offrir un refuge et garantir pour l'avenir une sorte d'affranchissement. Les cris de *Vive le roi!* de *Vive Monsieur!* devaient être traduits de cette manière: Plus de guerre éternelle; un régime doux et du bien-être pour le peuple. Telles étaient les pensées dominantes dans tous les esprits. Telles étaient les espérances qui remplissaient tous les coeurs.

Pendant ces événements, Napoléon était encore à Fontainebleau. Les dispositions relatives à son établissement à l'île d'Elbe, à son départ et à ses intérêts privés étant arrêtées, le 20 avril il se mit en route, accompagné des commissaires des divers souverains de l'Europe. Son voyage ne fut pas sans danger. Les populations du Midi, portant toujours à l'excès l'expression de leurs sentiments, étaient exaspérées contre lui. Il fut obligé, pour traverser la Provence, de se déguiser en officier autrichien. Si, à son passage aux environs d'Orange, il eut été reconnu, il aurait péri misérablement victime des fureurs populaires.

Le début des Bourbons était difficile, et cependant leur position aurait pu se définir avec une grande simplicité.--La société en France avait été reconstituée pendant leur absence. Chacun était classé, et le rang qu'il occupait dans l'ordre social, l'importance dont il jouissait, fruits de longs travaux et de mille chances courues, en avaient rendu la possession légitime. Les Bourbons devaient de bonne foi la conserver dans sa réalité, en appelant toutefois à partager ces biens ceux de leurs amis qui avaient des titres personnels à faire valoir; car il n'est pas du siècle où nous vivons de posséder tout, uniquement par droit de naissance. Le mérite individuel doit venir justifier en partie la faveur dont on peut être l'objet. Enfin les Bourbons devaient se dire: Un ouragan a enlevé celui qui tenait ici la première place. Elle est devenue vacante, et personne n'a eu la pensée de l'occuper. Tous les intérêts se sont trouvés d'accord pour nous la rendre; mais chacun veut garder ce qu'il a acquis, et ne le céder à personne. S'ils eussent agi ainsi, s'ils eussent pris pour règle de conduite ces réflexions, si fort à la portée des esprits les moins éclairés, leur puissance aurait été à l'abri de toute attaque; au lieu de cela, à leur suite sont venus des gens de peu de valeur, qui prétendaient à tout. Les intérêts nouveaux se sont alarmés avec raison.

Changer l'ordre social était tout à la fois une injustice et une entreprise supérieure à la force des Bourbons, à leur esprit, à la puissance de leurs bras; le modifier avec circonspection était possible et raisonnable. Mais, indépendamment des intérêts privés qu'il fallait bien se garder de menacer et de heurter, des intérêts d'une tout autre nature auraient dû être sacrés. Il fallait épouser la gloire du pays, et attacher du prix à son éclat et à son influence extérieure. Ainsi, quand, le 23 avril, Monsieur, d'un trait de plume, par un traité monstrueux, céda, contre rien, cinquante-quatre places garnies de dix mille pièces de canon, que nous possédions encore en Allemagne, en Pologne, en Italie, en Belgique, il a heurté l'opinion en ce qu'elle a de plus honorable et de plus légitime. Une nation n'a pas combattu pendant vingt ans pour être insensible à la gloire acquise. Elle peut être blasée sur ses succès et n'en pas désirer d'autres, mais elle ne souffre pas que, traitant sans considération ce qu'elle a fait, on montre du mépris ou du dédain pour des actions payées au prix du plus pur de son sang.

La réduction du royaume au territoire de l'ancienne France devait être pénible pour tout le monde. Il eût été habile de garder comme gage, pendant la négociation, ce qu'on tenait à l'étranger. C'était un moyen d'obtenir peut-être de meilleures conditions. Les Bourbons, n'étant pas la cause de nos désastres, ne pouvaient pas être responsables de leurs conséquences; mais il eût été politique de ne rien négliger pour en diminuer la gravité et pour restreindre l'étendue des sacrifices. Leurs efforts à cet égard auraient dû être ostensibles et patents. Au lieu de cela, ils ont paru aller au-devant des désirs des souverains de l'Europe. Il semblait que le surplus de ce qu'ils regardaient comme leur patrimoine leur était à charge. On aurait dit qu'ils considéraient comme au-dessous d'eux d'être les successeurs de Napoléon, au lien d'être les héritiers de Louis XVI. Et cependant ce patrimoine, qui le leur a rendu?

Napoléon, par ses grandes qualités, pouvait seul maîtriser la Révolution et relever le trône. Il est vrai sans doute que son intention n'était pas de le leur transmettre, et qu'il n'en fût jamais descendu s'il eût su résister aux entraînements de son ambition.

Les Bourbons n'ont donc rien senti de ce que leur propre intérêt, de ce que l'intérêt de leur conservation, leur prescrivait, ni relativement à l'État en masse, ni à l'égard du sentiment de dignité du pays, ni par rapport à l'existence propre des familles nouvelles que l'Empire avait élevées et dont il avait fondé l'avenir. Ils furent les dupes de leur entourage. Ils entrèrent, sans s'en douter, dans des voies impraticables et sans issue possible. Leurs passions personnelles, il est vrai, n'étaient que trop d'accord avec cette marche, et leurs souvenirs que trop en harmonie avec l'esprit, les calculs et les vues de ceux qui, sans le vouloir, les conduisaient à leur perte.

L'époque de l'arrivée du roi était heureusement prochaine. Sa présence devenait nécessaire, car les fautes s'accumulaient. Après avoir traversé une partie de l'Angleterre en triomphe, il débarqua à Calais le 24 avril. Là, il apprit la signature de cet étrange traité qui remettait au pouvoir des étrangers les seuls gages encore entre nos mains. La précipitation avec laquelle il a été fait et le nom de ses auteurs autorisent à penser que la corruption n'y a pas été étrangère.

Le maréchal Moncey, doyen des maréchaux et premier inspecteur général de la gendarmerie, fut envoyé à Calais pour y recevoir le roi, l'accompagner et veiller à la sûreté de sa marche. Le général Maison, qui commandait dans le Nord, s'y rendit aussi. Le roi et madame la duchesse d'Angoulême prirent la route de Compiègne. Partout ils furent reçus avec des transports de joie. Tous les maréchaux se réunirent à Compiègne, et deux d'entre eux, le maréchal Ney et moi, furent désignés pour aller au-devant du roi et le complimenter. Nous rencontrâmes le roi en deçà de la dernière poste. Sa voiture s'arrêta; nous mîmes pied à terre; le maréchal Ney, comme le plus ancien, porta la parole. Le roi répondit d'une manière gracieuse et bienveillante, mais termina sa réponse par une phrase qui me parut une espèce de niaiserie. Il parla avec raison de son aïeul Henri IV. C'était le cas sans doute; mais voici ce qu'il dit en montrant son chapeau, auquel était attaché un petit plumet blanc de héron: «Voilà le panache de Henri IV! Il sera toujours à mon chapeau.»

Je me demandai le sens de ces paroles et s'il y avait quelque relique de ce genre gardée par la famille royale.

Je dois dire ici l'impression personnelle que la vue des Bourbons, à leur retour, me fit éprouver.

Les sentiments de mon enfance et de ma première jeunesse se réveillèrent dans toute leur force et parlèrent puissamment à mon imagination. Une sorte de prestige accompagnait cette race illustre. De l'antiquité la plus reculée, l'origine de sa grandeur est inconnue. La transmission de son sang marque de génération en génération les époques de notre histoire et sert à les reconnaître. Son nom est lié à tout ce qui s'est fait de grand dans notre pays. Cette descendance d'un saint, déjà il y a six cents ans homme supérieur et grand roi, lui donne une auréole particulière. Toutes ces considérations agirent puissamment sur mon esprit.

J'avais approché et vécu dans la familiarité d'un souverain puissant; mais son élévation était notre ouvrage. Il avait été notre égal à tous; c'était un chef. Je lui portais les sentiments que comporte ce titre, ceux dérivant de la nature de mes relations anciennes et en rapport avec l'admiration que j'avais éprouvée pour ses hautes qualités; mais ce chef était un homme comme moi avant qu'il fût devenu mon supérieur, tandis que celui qui apparaissait en ce moment devant moi semblait appartenir aux temps et à la destinée. Ces deux sentiments, qui tiennent à une sorte d'instinct, se devinent plus facilement qu'ils ne s'expriment. En outre, cette race si infortunée revenait, comme le dit si bien Bossuet «avec cet éclat, ce quelque chose de fini et d'achevé que donne une grande adversité soutenue avec dignité et courage.» Et cet éclat était encore rehaussé par le retour de la prospérité et de la puissance. Enfin, à tous ces moyens d'action, ces princes ajoutaient, pour les deux principaux au moins, la séduction d'une politesse exquise et d'une bienveillance de tous les moments. Il résulta de tout cet ensemble une action sur moi dont je n'ai pu me défendre et que je ne saurais oublier.

Je parlerai souvent de Louis XVIII et avec détail; j'aurai l'occasion de le faire connaître et de faire son portrait. Je dirai seulement en ce moment que sa belle figure, son air imposant, son regard d'autorité, la facilité de son élocution, répondaient aux idées les plus favorables établies d'avance sur sa personne. L'attitude digne, noble et grave de madame la duchesse d'Angoulême, son grand air et sa tristesse touchaient tous les coeurs. Ses yeux rouges semblaient fatigués par les larmes, et on ne pouvait regarder cette princesse sans penser qu'elle était l'être du monde sur lequel les plus grandes infortunes s'étaient accumulées. Ces observations étaient les mêmes chez tout le monde. Combien il lui eût été facile de féconder les sentiments qu'elle inspirait alors et de se les assurer pour toujours!

Cette cour, au milieu de laquelle je me trouvai tout à coup placé, renfermait un monde entièrement nouveau pour moi. Une foule d'anciens émigrés, rentrés depuis un grand nombre d'années, se pressa autour des Bourbons.

Ceux qui avaient possédé des charges autrefois en virent le rétablissement par le retour de la famille royale, et les choses se passèrent à cet égard sans discussions, sans commentaires et comme étant la conséquence d'un principe ressuscité. La maison civile du roi se reconstitua donc d'elle-même; chacun vint y remplir ses fonctions et se mettre en quête de nouveaux moyens de fortune pour réparer le temps perdu et satisfaire un appétit que vingt ans avaient laissé en souffrance.

Je parlerai brièvement des personnes qui entouraient le roi. Que dire de tant de physionomies effacées, jetées dans le même moule, de gens habitués aux usages du monde, polis dans leurs manières, bienveillants dans leurs discours; mais avides, égoïstes, souvent dépourvus d'esprit et d'élévation, d'une ignorance complète des affaires, des choses et des hommes, meubles de toutes les cours, entièrement inhabiles aux moindres fonctions, mais non pas dépourvus d'une sorte d'importance par leur présence continuelle et leur habileté à découvrir les passions du maître qu'ils s'occupent à flatter.

Cet entourage a servi puissamment à égarer les Bourbons et à les maintenir dans la fausse route qu'ils ont prise. Si Louis XVIII et Charles X l'eussent écarté et se fussent préservés de son influence, il est probable qu'ils n'auraient pas succombé. L'esprit d'émigration et les intrigues politiques du clergé ont été les premières causes de leur malheur. Un seul homme parmi les courtisans revenant d'Angleterre, M. de Blacas, mérite d'être nommé ici et d'être dépeint à cause du rôle important qu'il a joué, et plus encore de celui qu'on lui a attribué. Je vais essayer de faire son portrait.

M. de Blacas est né en 1772, d'une très-ancienne maison de Provence, mais sans aucune espèce de fortune. Grand et bien fait, pourvu des avantages extérieurs, bien venu des femmes âgées, de moeurs légères, il débuta dans la vie par exercer la profession d'homme aimable: ses succès le dispensèrent de chercher une carrière. La Révolution l'ayant fait émigrer très-jeune, il a vécu d'abord d'industrie. Son goût décidé pour les beaux-arts l'avait fixé en Italie. Il était à Florence, quand M. d'Avaray, tout-puissant sur l'esprit de Louis XVIII, y fit un voyage. Celui-ci avait besoin d'un cicerone, et M. de Blacas s'offrit à lui. Satisfait de son intelligence et touché de sa position, M. d'Avaray l'emmena avec lui comme secrétaire. Dès ce moment il vécut près du roi, qu'il ne quitta pendant l'émigration que momentanément et pour des missions déterminées. M. d'Avaray étant parti pour Madère dans l'espérance d'y retrouver la santé, M. de Blacas le remplaça provisoirement auprès de Louis XVIII, et ensuite définitivement après la mort de M. d'Avaray. Il se trouva ainsi chargé de l'administration de la modeste fortune de Louis XVIII et de la direction du peu d'affaires politiques que sa position d'alors comportait. Jamais le roi n'éprouva d'attrait pour lui. Sa pédanterie dans les petites choses le lui rendait désagréable, et l'infériorité de son esprit ainsi que de son instruction nuisait singulièrement à sa considération.

Voilà ce qu'était M. de Blacas en 1814, à l'époque de la rentrée du roi. Cette position d'habitude lui donna cependant de l'importance, et l'esprit de courtisanerie, malheureusement si commun et si actif en France, y ajouta beaucoup. M. de Blacas, d'un esprit fort borné, mais assez juste en tout ce qui ne touche pas à ses préjugés, d'un orgueil extrême, était le type des émigrés de Coblentz. Il avait leur suffisance et leur mépris pour tout ce qui n'était pas eux. L'Empire et son éclat avaient passé sans avoir frappé ses yeux. Il n'en tenait pas compte. La France, pour lui, n'avait pas cessé d'être à Hartwel. Cette suffisance naturelle s'augmenta beaucoup par l'action des flatteurs. Il eut entrée au conseil comme ministre de la maison du roi. Ses collègues firent de lui une espèce de premier ministre et s'assemblèrent souvent chez lui; mais il n'y eut dans ce ministère ni union, ni talent, ni vues, ni connaissance du pays et des affaires, et sa marche fausse, erronée et incertaine amena rapidement le changement de l'opinion et la catastrophe du 20 mars.

Après avoir esquissé les torts et les défauts de M. de Blacas, j'ajouterai que le fond de son caractère ne manque pas de vérité ni d'une certaine dignité: sa parole mérite de la confiance. M. de Blacas, souvent accusé à tort des fautes du gouvernement, torts appartenant, aux yeux de tout homme bien instruit, à Louis XVIII, n'a jamais cherché à s'en justifier. Constamment il a accepté pour lui-même tout ce qui pouvait nuire au roi. Mais son orgueil et son insolence sans exemple gâtent les qualités qu'il peut avoir. C'est à son occasion qu'un homme d'esprit a dit qu'il ne connaissait rien de pire que les parvenus à parchemins.

Il trouva bientôt le moyen d'accumuler une immense fortune. En 1814, un fort pot-de-vin sur la ferme des jeux en fut le principe, et, en 1815, au moment du retour de Gand, le roi, obligé de se séparer de lui à Mons, laissa entre ses mains sept ou huit millions qu'il rapportait, et dont il n'avait plus besoin. M. de Blacas les a fait valoir, prospérer et augmenter d'autant plus facilement, que de grands traitements étaient attachés à l'ambassade de Rome qu'il occupait, et aux dignités dont il était revêtu. Lors de la puissance de M. Decazes, en 1819, étant arrivé inopinément à Paris, sous prétexte des affaires du concordat, il se fit donner, à ce qu'on assure, par un acte régulier, la propriété des fonds qu'il avait en dépôt. Ce ne fut qu'à ce prix qu'il consentit à retourner sans retard à son poste. Cette version est la seule qui puisse expliquer la fortune qu'il a laissée, et qui, entièrement nulle à son arrivée en France, s'est trouvée, à sa mort, s'élever à plus de quinze millions [1]. Je m'arrête maintenant sur son sujet. Les récits que j'ai à faire le mettront souvent en scène, et le feront connaître par ses opinions mêmes et ses actions.

Note 1: (retour) M. Véron, dans le troisième volume des *Mémoires d'un bourgeois de Paris*, raconte qu'après la Révolution de 1830 M. le duc de Blacas offrit au roi Charles X, proscrit, la fortune qu'il tenait des bontés de cette illustre famille. (*Note de l'Éditeur*)

Le roi eut un grand succès à Compiègne. Il reçut tous les maréchaux et ceux qui vinrent lui faire leur cour avec grâce et dignité. Il trouva un mot aimable à adresser à chacun. Il me dit, en regardant mon bras, que je portais en écharpe et encore sans mouvement, qu'il espérait lui voir retrouver bientôt toute sa force pour le servir. Bernadotte, prince royal de Suède, vint lui faire sa cour. Je l'avais vu à Paris quelques jours auparavant. Se rappelant nos bons rapports anciens, il était venu me voir le premier, et me dit alors, avec l'accent gascon si marqué qu'il a conservé, les paroles suivantes dont l'ai gardé le souvenir: «Mon cher Marmont, quand on a commandé dans dix batailles, on est de la famille des rois.»

Je rapporterai aussi ce qu'il répondit alors à Monsieur qui l'entretenait des difficultés du gouvernement dans les circonstances d'alors et avec le caractère français. Bernadotte, qui est un homme de beaucoup d'esprit, lui parla par image, et lui donna un conseil dont la sagesse me paraît démontrée; il lui dit: «Monseigneur, pour gouverner les Français, il faut une main d'acier, mais avec un gant de velours.» C'est-à-dire, il faut savoir ce que l'on veut, le vouloir tous les jours, et ménager la vanité irritable et naturelle à notre caractère. J'ajouterai, qu'il faut dire nettement ce que l'on veut. La franchise est un signe de force; la duplicité, au contraire, un symptôme de faiblesse. Elle ne sert à rien auprès d'un peuple spirituel, éveillé sur ses intérêts. Elle inspire toujours le mépris. Le caractère courtisan des Français leur fait promptement adopter les opinions et les projets du souverain, quand ses opinions et ses projets n'ont rien que de raisonnable. Il faut planter hardiment son pavillon, et assez haut pour être vu de tout le monde. Si le vent souffle d'une manière décidée et constamment du même côté, chacun oriente bientôt ses voiles en conséquence.

Bernadotte ne passa que peu de jours à Paris et retourna promptement à son armée. On a ignoré alors la cause d'un si prompt départ; mais, depuis, elle est venue à ma connaissance. Ce fait se rattache à des événements d'une si grande importance, que rien ne doit en être perdu pour l'histoire.

Pendant la campagne de 1814, le général Maison, depuis fait maréchal par Charles X, commandait un corps d'armée en Flandre, opposé à l'armée du prince royal de Suède. Maison avait été longtemps l'aide de camp de confiance de Bernadotte. Il entra par intermédiaire en rapport secret avec lui, et chercha à l'émouvoir sur les malheurs auxquels la France était en proie. Bernadotte y fut sensible. Il entra dans les idées de Maison, et finit par déclarer par écrit à Maison qu'il était prêt à embrasser les intérêts des Français avec son armée. Il désarmerait le corps prussien sous ses ordres et passerait dans nos rangs avec ses Suédois. Pour toute condition il ne demandait qu'un mot d'écrit, signé par Napoléon, mot par lequel l'Empereur prendrait l'engagement de lui procurer une souveraineté, dans le cas où sa démarche lui enlèverait ses droits au trône de Suède. Napoléon, informé de ces propositions, y donna les mains, mais avec la restriction que l'engagement serait signé par son frère Joseph, et non par lui. C'était déclarer d'une manière assez positive l'intention de s'affranchir personnellement de l'obligation. On comprend qu'une pareille condition mit fin à la négociation. Napoléon, possesseur de l'écrit de Bernadotte, le fit tomber entre les mains de l'empereur Alexandre. Quand Bernadotte vint chez ce dernier, à Paris, il fut reçu d'une manière glaciale. Puis Alexandre lui remit le papier accusateur, en ajoutant que, ne voulant jamais oublier sa conduite en 1812, il chasserait de sa mémoire le tort récent dont il s'était rendu coupable et ne lui en parlerait jamais, mais qu'il l'engageait à ne pas prolonger son séjour à Paris et à quitter la France sans retard.

Je ne tiens pas ces détails du maréchal Maison même, mais du colonel de la Rue qui, pendant dix-sept ans, m'a été attaché comme aide de camp, et dont j'honore particulièrement le caractère vrai et loyal. Devenu aide de camp du maréchal Maison depuis la Révolution de juillet, et chargé de missions importantes qu'il a remplies toutes avec succès, c'est de la bouche même du maréchal Maison qu'il a entendu ce récit. Son authenticité m'est donc aussi prouvée que si c'était à moi que Maison eût parlé. De la Rue ajoutait que le maréchal n'en faisait pas mystère et n'hésiterait pas à me raconter cet événement quand je le rencontrerais, si je lui en parlais [2].

Note 2: <u>(retour)</u> J'ai su depuis, par M. de Bodenhausen, ministre de Hanovre à Vienne, et qui, pendant la campagne de 1814, servait dans l'état-major de Bernadotte, qu'il avait été chargé deux fois de conduire mystérieusement, d'une armée à l'autre, l'agent du général Maison, qui fut reçu en secret. Cet agent était colonel et aide de camp de Maison. Il fut accompagné une fois par Benjamin Constant, qui se trouvait habituellement au quartier général du prince royal de Suède, et y resta toute la campagne. (*Note du duc de Raguse.*)

On peut supposer que Napoléon a vu dans Bernadotte un rival dangereux pour l'avenir, et que Bernadotte se croyait appelé, après un coup aussi hardi, qui aurait sauvé et délivré la France, à remplacer Napoléon.

Le roi eut bientôt une occasion de reconnaître la franchise de mon caractère et les sentiments qui m'animaient.

Une femme de beaucoup d'esprit, avec laquelle j'étais lié depuis ma première jeunesse, et qui a passé sa vie dans des intrigues de toute espèce, m'avait raconté que M. de Talleyrand avait proposé à Ouvrard un marché pour nourrir et entretenir trente mille Russes, destinés à rester à Paris pendant plusieurs années. Les circonstances étaient de nature à m'empêcher de pouvoir douter de la vérité du fait. J'en éprouvai un sentiment d'indignation profonde. Plus je me trouvais lié à cette Restauration, plus je désirais lui voir un caractère national; si elle l'eût perdu, elle eût été à jamais déshonorée à mes yeux.

L'expression des sentiments publics avait autorisé alors toute espèce de confiance; l'espérance était dans tous les coeurs, et j'ai vu des gens, devenus depuis ses ennemis les plus ardents, qui étaient à cette époque ses plus chauds partisans. Madame Regnault de Saint-Jean-d'Angély, excessivement bonapartiste pendant tout le temps de la Restauration, était dans des transports de joie au moment au je la rencontrai la première fois. Elle voyait tout en beau. Je la cite, non pour elle-même, son opinion est d'un poids léger, mais comme symptôme de celle de son mari, homme influent parmi les bonapartistes, et très-marquant par son instruction, sa facilité et ses lumières. Toutefois cette idée de nous voir mettre en tutelle sous trente mille Russes, cette flétrissure, prête à nous être infligée, eussent été des moyens infaillibles pour empêcher les Bourbons de prendre jamais racine chez nous. Elle me révolta, et je crus de mon devoir d'informer le roi du complot, afin de le mettre en garde et de lui faire voir d'avance les conséquences infaillibles d'une mesure semblable. Je lui demandai un entretien. Il fut accordé sur-le-champ. Je lui exprimai mes craintes de l'aborder si promptement et si brusquement sur une question générale, sans être provoqué par lui; mais mon amour pour mon pays et l'urgence des circonstances me serviraient d'excuse. Quelles que fussent ses lumières, dont l'opinion consacrait l'étendue, il avait à se délier de caractères peu honorables et de beaucoup d'intérêts particuliers, opposés à l'intérêt public. Je lui dis donc que j'avais la certitude du projet formé par M. de Talleyrand de conserver à Paris, pendant plusieurs années, une armée étrangère. À ce récit, je dois le dire à la louange de Louis XVIII, il eut un soubresaut sur son fauteuil et s'écria: «Ah! mon Dieu! quelle infamie!» J'éprouvai de ce mouvement un sentiment de joie, car je vis qu'il revenait roi de France, et non roi des émigrés. Il sentait la dignité de la couronne et le légitime orgueil de la nation. Je développai avec rapidité les conséquences qui résulteraient immédiatement du seul soupçon d'un pareil projet. Le roi me fit des questions sur les hommes placés en évidence, et je lui répondis en conscience et sans passion. Il me remercia de mon zèle et m'engagea à venir le trouver pour lui dire tout ce que je croirais pouvoir lui être utile. Il se servit d'une expression vulgaire et triviale en me disant: «Vous sentez que celui qui tient la queue de la poêle est souvent bien embarrassé et a bien des considérations à envisager avant de se décider sur les partis à prendre; mais les opinions d'un homme de bien sont toujours bonnes à connaître.»

De Compiègne le roi se rendit à Saint-Ouen. Il data de ce château la déclaration qui servit de base à l'ordre politique nouveau, et qui fut peu après consacrée par la charte.--Ici une grande question s'élève. Le roi devait-il donner la Charte? Je vais discuter cette question dans toute son étendue et développer l'opinion seulement pressentie alors, mais dont le temps et les événements m'ont démontré chaque jour davantage la justesse.

Un État comme la France ne peut marcher sans des bases convenues, un ordre politique régulier et l'existence de pouvoirs dont les rapports et le jeu soient consacrés. On ne pouvait pas revenir à ce qui existait autrefois; jamais une tête sensée n'a conçu la possibilité de reconstruire un édifice dont tous les matériaux avaient été dispersés et détruits. Il fallait donc autre chose.

On pouvait choisir entre l'ordre politique fondé par Napoléon, en le modifiant dans une certaine mesure, ou créer de nouvelles institutions. La raison, la prudence, une sage circonspection, commandaient de s'en tenir au premier parti. Cet établissement avait déjà quatorze ans de vie, et on était certain d'obtenir par lui, dans la composition des assemblées, des choix conformes aux intérêts de l'ordre et de la tranquillité. Toutes les existences créées par la Révolution et l'Empire en ces temps pleins de virilité se trouvaient conservées intactes. On continuait un ordre régulier. On ne provoquait aucun mécontentement. Au contraire, on ajoutait au Sénat les anciennes illustrations, on lui donnait un certain éclat; car rien ne sert plus à la considération des institutions nouvelles que de les confondre avec l'ouvrage des siècles. Alors tous les intérêts étaient représentés. Pour se rapprocher un peu des idées nouvelles, il fallait démuseler le Corps législatif, dont le mutisme complet avait porté atteinte à sa considération; il fallait donner à la presse la dose de liberté réclamée par les progrès des lumières et les besoins des sociétés actuelles. Or ces besoins ne dépassent pas la publicité des ouvrages, sous la responsabilité des auteurs. Aussi fallait-il bien se garder d'affranchir la presse périodique d'une censure. La censure peut seule mettre obstacle à la dissolution qu'une prédication constante et sans contrôle doit infailliblement opérer dans la société. Il fallait enfin rendre à l'ancienne noblesse ses titres. Ces trois choses-là exécutées, l'union était faite entre les Bourbons, les intérêts anciens et la France nouvelle. Aucune révolution n'était à craindre, et rien ne donnait prise aux mécontents, ni de prétexte aux projets coupables.

Au lieu de cela, Louis XVIII se livra d'une part aux intrigants, de l'autre aux doctrinaires, à ces hommes orgueilleux, de principes absolus, à ces hommes vains qui se croient destinés par la Providence à l'enseignement du monde, qui sont convaincus qu'avant eux tout était ténèbres ou obscurité, et qu'eux seuls comprennent les mystères de la société, et sont capables d'apprendre aux hommes pourquoi et comment ils existent. Esprits téméraires et aveugles, dont la pensée est de rendre tout uniforme, ils ne conçoivent pas que rien ne peut être absolu. Dans chaque ordre social, tout doit être relatif aux temps et aux circonstances particulières dans lesquelles chaque peuple se trouve placé. Êtres dangereux, qui ne savent créer que des ruines et pour lesquels l'expérience est toujours superflue, ces hommes, dans leurs abstractions, ne font jamais entrer les obstacles qui naissent de la nature des choses et du froissement des intérêts. Ils oublient toujours quel rôle jouent tant de passions diverses qui se développent si facilement et d'une manière si capricieuse. Aussi deviennent-ils la perte des nations qui leur confient leurs destinées. Je n'attaque pas leur caractère. En général, leurs intentions sont pures; mais, si on peut et doit lire leurs ouvrages pour profiter de ce qu'ils peuvent renfermer d'utile, il faut se défier de leur orgueil, de leur folle confiance, et se garder de leur donner du pouvoir, car il périra dans leurs mains.

M. de Talleyrand, homme léger, dont les conceptions n'ont jamais eu rien de complet, était un mauvais guide pour le roi dans de semblables circonstances et en pareille matière, Louis XVIII fut peut-être, d'un côté, frappé de l'idée qu'il était au-dessous de la dignité d'un Bourbon d'hériter de l'établissement politique fondé par Napoléon, et, de l'autre, séduit par celle d'être un législateur. Cependant l'esprit d'ordre, d'obéissance, les sentiments monarchiques qu'avait ressuscités et mis en honneur Napoléon, faisaient sa force et sa puissance. Il pouvait se servir également des lois qui avaient contribué à rétablissement des nouvelles moeurs. Quant à l'idée d'être législateur, chez un homme incapable de rien créer, mais dont le rôle était d'accepter de confiance ce qui lui serait donné, c'était une vanité puérile; et un esprit circonspect, comme le sien, devait trembler à l'idée d'un remaniement complet de la société. Combien d'épreuves à faire et d'obstacles à surmonter, pour un homme nouveau dans le gouvernement! car, jusqu'alors, Louis XVIII n'avait rien fait, et il en était aux simples théories. Ajoutez que ses infirmités devaient paralyser en partie ses actions. Ce prince a été entraîné, sans s'en douter, dans d'immenses difficultés. Il les aurait évitées s'il se fût contenté de l'ordre établi en le modifiant.

Il était donc infiniment préférable de s'en tenir à ce dernier parti. Louis XVIII, voulant absolument faire du nouveau et devenir roi législateur, s'y est pris étrangement. Il aurait dû se borner, pour le moment, à pourvoir aux nécessités de l'époque, reconnaître le principe qui règle la matière, et, après s'être rendu compte de ce qui constitue une charte, en jeter seulement les bases.

Une charte est tout entière dans la division des pouvoirs et dans la fixation de leurs attributions. Quand ces dispositions sont clairement établies, la charte est faite. La plus courte est la meilleure; car ce qui est inutile devient nuisible. L'introduction de dispositions réglementaires est funeste, en mettant obstacle aux changements rendus nécessaires par les nouvelles circonstances. Les lois ne peuvent être éternelles. Destinées à exprimer les besoins de la société, elles doivent changer avec eus et se modifier lorsque le temps en développe de nouveaux. On pourrait les comparer aux vêtements dont ni les dimensions ni même la forme ne peuvent également convenir à l'enfance, à l'âge mûr et à la vieillesse. Mais le mode de faire les lois doit être fixé, et c'est là ce qui constitue la charte d'un peuple.

Quand le législateur a dit: le trône sera occupé par telle famille et on y succédera de telle manière, il y a une Chambre de pairs héréditaires à laquelle le roi nomme; il y a une Chambre de députés qui a telles attributions et où on est admis par telle élection; quand enfin on a déterminé ce qui est du ressort de la loi et ce qui est du domaine des ordonnances, dès ce moment une constitution est faite.

Il fallait en outre concilier les anciens intérêts avec les nouveaux, en faisant un traité de paix entre eux, et consacrer tout à la fois la vente des biens des émigrés et une indemnité pour les anciens propriétaires. Cet ouvrage ainsi terminé, toutes les questions importantes étaient résolues et le nouvel ordre politique fondé.

La chose la plus grave était sans doute le mode de nomination à la Chambre des députés; et c'est précisément celle qu'on a évité de décider. Au lieu de prononcer d'une manière définitive sur cette importante question, on s'est jeté dans une multitude de dispositions réglementaires, on a créé à plaisir des difficultés superflues. En Angleterre, un axiome dit: *Le Parlement peut tout faire, excepté de changer un homme en femme*, et cela est raisonnable. Les pouvoirs qui représentent la société ne peuvent avoir de limites dans leur action. La société ne peut pas périr par respect pour une phrase écrite. Ce qui est contraire au bien de l'État doit pouvoir être changé, mais, bien entendu, par ceux qui, appelés à être juges de ses besoins, sont investis par la loi du droit et du devoir d'intervenir suivant les formes consacrées. Ces vérités n'ont pas été senties à cette époque mémorable, et aussi on a fait une oeuvre mauvaise. Au surplus, on avait choisi un étrange rédacteur. Beugnot, homme d'esprit, mais sans opinion, sans aucun principe, prétendant se concilier tout le monde et se plaisant dans une sorte de courtisanerie, fut chargé de ce travail important.

Tel est l'homme dont M. de Talleyrand fit choix pour être notre Solon et notre Lycurgue.

Malgré cela, la Charte, toute vicieuse qu'elle était, donnait au roi un immense pouvoir et des moyens de gouvernement si étendus, qu'avec le moindre talent il était facile de fonder son autorité d'une manière durable; mais les divers ministères se sont plu, par amour d'une fausse popularité, à l'amoindrir. Ils sont arrivés ainsi jusqu'au moment où le dernier de tous a fait crouler le trône par une ineptie sans exemple. Chose étrange à dire, mais d'une exacte vérité, c'est le ministère le plus royaliste, celui de M. de Villèle, c'est celui-là même qui a le plus dépouillé le roi de ses prérogatives, tant le besoin de popularité était la maladie universelle alors!

Le roi fit son entrée le 3 mai. Un temps magnifique, la présence d'une population immense et la plus vive allégresse donnèrent à cette solennité le plus grand éclat. Il y avait dans les esprits une joie impossible à exprimer, la même que le 12 avril, mais avec plus de calme. Ce n'était plus l'agitation que donne l'espérance, c'était la satisfaction que donne la possession.

Le roi se rendit d'abord à Notre-Dame, où un *Te Deum* fut chanté. Il alla ensuite s'établir au palais des Tuileries.

Une circonstance inaperçue montra, dès les premiers jours, la maladresse et l'ignorance des choses et des hommes dont les Bourbons, dans leurs différents actes, devaient sans cesse offrir la preuve. Une partie de la vieille garde était casernée à Paris; d'elle-même elle alla se placer aux postes qu'elle était dans l'usage d'occuper au château; mais on la fit évacuer pour l'y faire remplacer par un détachement de la garde nationale à cheval, composé de jeunes gentilshommes qui venaient offrir leurs services et demander des emplois.

Pour des gens du moindre jugement, il était de bon augure et d'une importance capitale de voir ces vieux soldats, ces vétérans, s'empresser de venir d'eux-mêmes se rallier autour du nouveau souverain. Cette troupe, l'élite de l'armée, non-seulement par sa bravoure, mais encore par sa bonne conduite, était composée des meilleurs sujets des régiments qui les avaient fournis. Leur prétention et leur ambition étaient d'environner le trône. Les priver d'un droit dont ils étaient en possession et acquis au prix de leur sang était une injustice, et les mécontenter, une grande faute. En les comblant et en les traitant avec considération et confiance, on les attachait pour toujours au nouvel ordre de choses. La vieille garde étant dévouée, l'armée suivait. Tout est exemple et imitation chez les hommes, et particulièrement dans les troupes. Quand la tête de l'armée est satisfaite, le reste est facile à contenter.

Il en était de même pour les généraux. En traitant bien les principaux, et satisfaisant l'ambition des trente les plus renommés, les autres ne devaient plus inquiéter. Ils auraient été dociles, empressés et nullement à craindre; mais loin de là, sauf quelques belles paroles, tous les actes ne cessèrent de menacer l'existence de tous et de chacun.

Louis XVIII se pénétra de l'idée fausse que le rétablissement complet de la maison du roi, telle qu'elle était avant la réforme opérée par M. de Saint-Germain, était une action prudente et politique. Aussi s'en occupa-t-il sur-le-champ. On l'augmenta même de deux compagnies de gardes du corps, données à deux maréchaux, au prince de Neufchâtel et à moi.--Un corps d'officiers faisant fonction de soldats n'est plus de notre temps. En le formant d'individus qui, n'ayant jamais servi, ne pouvaient mériter les grades qu'on leur prodiguait, on proclamait, en présence d'une armée dans laquelle des grades pareils avaient été le prix des plus grands travaux et des plus grands dangers, on proclamait, dis-je, l'intention de donner bientôt aux nouveaux venus une préférence décidée sur les anciens, et de rendre les premiers l'objet de toutes les faveurs.

Cette création d'une multitude d'emplois d'officiers supérieurs semblait avoir pour objet de préparer le remplacement de tous les colonels et lieutenants-colonels de l'armée. Aussi ceux-ci avaient une grande inquiétude et une sorte d'effroi. Si on avait fait cette création avec plus de réserve et plus de discrétion, si on avait exigé des services antérieurs pour être admis dans la maison du roi, comme on l'a fait depuis pour les gardes du corps, le mal eût été moindre. C'eût été un moyen de donner une espèce d'activité à quelques-uns des officiers que la réduction sur le pied de paix devait mettre sans emploi, et lier la maison du roi à l'armée. Je m'imposai cette règle dans l'organisation de ma compagnie. Sur trois cent quarante gardes qui la composaient, je plaçai comme simples gardes vingt-sept capitaines de l'armée, soixante-cinq lieutenants et sous-lieutenants, et cent quatre-vingts ayant servi comme sous-officiers ou soldats. Aussi ma compagnie fut-elle très-promptement organisée, et présenta-t-elle en peu de mois instruction et discipline. Mes camarades agirent autrement. Une belle, bonne et estimable jeunesse, mais sans instruction et sans esprit militaire, entra dans leurs compagnies. Les anciens gardes du corps étant vieux, usés et ignorants, et les capitaines des gardes incapables, ces compagnies n'avaient encore aucune consistance, quand la révolution du 20 mars 1815 nous surprit.

Convaincu qu'en toute chose une vérité fondamentale doit servir de base et de règle, et que si on ne la découvre pas on marche au hasard, je me demandai ce qui devait distinguer une maison du roi de toute autre troupe, et quel était le but particulier à remplir en la formant.

Une maison militaire, composée uniquement d'officiers, a pour objet principal de mettre la vie du roi à l'abri des dangers qu'elle peut courir. Ceux qui y sont admis doivent donc offrir des garanties particulières de fidélité. Or ces garanties se trouvent non-seulement dans la moralité et la bravoure de chaque individu, mais encore dans les sentiments de sa famille dont il est comme le représentant, et qui lui sert de caution. D'après cela, il faut qu'il appartienne à une classe élevée de la société.

Un autre motif démontre aussi la nécessité d'une semblable composition; c'est celui de donner à ce corps la considération qui lui est nécessaire. En effet, un officier sans commandement, faisant fonction de soldat, n'a pas droit à une considération supérieure à celle qui lui appartient comme individu. Un capitaine de grenadiers de la moindre extraction aura toujours de l'importance par son commandement; mais un garde du corps, homme du peuple, ne serait pas respecté, et son grade, que rien ne motive (car les grades ont été uniquement imaginés et institués pour établir les commandements et assurer l'obéissance), le rend presque ridicule. Ainsi, dans l'armée, la considération résulte pour les officiers de leur autorité, tandis que, dans ces corps d'officiers, elle dépend de la nature des individus. Il faut donc observer avec soin la règle de choisir les gardes du corps dans la classe aisée, noble ou vivant noblement, c'est-à-dire parmi cette bourgeoisie estimable et nombreuse en France, dont l'existence est, à peu de chose près, celle de la noblesse. Sans cette condition, les corps d'exception sont plus nuisibles qu'utiles.

Un dernier but doit être de satisfaire les désirs de service que cette classe moyenne éprouve, sans donner à l'armée un développement dans ses cadres, que les finances de l'État ne supporteraient pas, en lui procurant une position convenable et en rapport avec une bonne éducation et une origine honorable. Mais, pour ne pas l'éloigner des principes militaires, il faut que ce soit parmi les sous-officiers des différentes armes, et après un service d'un temps déterminé. Alors il en résulte un avantage pour l'armée, puisque l'avancement des sous-officiers est plus rapide, ayant à pourvoir aux besoins des cadres extérieurs.

J'ai suivi ces régies ponctuellement, et j'ai eu toujours égard à l'origine et aux services; aussi ma compagnie fut-elle à l'instant même aussi belle et aussi bonne qu'on pouvait le désirer. Les individus que je choisis ayant des droits antérieurs, je pus les faire valoir, solliciter et obtenir pour eux des récompenses. Ma position étant très-favorable, ils furent comblés. Il en résulta de leur part un grand attachement pour moi, et par suite de cela j'acquis l'affection de toute la maison du roi. Aussi, quand plus tard ma compagnie fut réformée, à chaque nouvelle de la retraite d'un capitaine des gardes, le bruit courait-il que j'étais destiné à le remplacer.

On forma donc six compagnies de gardes du corps, fortes, avec les surnuméraires, de quatre cents hommes chacune, et quatre compagnies, dites compagnies rouges, une des gendarmes de la garde, une de chevau-légers et deux de mousquetaires. Cette formation donna lieu à la création de cinq mille officiers subalternes, supérieurs ou officiers généraux. On peut juger d'un coup d'oeil de l'effet produit sur l'armée, au moment même où les réformes les plus grandes et les plus mal entendues venaient frapper une multitude de braves officiers, couverts de gloire et dans la force de l'âge. En même temps, comme on voyait dans les nominations intempestives des dispositions préparatoires pour remplacer les officiers actuellement en possession des emplois dans les troupes, l'avenir ne promettait pas de dédommagements aux malheurs présents. L'abbé Louis, par un calcul dur et sordide, fit mettre à la réforme un grand nombre de ces officiers, dans le moment même où il était si important de s'attacher l'armée, de lui donner de la sécurité et d'adoucir ce que les changements présents pouvaient avoir de pénible pour elle; et tout cela pour une économie de deux millions, quand la maison du roi en devait coûter plus de trois. On aura peine à comprendre une conduite si injuste et si impolitique.

Pendant l'émigration, les Bourbons n'avaient accordé aucun grade, aucun avancement. Mesure très-sage et donnant la preuve de leur considération pour les grades militaires. Cette mesure avait été observée si religieusement, qu'en 1814, quand tous les anciens officiers généraux reparurent, il n'existait que quatre lieutenants généraux, MM. de Viomenil, de Vaubecourt, de Coigny et de Béthisi. Tous les autres étaient maréchaux de camp. Mais Dupont, voulant plaire à tout le monde, prodigua les grades de la manière la plus coupable et la plus insensée. Sur sa proposition, des avancements furent donnés, et les effets rapportés à des époques passées et très-éloignées. Il en résulta une confusion extrême, et l'alarme la mieux fondée dans l'état-major général de l'armée.

Une circonstance en apparence futile eut une influence fâcheuse sur cette prodigalité de grades et sembla y ajouter encore. Le roi crut plaire à l'armée, en adoptant, en opposition aux usages de la cour de France, l'habit militaire pour son costume habituel, au lieu de reprendre l'habit habillé que les rois de France avaient constamment porté depuis cent ans. À son exemple, tous les courtisans, tous les individus investis de charges à la cour, en firent autant. C'était d'ailleurs une manière économique de se faire une garde-robe. Mais, aucun d'eux n'ayant servi depuis vingt ans, ils se trouvèrent en possession seulement des grades qu'ils avaient eus dans leur jeunesse, et chacun se trouva avoir une épaulette qui ne donnait pas un rang en harmonie avec la dignité dont il était investi. Par exemple, M. de Brézé, grand maître de cérémonies, était capitaine. Cette mesquine distinction faisait souffrir son amour-propre. Beaucoup d'autres étaient dans un cas semblable. Chacun donc voulut de grosses épaulettes ou des broderies. Si Louis XVIII eût repris l'habit habillé, tout le monde eût fait de même. Je dois dire qu'en cette circonstance M. de Blacas montra du jugement et un bon esprit. Il s'opposa, tant qu'il le put, à cette espèce de dévergondage dans la distribution des grades et refusa à plusieurs reprises l'avancement dont Dupont voulait le gratifier.

Avant d'aller plus avant, je chercherai à faire connaître Louis XVIII, tel que j'ai cru le voir. Louis XVIII était un composé de qualités et de défauts fort opposés. Il présentait les plus grands disparates dans ses habitudes et dans son caractère. Ayant adopté quelques idées nouvelles, il tenait du doctrinaire; mais ses habitudes et ses moeurs étaient toutes de Versailles et rappelaient ses premières années. Ainsi en lui se livrait un combat perpétuel entre les nécessités dans lesquelles il était placé, ses opinions et ses goûts. Ces combats ont plus d'une fois rendu la marche de son gouvernement incertaine et vacillante. Son esprit beaucoup trop vanté, et en réalité d'assez peu d'étendue, était souvent faux. Sa mémoire prodigieuse et son instruction très-grande en littérature lui donnaient le moyen de faire les tours de force les plus extraordinaires et d'éblouir ses auditeurs; mais il était au-dessous de la plus mince discussion. Son cerveau, propre à tout retenir, ne produisait rien. Jamais il n'alla jusqu'à un troisième raisonnement pour défendre une opinion adoptée d'avance. Son caractère avait de la modération, peu de franchise et assez de bonté. On trouvait en lui de la séduction dans les manières, de la grâce dans le langage, de la coquetterie dans les paroles, et une puissance et une autorité dans le regard que je n'ai vu à personne au même degré. On le savait faible, et malgré cela il imposait, il était assez généreux, et même grand et délicat dans ses largesses. Son orgueil bourbonien était tellement exagéré et absurde, que lui, si redevable aux souverains de l'Europe, imagina dans deux circonstances de prendre le pas sur eux et chez lui. Donnant à dîner à l'empereur d'Autriche, à l'empereur Alexandre et au roi de Prusse, il passa le premier pour se mettre à table. Dans une autre occasion, étant placé sur un balcon pour voir défiler les troupes, il avait fait placer un fauteuil pour lui et des chaises pour eux. Les souverains restèrent debout, et il fut supposé que le roi était placé dans un fauteuil à cause de ses infirmités.

Solennel dans les petites choses, Louis XVIII croyait se faire admirer par des phrases dites avec prétention, souvent très-ridicules. Son organisation était incomplète et bizarre: avec une bonne tête et un bon estomac, le reste du corps était si mal conformé, qu'à un âge peu avancé encore il pouvait à peine marcher. On sait, sous d'autres rapports, avec quelle parcimonie et quelle rigueur la nature l'avait traité; et, malgré cela, il avait beaucoup de prétention à des facultés qu'il n'avait jamais possédées. Il racontait les succès de sa jeunesse, et faisait, à cette occasion, des contes dépourvus de toute vérité. Il aimait les histoires licencieuses. On connaît ses amours trop célèbres dans ses dernières années, où une femme bien née s'est prostituée aux caprices d'un vieillard infirme et impuissant. Ayant beaucoup vu, il savait une multitude d'anecdotes, qu'il contait agréablement. Mais ceux qui, comme moi, l'ont approché d'une manière habituelle pendant beaucoup de temps, les savaient toutes par coeur; et, quoiqu'il ne pût l'ignorer, il n'en faisait jamais grâce dans l'occasion. Il était éminemment poli et maître de maison rempli d'attentions.

L'uniformité de l'emploi de son temps était incroyable. Dans les temps ordinaires, jamais il ne faisait chaque jour autre chose que ce qu'il avait fait la veille. Il se levait à sept heures; il recevait le premier gentilhomme de la chambre ou M. de Blacas à huit heures; à neuf heures, il avait quelque rendez-vous d'affaire; à dix heures, il déjeunait avec le service et les personnes autorisées, une fois pour toutes, à y venir tous les jours, les titulaires des grandes charges et les capitaines des compagnies de la maison du roi. Après le déjeuner, qui dura d'abord vingt-cinq minutes, et qui, avec le temps, devint beaucoup plus long, on passait dans son cabinet, où une conversation s'entamait. Madame la duchesse d'Angoulême et une ou deux de ses dames déjeunaient toujours avec lui. À onze heures moins cinq minutes, elle se retirait, et alors quelque histoire graveleuse, tenue en réserve, était racontée par le roi pour égayer ses auditeurs. À onze heures, il congédiait son monde. Alors commençaient pour lui les audiences accordées aux particuliers, et cela jusqu'à midi. À midi, il se rendait à la messe avec son cortége, toujours composé au moins de vingt personnes. Au retour de la messe, il recevait ses ministres quand ils avaient à lui parler, ou son conseil, qu'il tenait une fois par semaine. Ce conseil ne durait jamais une heure. Lorsque, quelques années plus tard, madame du Cayla fut dans les bonnes grâces du roi, c'était toujours le mercredi, après le conseil, qu'elle arrivait. Elle restait deux ou trois heures avec lui sans que personne pût entrer. Les autres jours, il passait une heure ou deux à écrire ou à lire et à faire des plans de maison, qu'il jetait ensuite au feu. Arrivé à deux, trois ou quatre heures, suivant la saison, il allait à la promenade, et faisait quatre, cinq, jusqu'à dix lieues, dans une grosse berline, sur le pavé, les chevaux courant ventre à terre, accompagné d'une nombreuse escorte. Louis XVIII avait cinq promenades fixes, tracées d'avance et toujours les mêmes. Des relais d'attelage et des détachements de troupes, placés de distance en distance, employaient jusqu'à trois cents chevaux. Il dînait à six heures en famille, mangeait beaucoup, et avait des prétentions légitimes à la gourmandise. Le dîner durait jusqu'à sept heures environ. La famille royale restait réunie jusqu'à huit heures, et puis se retirait. À huit heures, tout ce qui avait le droit d'entrer chez le roi, sans audience préalable, et qui voulait lui parler en particulier, pouvait demander à être admis, et était reçu à son tour. Un ou deux ministres y venaient presque chaque jour. À neuf heures, il sortait dans la salle du conseil, et donnait l'ordre, c'est-à-dire le mot d'ordre du château. Un certain nombre d'individus avait le privilége d'y venir, et ils en profitaient pour lui faire leur cour. L'ordre durait ordinairement vingt minutes, et, après avoir dit un mot à chacun, il se retirait. Alors arrivait M. Decazes, pendant le temps de son ministère. Le roi, après être resté seul avec lui jusqu'à onze heures, se couchait.

Louis XVIII avait quelquefois des mots heureux; plusieurs ont été conservés. Il était d'une exactitude extrême. Un jour qu'on le remarquait, il dit cette phrase connue: «L'exactitude est la politesse des rois.»--Souvent aussi ses paroles avaient une sorte de niaiserie prétentieuse. J'en pourrais citer beaucoup, mais en voici deux que ma mémoire me rappelle en ce moment.

Nous étions à déjeuner, et j'envoyai demander de la poularde à M. de Luxembourg, placé presque en face du roi. Au lieu de m'envoyer, comme il est d'usage, une aile ou une cuisse, il se mit à lever des aiguillettes, comme on fait au canard. Le roi, s'en apercevant, lui dit: «Monsieur de Luxembourg, mais comment servez-vous donc cette volaille?» Et celui-ci, avec un ton niais qui lui était particulier, lui répondit: «Mais, Sire, c'est à l'anglaise.» Le roi lui répondit d'une voix de tonnerre: «À l'anglaise! à l'anglaise! soyons Français avant tout.» Il crut avoir dit un mot à la Louis XIV et la plus belle chose du monde.

Dans les dernières années de sa vie, à l'époque de l'expédition d'Espagne par M. le duc d'Angoulême, on parlait un soir à l'ordre avec éloge de ses opérations; et lui, prenant la parole, dit: «Il y a longtemps que les Espagnols connaissent mon neveu. En 1815, à sa voix, ils se sont arrêtés et ont rebroussé chemin. (Effectivement, M. le duc d'Angoulême vint interposer ses bons offices pour empêcher l'entrée des Espagnols, alors superflue, puisque le roi était à Paris et que les provinces du Midi s'étaient prononcées en sa faveur.) Sa voix les a frappés de crainte. Cet événement m'a rappelé ce beau passage d'Homère où, racontant la fuite des Grecs devant les Troyens, ceux-ci furent frappés de terreur et abandonnèrent leur poursuite à la voix d'Achille qu'ils avaient reconnue.» On imagine qu'un sourire moqueur de l'auditoire accueillit cette citation.

Louis XVIII avait de la pédanterie et tenait du rhéteur dans sa manière de s'exprimer, et cependant il ne savait pas parfaitement le français. Je le lui ai entendu dire à lui-même; et, quoique assurément il parlât très-bien, il avait cependant raison, car j'ai remarqué quelquefois des fautes dans son langage. Son caractère était faible, et il avait besoin d'être dominé; mais il avait le premier degré de force, qui rend fidèle et obéissant à celui que l'on a pris pour maître. Le comble de la faiblesse, c'est d'appartenir au dernier qui nous parle. Il avait horreur de prendre un parti. Se décider était pour lui un supplice. Aussi un ministre habile ne pouvait mieux faire que de toujours lui présenter des solutions toutes faites. Je l'ai entendu dire à M. de Bonnet, homme de beaucoup d'esprit, qui a passé de longues années près de lui et dans son intimité. Quand on lui présentait des doutes, il entrait dans une incertitude qui ajournait souvent un résultat désiré et pressant. Sans doute on finissait par l'obtenir, mais d'une manière moins avantageuse. Il fallait lui dire: «Sire, il faut faire telle chose; il n'y a pas à hésiter; c'est une chose évidente.» Et tout était aussitôt terminé.

En résultat, Louis XVIII était plutôt un homme de sens qu'un homme d'esprit. Il avait de la générosité dans le coeur et de la bonté quand les passions de son entourage ne l'empêchaient pas de se montrer tel qu'il était. Sa paresse naturelle, comme ses infirmités, était d'accord avec la modération de son caractère. Il n'avait aucune superstition, et ses pratiques religieuses étaient plutôt d'étiquette que de foi et de conviction. Il ne manquait pas de courage, mais possédait le courage passif, propre aux Bourbons. Sa mort a été digne d'admiration. Ce prince a été grand et fort dans cette circonstance où tant d'hommes sont faibles; il a vu arriver sa fin avec un calme, une résignation qui m'inspirèrent dans le temps une profonde admiration. Il s'est montré avec la physionomie d'un sage de l'antiquité au moment de cette grande épreuve.

Le 4 juin, la Charte fut proclamée et le nouvel ordre de choses constitué. Une séance royale le consacra, et les Chambres, réunies pour la première fois, prêtèrent serment en présence du roi. On établit de la manière la plus explicite le droit divin, tandis qu'il eût été sage, la question étant résolue par le fait, de laisser tout dans le vague. Les mots de charte octroyée et d'ordonnance de réformation déplurent, donnèrent sur-le-champ des arguments spécieux aux mécontents, et agirent puissamment auprès des esprits inquiets et défiants. Combien tout eût été facile si l'on eût adopté et continué l'ordre ancien, le régime impérial, amélioré et modifié! Tout eût coulé de source, et aucune question ardue n'aurait été élevée. La Chambre des députés fut formée de l'ancien Corps législatif, en attendant une autre Chambre qui serait choisie d'après un nouveau mode d'élection. La Chambre des pairs fut composée d'une manière systématique et raisonnable. On prit, pour en faire la base, la plus grande partie de l'ancien Sénat. On y joignit les anciens ducs et pairs, un certain nombre d'individus appartenant à de grandes familles anciennes, et presque tous les maréchaux et les illustrations nouvelles. Une chose fâcheuse, maladroite et injuste, fut de n'y pas comprendre Masséna, dont le nom glorieux marque d'une manière si éclatante dans notre époque. On en vint jusqu'à disputer à cet homme illustre la qualité de Français, comme si tant de services rendus, tant de batailles gagnées pour la France, ne l'avaient pas naturalisé de fait! Le traiter avec faveur était une démarche habile et politique. Il était monstrueux et absurde de manquer ainsi à la plus rigoureuse justice envers un de ceux qui avaient le plus contribué à illustrer le nom français, la conduite tenue alors fut le résultat d'une de ces inspirations funestes qui devaient se renouveler si souvent dans la suite.

Le roi avait été précédé ou rejoint par ses deux neveux, les ducs d'Angoulême et de Berry. J'aurai tant d'occasions de parler du premier que j'en dirai peu de chose ici. Seulement il parut dépourvu de grâce et d'esprit. M. le duc de Berry semblait lui être fort supérieur. On remarqua en lui du mouvement, de la gaieté, le goût des beaux-arts et des plaisirs. Les jeunes officiers généraux attachés à l'état-major de l'Empereur, ces courtisans qui avaient porté à l'armée l'esprit des cours, esprit mille fois plus funeste et plus révoltant sur le terrain de la guerre où la vérité, la franchise, le dévouement, devraient seuls régner; ces militaires, dis-je, après avoir dévoré autrefois bien des faveurs sans partager les dangers, crurent qu'il y avait encore pour eux bonne curée à faire avec le nouvel ordre de choses. Aussi se précipitèrent-ils sur les pas et autour de M. le duc de Berry, qui d'abord en fut flatté. Mais bientôt après la brusquerie habituelle de ce prince, cette manie de singer Napoléon dans ses écarts et ses défauts, que rien chez lui ne pouvait ni justifier ni excuser, et les symptômes qui semblèrent bientôt annoncer le peu de solidité de la Restauration, les refroidirent pour le nouveau maître de leur choix. Enfin, la catastrophe du 20 mars 1815 les ayant jetés dans le parti de la trahison et de la révolte, ils devinrent décidément et restèrent plus tard les ennemis des Bourbons. Dès ce moment, ils ne négligèrent aucun des moyens en leur pouvoir pour leur nuire.

Ici commence pour moi une série de chagrins et de tribulations que la force de ma conscience, la pureté de mes intentions et le sentiment de ce que j'ai fait pour mon pays m'ont donné la force de supporter.

Les calomnies les plus horribles s'attachèrent à mon nom. On se rappelle mes efforts inouïs, incessants pendant la campagne de 1814. Je crois pouvoir le dire, sans être injuste envers aucun de mes camarades: dans cette campagne j'ai fait plus que les autres, et, si la chute du gouvernement n'eût pas été le résultat définitif, l'opinion m'aurait fait une assez grande part dans la gloire de cette époque.

Ce combat de Paris, où certes j'ai rempli largement mon devoir de général et de soldat, fut l'objet des plus injustes et des plus odieuses accusations. On dit et on répéta que la capitulation avait été un crime et une trahison, lorsque je m'étais, pour ainsi dire, dévoué seul à là défense de cette ville [3]. Ces bruits, répandus dans les lieux les plus bas, colportés par la haine et les intérêts froissés, prirent du crédit. Plein du sentiment de ma propre dignité, des souvenirs de ce que j'avais fait, je me crus au-dessus de la calomnie. Je m'imaginai qu'il était indigne de moi de répondre, et j'eus tort. J'ai porté la peine de mon orgueil; mais une circonstance particulière influa puissamment sur ma destinée. En donnant du crédit à mes accusateurs, de l'union à mes ennemis, elle a modifié mon existence d'une manière funeste. Aussi elle doit entrer dans mes récits. Je parlerai donc une fois avec détail de mes chagrins domestiques, afin de ne plus revenir dans la suite sur ces pénibles souvenirs.

Note 3: (retour) Ces infâmes accusations furent corroborées plus tard par l'odieuse proclamation de l'Empereur, datée du golfe de Juan, le 1er mars 1815. Voici comment, peu d'années après, ces calomnies furent réfutées par lui-même dans ses Mémoires.

En critiquant l'ouvrage du général Roguat, intitulé *Considérations sur l'art de la guerre*, l'Empereur dit:

«Le maréchal Marmont n'a point trahi en défendant Paris. L'armée, les gardes nationales parisiennes, cette jeunesse si brillante des écoles, se sont couvertes de gloire sur les hauteurs de Montmartre; mais l'histoire dira que, sans la défection du sixième corps, après l'entrée des alliés à Paris, ils eussent été forcés d'évacuer cette grande capitale; car ils n'eussent jamais livré bataille sur la rive gauche de la Seine, en ayant derrière eux Paris, qu'ils n'occupaient que depuis trois jours; ils n'eussent pas violé, certes, toutes les règles de la guerre. Les malheurs de cette époque sont dus aux défections des chefs du sixième corps et de l'armée de Lyon, et aux intrigues qui se trouvèrent dans le Sénat.»

Ainsi l'Empereur rend justice à ce que la défense de Paris a eu de brillant et d'héroïque.

Il est assez connu que la bataille s'est livrée sur les hauteurs de Belleville et de Romainville, occupées par le sixième corps seul; c'est donc aux troupes qui le composaient et à leurs chefs que le mérite en appartient.

La garde nationale n'a figuré en rien dans l'action; au delà du canal de Saint-Denis et à Montmartre, à peine quelques coups de fusil ont-ils été tirés, et c'est là seulement qu'il y avait quelques bataillons de garde nationale; quant aux écoles, elles sont restées éloignées du combat, et n'ont pas même pris les armes, à l'exception d'un détachement de l'École polytechnique qui servit aux batteries, en avant de la barrière du Trône, batteries qui, placées ainsi contre tout calcul raisonnable, furent prises par les chevau-légers wurtembourgeois, après avoir seulement tiré quelques coups de canon.

Les malheurs de l'époque ne sont pas venus de la défection dont parle Napoléon; ils ont été la conséquence forcée des maux dont Napoléon avait accablé la France et l'Europe, et qui ont soulevé le monde entier contre lui, tous ses alliés, même ceux de sa famille, et la presque universalité des Français.

Ils ont été la conséquence de la perte de un million cinq cent mille hommes en moins de dix-huit mois, sacrifiés d'une manière qui rappelle les folies de l'antiquité, et, sous le rapport militaire, en 1814, de la désobéissance formelle du vice-roi d'Italie, qui, rappelé avec son armée pour défendre la France, est resté en Italie, malgré la défense de son père adoptif, et s'est occupé de négociations dont le but était de le faire monter sur le trône, en le séparant de la cause française au moment où celle-ci succombait.

Napoléon oubliait-il donc, quand il parle de livrer bataille aux deux cent mille hommes qui occupaient Paris, qu'ils avaient été reçus avec des transports frénétiques de joie; oubliait-il que, lorsque le sixième corps a fait son mouvement sur Versailles, mouvement *exécuté contre mes ordres formels, qui par conséquent ne m'appartient pas*, et que j'ai déploré plus que personne; oubliait-il, dis-je, QUE DÉJÀ DEPUIS QUINZE HEURES IL AVAIT ABDIQUÉ PAR SUITE DE LA PRESSION DE SES LIEUTENANTS CONTRE LUI À FONTAINEBLEAU?

Était-ce sous de pareils auspices, et avec de misérables débris, qu'il pouvait être question de tenter encore la fortune?

Au moment où je relis ces *Mémoires*, un écrit publié à l'occasion de la mort de Joseph Bonaparte me tombe sous la main. Sa lecture peint d'une manière si vraie et si vive la situation dans laquelle Napoléon avait mis la France et s'était mis lui-même en 1814, que je ne puis me refuser à le consigner en grande partie à la fin de ce volume; se composant uniquement de pièces officielles écrites à l'époque des événements, on ne peut révoquer en doute l'exactitude des faits qu'il rappelle ᐃ.

On se demande avec étonnement quelle avait été la chute de la volonté et de l'activité de Napoléon, pour avoir laissé tomber la France dans un pareil excès de misère, dans un manque absolu d'armes, au point d'être obligé de distribuer des piques aux nouvelles recrues.

Sans doute, un million cinq cent mille hommes détruits avaient dû épuiser les arsenaux; mais, quand après les désastres de Leipzig, il était évident qu'à moins d'une paix faite subitement sur la frontière l'ennemi n'hésiterait pas à la franchir, ne fallait-il pas mettre en usage les moyens puissants qui, vingt ans auparavant, avaient servi à satisfaire nos besoins, à assurer notre salut?

On sait qu'en se bornant à un modèle grossier, mais capable d'un bon service, Paris peut fournir plusieurs centaines de mille fusils par mois.

Comment! le trésor impérial est vide: quelques rares mille francs peuvent à peine en sortir chaque jour, et, faute d'argent, on ne peut ni acheter des chevaux ni confectionner des habits, des harnais etc., etc., et des demandes réitérées, adressées à Napoléon par son frère, ne peuvent parvenir à faire ouvrir le coffre-fort du domaine extraordinaire; c'est quand tout s'écroule que les illusions mensongères entraînent une si singulière parcimonie!

Le passage du Rhin avec deux cent cinquante mille hommes, auxquels on n'a pas même quarante mille hommes de débris à leur opposer, annonce suffisamment que le champ de bataille s'étendra jusqu'à Paris; et cependant on n'exécute pas de travaux défensifs. Bien plus, le 17 mars, Napoléon n'a pas même approuvé et arrêté le projet des travaux dont la proposition lui avait été faite dès le commencement de l'année.

Comment expliquer une semblable conduite, si ce n'est que, placé constamment dans l'idéal, il se berçait de folles illusions, et qu'il préférait s'exposer à une perte certaine plutôt que de reconnaître d'avance un péril éminent dont les esprits les moins clairvoyants étaient frappés. Il n'a donc rien voulu prévoir ni rien préparer, et cependant avec une autre détermination il avait des chances de salut. Car, s'il se fût abandonné à un mouvement généreux sous les yeux des Parisiens, appuyé à des ouvrages faits avec soin, avec le secours de tous les moyens matériels et moraux des habitants, dont les esprits eussent été électrisés, Napoléon eût obtenu une fin magnanime et glorieuse ou un triomphe immortel.

(*Note du duc de Raguse.*)

Note A: (retour) Les pièces dont il est question ici font partie de la correspondance du roi Joseph, publiées dans l'ouvrage ayant pour titre: *Mémoires et correspondance politique et militaire du roi Joseph, publiés, annotés et mis en ordre par A. Du Casse Perrotin*, éditteur, Paris, 1854. Voyez tome X, de la page 35 à la page 218. On a jugé inutile de reproduire ici ces lettres, quoiqu'elles semblent réunies comme tout exprès pour dire ce que dit le duc de Raguse lui-même dans le volume précédent de ses *Mémoires.* (*Note de l'Éditeur.*)

Mes longues absences, et l'existence indépendante et brillante dont jouissait madame de Raguse, avaient porté leur fruit. Des chagrins de toute espèce avaient été mon partage. Revenu dans mes foyers, j'y trouvai des habitudes que je ne pouvais supporter, habitudes tellement prises, qu'il était impossible de les combattre avec succès. Je me bornai à vouloir, de la part de madame de Raguse, de la réserve. Je calculai une existence toute de convenance; mais son caractère était peu propre à la conciliation, et elle trouva moyen de me rendre la vie insupportable. Tout en elle était passion et déraison. Alors je résolus de me séparer d'elle à l'amiable et sans éclat. Je poussai la délicatesse de ma conduite jusqu'à renoncer volontairement aux avantages de fortune qui résultaient légitimement de mon union avec elle.

Quand je l'avais épousée, elle m'avait apporté en dot quinze mille francs de rentes. À l'époque de mon mariage, j'étais riche, ou au moins je le devins peu après. De grands traitements, qui augmentaient sans cesse, des dotations considérables et tous les avantages d'une position brillante qui, certes, avaient de beaucoup dépassé les espérances qu'elle avait pu concevoir en m'épousant, furent partagés avec elle.

En ce moment, c'est-à-dire à l'époque de la rentrée des Bourbons, elle était, par la mort de son père, en possession d'une grande fortune, tandis que mon existence avait déchu. Mes revenus étant diminués par le fait de la Restauration, il eût été juste, comme il était de droit, qu'après avoir pris sa bonne part de mes prospérités, je pusse jouir des siennes; mais je déclarai qu'étant déterminé à ne plus vivre avec elle je ne voulais pas de sa fortune. Dès ce moment nos intérêts furent distincts. J'allai me loger loin d'elle, et il fut convenu seulement que, ne jouissant pas de sa fortune et renonçant à son administration, je n'en serais pas responsable.

Ma séparation la contrariait beaucoup. Elle craignait les effets qui en résulteraient pour elle dans l'opinion. Elle aurait trouvé commode d'avoir auprès du monde la protection de son mari, que la position qu'elle avait prise lui rendait si nécessaire, et cependant elle répugnait à l'aider dans ses succès sociaux. Un jour, quand je croyais encore possible de vivre avec elle, et lui ayant dit: «Nous allons tenir une bonne maison; il en résultera de grands avantages pour ma position à la cour,» elle me répondit: «Ah! vous croyez que je vais vous servir de marchepied!» Réponse où la haine se montre à découvert, puisqu'elle l'aveuglait même sur ses propres intérêts. Effrayée cependant du jugement du public et dans le but de l'égarer sur les véritables causes de notre séparation, elle n'hésita pas à réunir autour d'elle mes ennemis politiques, afin d'avoir des amis et des prôneurs. Des amis, hélas! le seul moyen, pour elle, d'avoir des gens qui en tinssent le langage était de servir leurs passions et de donner de bons diners. Aujourd'hui, moins riche, elle est fort délaissée, son caractère étant tout à fait incompatible avec l'amitié. Ce sentiment divin exige un coeur tendre, généreux, de la justice, de la raison, de l'indulgence, et une sorte d'égalité au moins dans les rapports, si elle n'est pas dans la nature des choses. Elle, au contraire, égoïste, passionnée, déraisonnable, enfant gâté, exigeante, impérieuse, voulait des esclaves, et non des égaux. Du moment où la femme portant mon nom, qui, de près ou de loin, devait toujours partager mes succès et mon existence, s'unissait intimement à mes ennemis, elle donnait le plus grand crédit aux calomnies débitées contre moi.

Voilà ce que madame de Raguse a été envers moi; voilà mon principal grief contre elle, celui que je ne saurais jamais lui pardonner. Elle a tenté de flétrir ma vie; mais, si elle n'y a pas réussi, elle est parvenue au moins à la déchirer. Pour finir enfin ce qui la concerne, je dirai qu'au 20 mars (1815) son affection parut se réveiller; mais, comme avant tout elle s'occupait toujours de ses intérêts, et que nos affaires d'argent n'avaient pas pu encore été définitivement réglées, elle me demanda, en raison des chances que j'avais de périr dans la lutte, de faire une disposition testamentaire qui lui donnât la jouissance des bénéfices de la communauté, afin de ne pas avoir de discussion avec mes héritiers. J'eus la bonté d'y consentir. Elle a dit et a répété qu'elle m'avait envoyé des sommes considérables à Gand. Elle m'aurait peut-être donné quelque argent si je lui en avais demandé; mais je n'en ai pas eu besoin, et elle ne m'en a pas offert.

Les événements qui m'ont fait quitter la France ont semblé rappeler en elle quelques bons sentiments pour moi. J'ai tant de peine à haïr, je trouve tant de douceur dans les sentiments opposés à la haine, que je me suis montré sensible à son intérêt. Voilà une tâche pénible achevée. À présent, je ne m'occuperai plus d'elle.

Je disposai des premiers moments de liberté pour faire un voyage à Châtillon et aller voir ma mère. Elle eut un grand bonheur à me retrouver sain et sauf, après une vie si longtemps livrée aux périls. Sa santé était chancelante, et je devais bientôt la perdre. Heureusement pour elle, elle échappa aux douleurs que lui auraient données les Cent-Jours et ma proscription. Je m'occupai de mettre à exécution les embellissements projetés depuis longtemps au manoir paternel. Le château de Sainte-Colombe, qui touche Châtillon, placé dans une situation charmante, était susceptible de devenir un très-beau lieu, une magnifique habitation. Je suis parvenu à le rendre tel. Ce ne sont pas ces embellissements qui ont causé la perte de ma fortune. Un homme raisonnable ne se ruinera jamais par de semblables travaux. Il doit en savoir d'avance le prix à peu près; dans tous les cas, s'arrêter quand la somme qu'il lui faut dépasse ses moyens. C'est en faisant des entreprises d'industrie que l'on se ruine facilement, parce que, l'argent dépensé devant produire, on se fait illusion sur les résultats et on exagère les espérances. On n'est pas arrêté par une dépense momentanée, parce qu'on la regarde en quelque sorte comme un prêt fait à l'industrie qu'on exploite; mais le moment n'est pas venu de rendre compte de cette partie des soucis et des tourments de ma vie.

Pendant mon premier séjour à Châtillon, Monsieur, depuis Charles X, en route pour visiter le Midi, s'arrêta vingt-quatre heures chez moi. Il y reçut tout ce que le voisinage avait de distingué. Il semait partout des encouragements et des récompenses. Il prodiguait les croix de la Légion d'honneur. Il en fit, ainsi que les princes ses fils dans leurs divers voyages, une telle distribution, que je soupçonnai le gouvernement de vouloir déconsidérer cet ordre; mais j'étais dans l'erreur. Peu après, on fut tout aussi peu mesuré dans la distribution de la croix de Saint-Louis. On devait supposer que les Bourbons auraient dû en être avares; mais ces princes n'ont jamais mis aucune mesure dans la distribution de leurs grâces. Quelquefois, sans motif, ils en sont parcimonieux, et dans d'autres occasions leur bonté allant jusqu'à la faiblesse, leur en fait faire un tel emploi, qu'il en diminue le prix. Ce qui passe par leurs mains est bientôt démonétisé. On l'a vu, pour les distinctions de tout genre, pendant les seize ans qu'ils ont régné. Je revins à Paris pour siéger à la Chambre et m'occuper de l'établissement de ma compagnie de gardes du corps.

Les travaux de la Chambre furent peu de chose, et je n'y pris cette année aucune part. Le ministère présenta une loi sur la presse, assez mal faite et dont la discussion donna beaucoup de ridicule à l'abbé de Montesquiou. Benjamin Constant, le premier faiseur de pamphlets du monde, réfuta tous ses arguments avec une supériorité remarquable, sans sortir des bornes de la politesse et d'une bonne plaisanterie.

Ma compagnie, établie à Melun, se livra à l'instruction avec ardeur. J'avais placé, parmi les lieutenants et sous-lieutenants, des officiers généraux et supérieurs de cavalerie très-distingués. Aussi fut-elle promptement tout ce qu'un corps semblable peut devenir. Je m'attachai à cette belle jeunesse, qui là, et partout ailleurs depuis, a justifié mon estime et ma confiance.

Il y eut, vers le mois d'août, un événement de peu d'importance, mais qui sert à peindre le caractère calme et indifférent de Louis XVIII. Au retour d'une chasse et d'une fête qu'avait donnée le duc de Berry au bois de Boulogne, M. de Blacas se rendit chez moi et me dit avoir l'ordre du roi de me conduire chez lui sur-le-champ. Je m'y rendis; le roi me dit: «Je viens de recevoir l'avis que le prince de Wagram est en correspondance avec l'île d'Elbe, et qu'il en a reçu une lettre il y a peu de jours. Comme il m'en a fait mystère, cette correspondance est coupable. Rendez-vous chez lui avec M. de Blacas, et demandez-lui l'explication de ce fait. S'il en est ainsi, vous l'arrêterez et le conduirez à Vincennes. J'ai pensé qu'en vous choisissant, vous qui êtes doublement son camarade, cette mesure de rigueur lui serait moins pénible.» Si la chose eût existé, dans l'esprit que supposait le roi, et cette supposition pouvait seule motiver un acte aussi sévère et aussi éclatant, la chose était très grave. Napoléon, en rapport avec son ancien major général, pouvait faire craindre une conspiration et une révolte prochaine. Assurément, il y avait pour Louis XVIII sujet à réflexion. Eh bien, je le trouvai dans son cabinet occupé à lire *Andromaque!*

Je me rendis chez Berthier et lui demandai l'explication de cette prétendue correspondance. Il me dit qu'effectivement il avait reçu une lettre du général Bertrand pour avoir des livres. Il en avait parlé au roi, et celui-ci se le rappela.

Le gouvernement nomma un gouverneur dans chaque division militaire. Presque tous les maréchaux furent investis de cette dignité et eurent des lettres de service pour aller y exercer leur autorité. Cette mesure était bonne. C'était tout à la fois un moyen de satisfaire l'ambition des chefs de l'armée, de créer de grandes existences indépendantes des rouages habituels, nécessaires à l'administration, et de pourvoir ainsi à notre manque d'aristocratie. On aurait pu leur donner des attributions plus étendues sans contrarier l'ordre constitutionnel. Elles auraient servi à augmenter la force du gouvernement, à ajouter à son action et à préparer des influences utiles pour les élections; mais tout cela ne fut qu'ébauché. Bientôt même, le gouvernement revint sur ces dispositions salutaires en retirant tout pouvoir aux gouverneurs. Il cédait en cela à la tendance que les ministres n'ont cessé d'avoir, pendant toute la Restauration, de rabaisser le pouvoir du roi, l'éclat de la couronne et la considération due aux militaires, de se mettre en tutelle sous les avocats et de rehausser l'ordre civil, si habituellement en France composé de gens sans antécédents et sans autres droits que ceux résultant du caprice de ceux qui les nomment, tandis que l'ordre militaire existe par lui-même, exige de longues épreuves de la part de ceux qui parviennent à devenir ses chefs, et ne les admet qu'après avoir montré leur capacité dans la conduite des hommes.

Le maréchal Soult eut en partage, comme gouverneur, les départements de l'Ouest. Il y tint une conduite étrange, indigne d'un homme qui se respecte, en feignant des sentiments qu'il n'avait pas et ne pouvait pas avoir. Mais il arriva à son but, tant les Bourbons, naturellement défiants avec les gens loyaux et francs, sont facilement trompés par ceux qui flattent leurs passions.

Soult vit en détail les officiers qui avaient soutenu la cause royale dans nos guerres civiles. Son devoir était sans doute de réclamer des actes de justice et de bienfaisance du roi, en faveur de gens qui avaient défendu ses intérêts, été victimes de leur dévouement, et possédaient des droits incontestables au moment où la chance, funeste depuis tant d'années, leur était devenue favorable. Mais il ne devait pas oublier ses antécédents. Il dit à ces vieux officiers royalistes rassemblés: «Messieurs, c'est nous qui nous sommes trompés; vous ne devez pas venir dans nos rangs, c'est nous qui devons passer dans les vôtres.»--Ainsi il abjurait les actions de toute sa vie et tout ce qui l'avait élevé au-dessus de la foule. Il oubliait la gloire de nos champs de bataille, le dévouement de notre jeunesse, et les temps héroïques qui nous donneront une place distinguée aux yeux de la postérité. Il reniait ses dieux pour se faire courtisan. N'imagina-t-il pas d'élever un monument aux victimes de Quiberon, non de faire poser modestement une pierre sépulcrale où on aurait gravé une phrase d'une piété et d'une philosophie chrétiennes sur les malheurs des temps où nous avons vécu; mais il proposa une souscription pour faire un monument destiné plutôt à rallumer des haines qu'à calmer les passions.

Ce projet étant adopté avec empressement par la cour, le maréchal Soult fut porté aux nues. Je gémissais intérieurement de tant de fausseté d'un côté, de tant de crédulité de l'autre, quand un jour, aux Tuileries, Soult m'aborda pour me proposer de souscrire. Je lui répondis qu'assurément on me couperait le poing avant d'y poser ma signature. Il me répliqua, en prenant un ton solennel et pathétique: «Les ossements sont encore à découvert.»--Je lui répondis: «Je ne vous connaissais ni si religieux ni si sensible;» et je lui tournai le dos. Bientôt, à la cour, on ne jura que par lui.

On avait imaginé de conserver la garde impériale, sans la satisfaire. De trois partis on avait pris le plus mauvais. La vieille garde étant composée de l'élite de l'armée, se l'attacher et la combler, c'était conquérir toute l'armée. Puisque les Bourbons voulaient des gardes du corps, elle se serait contentée d'un service extérieur, ainsi que l'a fait depuis la garde royale. Il fallait se prononcer nettement et promptement sur cette question capitale, et moi qui connaissais bien l'état des choses, je déplorais l'erreur dans laquelle on était tombé. On lui laissa sa solde et on lui donna le titre de grenadiers de France, en lui assignant Metz pour garnison. Il était louable de ne pas toucher à son bien-être; mais c'était bien peu connaître les gens de guerre en général et surtout en France, que de mettre ses intérêts pécuniaires avant ce qui est honneur et considération. Il y a de l'un à l'autre une distance incommensurable.

Notre métier a l'amour-propre et une noble fierté pour base. Tout ce qui choque ces sentiments aliène les esprits et blesse profondément le coeur. Je cherchai à éclairer le général Dupont à cet égard; mais il ne sut ou ne voulut rien comprendre. J'en parlai à M. de Blacas à plusieurs reprises; mais, quoiqu'il m'écoutât, mes phrases glissaient sur lui. Un matin cependant, avant le déjeuner, nous renouvelâmes cette conversation, et il me demanda ce que ferait cette vieille garde si Napoléon venait à tomber comme du ciel au milieu du royaume. Je lui répondis: «Si alors la garde est attachée à la maison du roi, honorée et satisfaite, elle sera fidèle; mais, si elle est surprise dans l'état où elle est aujourd'hui, elle ira, quoi qu'on puisse faire, joindre Napoléon et entraînera toute l'armée.» Et c'est ce qui est arrivé! le roi devait s'emparer de cette troupe, adopter ses intérêts, s'entourer de ce monument vivant de nos temps de puissance et d'éclat. Il fallait, petit à petit et au moyen d'avancements et de récompenses, changer les officiers, et il n'y avait plus alors une seule chance pour que ce corps d'élite fût infidèle; car les braves gens se gagnent par la confiance. La compagnie de grenadiers à cheval de la Rochejaquelein, sortant de la garde impériale, n'a pas hésité un instant à remplir ses devoirs jusqu'au moment où, le roi ayant quitté la France, elle a été licenciée. Plus tard, les soldats revenus de l'île d'Elbe, placés dans la garde royale, ont donné constamment l'exemple de la fidélité et du dévouement.

On prit envers l'armée une mesure dont je gémis comme de tant d'autres choses: elle montrait une grande ignorance de l'esprit militaire. Le ministre de la guerre imagina de faire signer au roi une ordonnancé qui changeait les numéros de presque tous les régiments, et voici à quelle occasion. Deux ou trois numéros étaient vacants par suite de réformes anciennes. Il était assurément fort peu important que ces numéros fussent remplis ou non. On imagina, par un esprit d'ordre et de symétrie poussé jusqu'au ridicule, de faire disparaître cette lacune. Puisqu'on était décidé à satisfaire ce caprice, on pouvait prendre les derniers régiments pour leur donner les numéros vacants. Au lieu de cela, on arrêta de faire les changements de proche en proche. Ainsi le 30e régiment, par exemple, devint le 29e, le 31e le 30e, etc., de manière que tous les numéros au-dessous des vacants furent changés. Cependant, après de longues guerres, les numéros des régiments sont devenus des noms propres, auxquels les souvenirs de la gloire acquise attachent, et c'est blesser gratuitement des sentiments nobles et légitimes que de les en dépouiller. Le premier acte de Napoléon après son retour, pendant les Cent-Jours, fut de rendre à chaque corps le numéro ancien qu'il avait perdu.

Nous étions six capitaines des gardes du corps. Chacun de nous avait ainsi deux mois de service par an. En 1814, quatre mois étant déjà écoulés à l'époque de rentrée du roi, il fut décidé que chaque capitaine des gardes, pour cette fois, ne ferait que six semaines de service. Ma compagnie étant la sixième, mon service commença le 16 novembre.

On pouvait déjà remarquer bien du mécontentement, de l'inquiétude, et soupçonner des intentions coupables. Les rênes du gouvernement flottaient. On avait le sentiment de n'être pas gouverné, et les actes du pouvoir, souvent en contradiction avec l'opinion publique, semblaient menaçants pour l'avenir.

On redoutait tout des influences qui entouraient la famille royale; mais, quand à la tribune un ministre du roi vint flétrir le passé par son langage, l'alarme fut à son comble. En effet, M. Ferrand, je ne sais plus à quel propos, parla de ceux qui avaient suivi la ligne droite pendant la Révolution, et l'on devine que cette ligne *droite* était celle de l'émigration. Dès ce moment, chacun se crut frappé dans son honneur. À mes yeux, les hommes qui ont le plus influé sur la catastrophe de 1815, et contribué le plus puissamment à amener le 20 mars, sont MM. Dupont et Ferrand. L'un a compromis et sacrifié les intérêts matériels de l'armée; l'autre, les intérêts moraux de tout ce qui avait servi, de tout ce qui avait eu du pouvoir ou marqué pendant la Révolution et l'Empire.

Le mécontentement se montrait de diverses manières, et mille symptômes le faisaient reconnaître. Des réunions eurent lieu parmi les factieux, et des projets criminels furent conçus. Le roi avait cru convenable de se montrer en public aux différents spectacles. Ses infirmités lui rendaient difficile de se mouvoir. On disposa dans chaque salle de spectacle, pour la circonstance, une grande loge d'un accès facile, où il pût arriver commodément. Cet appareil et l'éclat des préparatifs firent de ces représentations de véritables fêtes. L'affluence était extrême. La loge du roi, placée au centre des premières, ornée avec soin, très-vaste, contenait toute la famille royale. Le roi, madame la duchesse d'Angoulême et les princes arrivaient ordinairement dans une seule voiture à glaces, où cinq personnes pouvaient tenir à l'aise.

Le tour de la représentation de l'Odéon vint au moment où j'étais de service, vers la fin de novembre ou dans les premiers jours de décembre. Tout était commandé et prêt pour partir à sept heures, quand, vers cinq heures, un homme affidé et dévoué, accourut près de moi et me prévint qu'un complot était formé coutre la vie du roi et de sa famille. L'exécution devait avoir lieu le soir même. Cet homme, dont j'ai oublié le nom, sortait d'une réunion de mécontents où l'on avait arrêté de s'embusquer au nombre de cent cinquante hommes, armés de pistolets et de poignards, dans les environs du pont Neuf. On devait arrêter la voiture du roi, s'emparer de la famille royale et la jeter tout entière à l'eau. L'escorte ordinaire du roi, dans ces occasions, ne se composait alors que de douze gardes du corps.

Aussitôt après avoir reçu ce rapport, je montai chez le roi pour lui en rendre compte. Il me dit, sans la moindre émotion, qu'il ne changerait rien à ses projets, et me chargeait de pourvoir à sa sûreté. J'envoyai chercher le général Maison, commandant la division, et le général Dessole, commandant la garde nationale, et nous convînmes des mesures à prendre. Je fis monter à cheval cent gardes du corps; des détachements de la garnison furent répartis sur la route que devait parcourir le roi, et, au lieu de l'accompagner en voiture, je l'accompagnai à cheval. Ces mesures déconcertèrent les conspirateurs, et rien ne fut tenté. Le roi et sa famille furent parfaitement calmes en allant et en revenant, et cependant un véritable et grand danger avait été couru. On chercha à tourner en ridicule les mesures de sûreté prises; mais le fait était certain, le projet formé et au moment d'être exécuté. Dans les Cent-Jours, un officier-général médiocre, et jouissant de fort peu de considération dans l'armée, qui était à la tête du complot, s'en vanta publiquement.

L'hiver se passa en agitations sourdes. Chacun avait le sentiment des dangers dont la société était menacée. Mille symptômes de révolution s'annonçaient, et les dépositaires de l'autorité étaient seuls dans une sécurité funeste. Un voile épais couvrait leurs yeux. Les sottises de Dupont s'accumulaient sans cesse, la voix publique s'élevait toujours davantage contre lui. L'on se décida enfin à le remplacer. Il avait cru fonder la durée de sa puissance sur la protection des courtisans; protection achetée au prix de mille abus. Il faisait un calcul indigne d'un homme d'esprit, et surtout d'un honnête homme. Le devoir d'un ministre est de tout sacrifier au bien de son pays et du service de son souverain; mais son intérêt bien entendu lui commande la même conduite; car le désir le plus ardent des souverains devant être avec raison, de vivre tranquilles, puissants et honorés, il ne leur viendra jamais dans la pensée de renvoyer un ministre qui leur procure ces biens. C'est toujours à l'occasion d'un embarras, d'une difficulté dans la marche du gouvernement, que les mécontentements publics se développent, et ces mécontentements amènent les changements de ministres. Que les ministres et les souverains gouvernent bien; les premiers sont assurés de conserver leurs portefeuilles, et les seconds de vivre tranquilles sur leur trône. Voilà le secret pour empêcher les révolutions.

Dupont fut renvoyé; mais par qui fut-il remplacé? Par Soult. Et cela devait être. Homme de talents contestables, d'un esprit médiocre, ses qualités militaires se bornent à savoir bien organiser; mais jamais il n'a su mener ses troupes au combat. Il est seulement remarquable par une ambition sans bornes. Son instinct le rend propre à jouer tous les rôles. On a vu comment il avait préparé et établi son crédit. On le crut pénétré des sentiments d'un émigré de Coblentz, et on le choisit. S'il en avait été ainsi, cette circonstance eût dû être un motif d'exclusion. Le jour où un homme, changeant d'opinion, devient infidèle à ses principes, à ses antécédents, il perd son crédit. Or le crédit, force morale, puissance d'opinion, ajoutée à une puissance réelle et positive, est nécessaire dans toutes les carrières et dans toutes les situations de la vie. Le crédit, c'est la confiance qui change de nom et d'objet, suivant l'application qui en est faite. Le crédit, chez le négociant, est fondé sur l'idée de sa fortune et de sa probité; chez l'homme de guerre, c'est la croyance en son talent et son courage; chez l'homme d'État, c'est la foi en son expérience et son génie. Quand l'homme public est, à tort ou avec raison, dépouillé de son crédit, il ne peut plus rien, il est tout seul avec ses cinq sens et n'a plus que la misérable et chétive puissance d'un seul homme.

Soult entra donc au ministère, au grand étonnement de tout ce qu'il y avait de sensé. L'abbé de Montesquiou me questionna sur ce choix; je lui dis: «Le changement de Dupont était indispensable, car on aurait péri par suite des fautes qu'il commettait chaque jour par ignorance: mais il y a les mêmes dangers avec celui-ci, et, de plus, à craindre celles qu'il commettra peut-être volontairement. En résultat, si Soult est de bonne foi, il est possible, mais encore incertain, qu'il fasse des choses utiles; s'il est de mauvaise foi, nous sommes perdus, car les hommes comme lui ont plus d'habileté pour faire le mal que pour faire le bien.»

Les propos les plus hostiles, les plus scandaleux, étaient tenus publiquement contre le nouvel ordre de choses. Un officier brave, actif et spirituel, Charles de la Bédoyère, était particulièrement renommé par l'audace de ses discours. Ayant épousé mademoiselle de Chatelux, et, à ce titre, se trouvant l'allié des Damas, il était protégé par eux. Or, chez les gens de la cour, les intérêts de famille passent avant ceux de parti et d'opinion. Les Damas donc sollicitèrent le commandement d'un régiment pour lui et l'obtinrent. Employer de cette manière un homme connu par les sentiments hostiles était fort blâmable; mais le comble de l'imprudence fut de lui donner un régiment situé à la frontière, et de plus à la frontière d'Italie, point suspect et par lequel des troubles pouvaient pénétrer chez nous. Aussitôt informé, j'en prévins M. de Blacas, sans produire, comme toujours, aucune impression sur lui. Son infatuation le rendait toujours sourd à tous les discours et à tous les avis.

Cependant les partis s'agitaient dans divers sens. Celui de M. le duc d'Orléans semblait devoir être le plus formidable. Une insurrection éclata, fut réprimée, et les frères Lallemand échouèrent dans leur tentative sur la ville de la Fère, dont un brave officier, le général d'Aboville, ferma les portes et prit le commandement. La garnison de Lille s'insurgea sous les ordres du comte d'Erlon. Tous ces mouvements-là avaient lieu au profit de M. le duc d'Orléans.

Napoléon avait eu une correspondance très-active avec la France. Ses principaux agents étaient la duchesse de Saint-Leu, le duc de Bassano, Lavalette, etc. Des agents subalternes agissaient auprès des troupes et du peuple. Sans ourdir de trame positive, ils s'occupaient à semer partout la désaffection, puissamment secondés par le maréchal Soult, qui ne négligeait de prendre aucune des mesures capables de mécontenter. Des fautes si multipliées, et dont les effets étaient si certains, devaient sans doute être commises à dessein.

Napoléon connut le mécontentement universel et l'agitation des partis dans tous les sens. Dès lors il se décida à se présenter et à entrer en lice. En se montrant subitement et d'une manière inopinée, il était bien certain de rallier tous les ennemis de l'ordre de choses établi. Sa présence devenait un si grand événement, qu'elle ferait oublier tous les projets formés sans lui. Il héritait ainsi, de droit, de tous les préparatifs faits contre les Bourbons dans d'autres intérêts que les siens. Je pense donc encore aujourd'hui qu'il n'y a pas eu un complot positif et immédiat dans le but de son retour, et que, si diverses personnes espéraient son arrivée, aucune n'en avait la certitude.

On a tout fait pour détruire les Bourbons, pour favoriser l'exécution des combinaisons auxquelles Napoléon pouvait se livrer; mais il n'y a pas eu de ces conspirations proprement dites, éclatant à jour nommé, et dont toutes les circonstances sont prévues.

Napoléon avait jugé les fautes multipliées du gouvernement des Bourbons, apprécié sa marche imprudente; il connaissait le mécontentement public, et savait bien, relativement à lui, qu'en France le mécontentement de la veille est effacé par le mécontentement du jour. Enfin il était informé que les Bourbons avaient confié le pouvoir à des hommes sans prévoyance, sans talents et sans énergie. Le ministère de la marine, l'un des plus importants à cause de la surveillance à exercer sur l'île d'Elbe, était entre les mains de M. Beugnot, l'homme le plus léger, le plus frivole. La direction générale de la police avait été remise à un honnête homme, fort dévoué sans doute, mais dépourvu des facultés nécessaires pour remplir convenablement ce poste, et privé de cette espèce de malice qui donne le moyen de découvrir les intentions coupables. Enfin, l'obstination de M. de Talleyrand au congrès de Vienne à dépouiller Murat du royaume de Naples ayant amené celui-ci à mettre son armée en mouvement, des bruits de guerre en étaient résultés. Le gouvernement français s'en était inquiété, et, en conséquence, il dirigeait vers notre frontière des Alpes cinquante mille hommes de troupes pour en former un corps d'observation. C'est dans ces circonstances et sous ces auspices que Napoléon se décida, avec mille hommes dévoués, à venir tenter la fortune. Il masqua avec habileté son départ de l'île d'Elbe; il échappa aux croisières françaises et anglaises chargées de le surveiller, et débarqua enfin au golfe de Juan le 1er mars.

J'étais allé fermer les yeux de ma mère qui mourut le 27 février et je comptais rester quelques jours à Châtillon, quand un courrier, expédié de Paris, me fit revenir promptement dans la capitale. J'y étais de retour le 7 au soir. Je trouvai les esprits dans une grande agitation, et tout le monde dans un grand émoi. On connaissait déjà le refus d'Antibes d'ouvrir ses portes; mais en même temps le commencement du mouvement de Napoléon par les montagnes pour se rendre en Dauphiné. Les ennemis des Bourbons étaient ivres de joie à Paris. Leurs partisans affectaient une inepte sécurité, et cependant il était difficile qu'elle partît du coeur. L'aveuglement de quelques-uns était tel, qu'ils se réjouissaient de voir Bonaparte venir se livrer lui-même, comme un papillon, disaient-ils, qui vient se brûler à la chandelle.

La maison du roi était composée de douze compagnies. Ce corps ayant besoin d'un chef unique pour présenter un peu d'ensemble, le commandement général m'en fut donné. Je ne dirai rien de la marche de Napoléon et de la manière brillante dont il se tira des dangers qu'il avait à courir. La grande crise pour lui était l'effet que produirait sa rencontre avec les premières troupes. La moindre résistance devait occasionner sa perte, comme aussi la première défection en amener beaucoup d'autres. On sait comment il présenta sa poitrine aux premiers soldats qui avaient refusé d'abord de parlementer, et l'effet produit par ce mouvement généreux. La résolution de défendre Grenoble, prise par le général Marchand, fut déconcertée par la démarche de la Bédoyère, qui vint avec son régiment rejoindre Napoléon. Depuis ce moment la contagion gagna rapidement. Un obstacle matériel, qui aurait forcément arrêté l'Empereur, favorisé un engagement à distance et empêché un contact immédiat avec ses troupes, pouvait seul suspendre ses progrès.

Cette entreprise audacieuse, la manière dont elle fut exécutée, la supériorité avec laquelle Napoléon avait jugé l'état véritable de l'opinion, rappellent son plus beau temps et l'éclat des prodiges de sa jeunesse. C'était le dernier éclair de son génie, la dernière action digne de sa grande renommée.

Monsieur partit pour Lyon, accompagné de M. le duc d'Orléans et du maréchal duc de Tarente. On pressait l'arrivée des corps précédemment mis en mouvement pour se porter à la frontière. Des troupes nombreuses étaient déjà à Lyon. La garde nationale semblait animée d'un bon esprit, et Napoléon approchait. Rien ne semblait plus urgent que de couper les ponts du Rhône, et de ramener sur la rive droite tous les bateaux. Alors il n'eût pas été impossible de parvenir à faire tirer quelques coups de canon. Dix suffisaient peut-être pour changer l'état de la question. Des dispositions furent prises pour faire sauter le pont de la Guillotière; mais M. de Farges, maire de Lyon, vint pleurer auprès de Monsieur sur ce dégât fait à un monument de la ville, et Monsieur, avec cette bonté tenant de la faiblesse, si souvent l'apanage des Bourbons, donna l'ordre de cesser les travaux. On fit un barrage. Les soldats de Napoléon le franchirent, après avoir parlementé un moment avec ceux qui étaient chargés de le défendre. Tout le monde cria: «*Vive l'Empereur!*» et Monsieur, le duc d'Orléans et le maréchal Macdonald n'eurent d'autre parti à prendre que celui d'une retraite précipitée.

À mon arrivée à Paris, j'avais parlé au roi de la grandeur des circonstances, et il me parut les apprécier, quoique montrant beaucoup de confiance dans la fidélité des troupes; mais chaque jour rendait plus vaines ses espérances. Les événements de Grenoble et de Lyon me parurent décisifs, et je redoublai mes instances auprès du roi pour qu'il arrêtât, sur-le-champ, le parti à prendre quand Napoléon serait près de Paris, car son arrivée était inévitable et prochaine.

Chaque soir j'allais trouver le roi. Je cherchais à réveiller son esprit et à provoquer une résolution. Je lui disais et lui répétais sans cesse: «Sire, le courage ne consiste pas à se déguiser le danger. Le talent le fait reconnaître de bonne heure. Le courage, avec le secours du temps, donne le moyen de le vaincre; mais le temps, élément indispensable, doit être employé utilement. Voulez-vous quitter Paris à l'approche de Napoléon? Alors où irez-vous? Il est indispensable de vous décider d'avance, car il faut préparer votre route, et s'assurer que des mains fidèles vous conserveront la retraite choisie. Si vous vous décidez à rester à Paris, il faut pourvoir à votre sûreté, et pour cela mettre en état de défense les Tuileries. Il serait fou d'adopter ce parti, sans prendre des précautions de sûreté dans votre propre palais, et de croire que la majesté du trône imposerait à Bonaparte. Une insurrection populaire, fomentée par lui, vous aurait bientôt fait disparaître, sans avoir mis son autorité ostensiblement en jeu. Si vous restez à Paris, et je crois que c'est le parti le meilleur, il faut disposer le palais de manière à exiger qu'une batterie de pièces de gros calibre soit nécessaire pour le démolir. Je suis du métier, et je prends l'engagement, si on me donne tout pouvoir, et avec les ressources que présente Paris, de mettre, en cinq jours, les Tuileries et le Louvre dans un état de défense convenable, tel, en un mot, qu'il exige l'établissement d'une batterie de brèche. Il faut placer dans le château des vivres pour deux mois, et s'y enfermer avec trois mille hommes. La maison du roi, sans instruction pour le service de campagne, sera excellente pour cet objet. Elle est composée de gens de coeur, de gens dévoués, et chacun briguera l'honneur d'être associé à cette défense; muni de vivres, on ne serait pas obligé, au bout de huit jours, de se rendre à discrétion. Il faut que le roi s'enferme dans cette espèce de forteresse, avec tout ce qui constitue la majesté du gouvernement, avec ses ministres, avec les Chambres, mais qu'il y soit seul de sa famille. Monsieur et ses fils doivent sortir de Paris; non pas furtivement, mais à midi, après une proclamation, et chacun doit prendre une direction différente. Cette proclamation annoncera qu'ils vont chercher des défenseurs, ou au moins des vengeurs. Alors que fera Napoléon? Osera-t-il attaquer le roi dans son palais par les moyens d'un siège régulier? Le monde verra-t-il, sans émotion et sans intérêt, un vieux souverain restant sur le trône, et résolu à s'ensevelir sous les débris de sa maison! Non, assurément, l'opinion serait révoltée, même parmi les amis de Napoléon; et les femmes de Paris, dont le royalisme est si prononcé, auraient bientôt séduit les soldats restés fidèles à Napoléon, devenus les instruments de ses rigueurs. Le scandale d'une semblable lutte, si éloignée de nos moeurs, en empêcherait le succès. Une résolution si magnanime réagirait sur les troupes de la manière la plus puissante. Il faut le dire à la honte de l'humanité: on va volontiers au secours du vainqueur; un pouvoir qui surgit et dont on prévoit le triomphe réunit promptement tout le monde; mais, si la question reste quelque temps indécise, beaucoup de gens, qui étaient d'abord accourus, s'éloignent presque aussitôt. Dans ce cas, le noble dévouement du roi à ses devoirs de souverain rappellera chacun à l'accomplissement des siens, et peut-être que les forces de Napoléon s'éparpilleront d'elles-mêmes. Ensuite voyez quel est l'état de l'opinion dans les trois quarts de la France, c'est-à-dire dans la France entière. Les départements de l'Est exceptés, et sauf quelques mécontents épars, partout elle vous est favorable. Les masses dans l'Ouest, en Normandie, en Picardie, en Flandre, vous sont toutes dévouées. Les gardes nationales sont à vous. Donnez-leur le temps de se lever, et il ne leur faudra pas deux mots pour venir vous délivrer; mais ayez, jusqu'à ce moment-là, des vivres pour pouvoir les attendre. Enfin, pensez à l'Europe contemplant le spectacle auguste que vous lui donnerez, et qui s'ébranle pour venir à votre secours. Le succès de toutes les manières me paraît certain. Si assuré que je sois que ma position particulière, après les décrets de Lyon, est très grave si je venais à tomber entre les mains de Napoléon, je réclame l'honneur de m'enfermer avec vous, soit comme chef, soit comme soldat. Remarquez bien, Sire, que vous, votre personne même ne risque rien. Si toute la famille royale était au pouvoir de votre ennemi, peut-être la ferait-il périr pour détruire des droits opposés aux siens; mais quel avantage tirerait-il de votre mort quand Monsieur, vos neveux, vos cousins sont dehors? Vous mort, vos droits et vos titres passent à un autre. Ainsi, autant par inutilité que par le respect que vous devez inspirer, et la nature du coeur de Napoléon, qui n'a rien de cruel et de sanguinaire, vos dangers personnels sont nuls; mais, Sire, il faut se décider, car quelque temps est nécessaire pour préparer l'exécution du projet que je viens de vous soumettre. Rester à Paris, sans ces précautions, est tout à fait hors de prudence et de raison.»

Le roi me répondit qu'il me remerciait, qu'il y penserait. Chaque jour je recommençai mes démarches auprès de lui, mais sans plus de résultat. Une réponse vague, évasive, une résolution de rester sans en préparer les moyens, misérable comédie, était toujours la solution qu'il me présentait, et à laquelle je ne pouvais croire. Je cherchai à échauffer le pauvre duc d'Havré, homme de peu d'esprit, mais ayant de l'âme, et l'un de ceux qui, dans l'entourage du roi, avaient de l'élévation dans le coeur. Il essaya de convaincre le roi; mais celui-ci, plus franc avec lui qu'avec moi, lui répondît ces propres paroles que le duc d'Havré me rapporta à l'instant: «Vous voulez donc que je me mette sur une chaise curule? Je ne suis pas de cet avis et de cette humeur.»

Le maréchal Ney avait été envoyé dans son gouvernement pour y rassembler tes troupes et les opposer à la marche de Napoléon. À son départ, il avait, en présence de nombreux témoins, baisé la main du roi et promis de ramener Napoléon dans une cage de fer. Cette expression était hideuse de la part d'un de ses anciens lieutenants. On sait ce qui arriva. Malgré l'opinion adoptée par beaucoup de gens sur sa résolution de trahir en partant de Paris, je suis convaincu qu'il n'en était rien. Le caractère mobile et emporté du maréchal

Ney l'empêchait d'être longtemps d'accord avec lui-même. Quelques circonstances semblent déposer contre ses intentions; mais je suis convaincu qu'en partant il était de bonne foi et qu'il comptait servir fidèlement le roi. L'opinion de ses troupes, cette magie qui accompagne toujours le nom et la personne d'un chef sous lequel on a longtemps servi, et enfin les conseils de ceux qui étaient près de lui, et au nombre desquels était M. de Bourmont, l'ont entraîné et décidé. Tous ses généraux, y compris celui que je viens de nommer, ont arboré ce jour-là la cocarde tricolore et assisté au repas qui eut lieu pour célébrer le retour de l'Empereur et porter sa santé.

La nouvelle des événements de Lons-le-Saulnier sembla développer l'énergie du roi. Il se rendit aux Chambres réunies, où une séance royale eut lieu, et il leur annonça, dans un discours touchant, la résolution prise de mourir pour son peuple. L'effet en fut prodigieux. Jamais rien de plus pathétique n'agit plus puissamment sur des hommes rassemblés; jamais je n'ai éprouvé des sensations plus profondes. On peut juger d'après cela des résultats qu'on aurait obtenus par la mise en action de ces mémorables paroles. Je crus le roi décidé à exécuter ce que je lui avais proposé. Le colonel Fabvier, d'après mes ordres, avait dressé tous les projets de détail; mais le roi ne changea pas de langage avec moi. Il me parla du camp de Villejuif, où les troupes se rassemblaient, et de la bataille qu'il allait y livrer. Parler de combattre, avec des troupes dont les dispositions étaient si connues, si patentes et si évidemment hostiles contre lui, était chose pitoyable. Une revue de la garde nationale avait montré un bon esprit dans la population, mais cependant personne ne se présenta pour marcher à l'ennemi. Dès lors, n'ayant rien préparé pour se défendre, on ne pouvait plus se faire illusion sur l'avenir.

Les nouvelles se succédaient avec rapidité. Les troupes à portée de la route allaient rejoindre l'Empereur et n'attendaient pas même de recevoir ses ordres. Cette vieille garde tant dédaignée, on la faisait partir de Metz, et on crut se l'attacher en promettant le grade de sous-lieutenant à chacun des soldats qui la composaient. On demanda l'avis des chefs par le télégraphe; mais la réponse fut que de semblables faveurs, dans des circonstances pareilles et avec des antécédents si récents, ne produiraient que le mépris. Bientôt cette troupe reprit les anciennes couleurs et se sépara de ceux de ses chefs qui voulurent rester fidèles.

Soult avait eu précédemment l'étrange idée de rassembler tous les officiers à demi-solde présents à Paris et dans la division, et d'en faire un corps armé de fusils pour l'opposer à Napoléon, mesure si étrange, qu'elle motiva, de ma part, auprès du roi, l'accusation de trahison contre son ministre. En effet, le foyer du mécontentement était placé parmi les officiers, et particulièrement parmi les officiers non employés. Leur donner des fusils et en faire des soldats aurait pu à peine réussir, en supposant chez eux l'affection la plus vive et le dévouement le plus absolu: mais, dans la circonstance, et avec leurs mauvaises dispositions bien connues, l'absurdité de cette mesure était évidente. Quand une révolte a lieu, la première disposition à prendre est d'ordonner la dispersion des individus qui se sont réunis dans un but coupable, parce que chacun, placé à côté d'autres mécontents, sent sa force, tandis qu'isolé il devient faible; et, dans ce cas-ci, réunir ceux qui doivent y participer, n'est-ce donc pas organiser la révolte? L'effet fut conforme à ces prévisions. L'insurrection immédiate de ce corps d'officiers, réuni à Melun, força à le dissoudre. Des cris universels s'élevèrent contre Soult, et le roi lui retira son portefeuille.

Je ne sais si Soult avait été dans le secret du retour de l'Empereur: j'en doute; mais, ce dont je suis bien convaincu, c'est qu'il a employé son intelligence à augmenter le nombre des ennemis des Bourbons, au lieu de chercher à leur faire des partisans, et qu'il voulut évidemment leur perte, mais au profit de qui?

Les défections se succédaient rapidement; elles précédaient l'arrivée de Napoléon. Aucun rapport ne faisant connaître sa marche avec certitude, je pris le parti d'envoyer deux détachements de la maison du roi, l'un à Provins et l'autre à Sens, à la tête desquels étaient deux officiers intelligents. De quatre heures en quatre heures, un officier m'était expédié en poste avec la nouvelle des événements dont on avait connaissance.

Le 19 mars, à neuf heures du matin, je reçus le rapport que Napoléon était entré le 17 à Auxerre et continuait sa marche sur Paris. Je me rendis immédiatement chez M. de Blacas, et nous fûmes ensuite ensemble chez le roi. Aussitôt après lui avoir rendu compte de ce que je venais d'apprendre, le roi me dit, sans aucune émotion et comme une chose arrêtée d'avance dans son esprit: «Je partirai à midi. Donnez les ordres en conséquence à ma maison militaire.»--Et toujours auparavant il m'avait répété jusqu'à satiété qu'il voulait rester. Je lui répondis que la chose était impossible. L'appel étant fait depuis huit heures, tout le monde était dispersé. Il insista, et je lui démontrai qu'avec la meilleure volonté on ne pouvait pas prévenir chacun avant l'appel du soir à six heures; mais il ne voulut entendre à rien. Alors je lui demandai de me donner au moins jusqu'à deux heures, afin que j'eusse le temps de faire courir partout pour rassembler mon monde. Il m'exprima son indécision sur le lieu où il se retirerait; mais il pensait sortir du côté de la barrière de l'Étoile, de là se rendre au Champ de Mars, sous prétexte de passer la revue de sa maison, et, arrivé à la hauteur des Champs-Élysées, continuer sa route. Je devrais alors suivre la même direction que lui.

Je le quittai pour exécuter ses ordres. On parvint à prévenir les gardes du corps, chevau-légers, gendarmes, mousquetaires, etc., etc., et, à deux heures, toute la troupe dorée était à cheval, au Champ de Mars, attendant la nouvelle du départ du roi pour se mettre en mouvement et marcher à sa suite.

Trois heures étaient passées, et le roi n'arrivait pas. Des rassemblements étaient formés sur la place Louis XV et aux environs du château. Je crus à propos de porter la tête de ma colonne dans l'allée des Veuves, prête à déboucher sur la route ou à se porter sur les Tuileries, si les circonstances le rendaient nécessaires. J'envoyai plusieurs aides de camp aux renseignements.

Nous étions dans cette situation quand le roi arriva au Champ de Mars en voiture; il continua jusqu'à l'allée des Veuves, où il s'arrêta. Je m'approchai de la portière, et il me dit: «J'ai changé d'avis, et je ne partirai que cette nuit. Faites rentrer les troupes, et à sept heures venez chez moi.»

Cette disposition avait été prise dans un conseil tenu par le roi depuis que je l'avais quitté. On y avait décidé de conduire le roi à Lille, et on va voir la sagesse des mesures prises pour l'exécution de cette disposition. Napoléon, en débarquant, avait mille hommes avec lui, et nous pouvions en réunir quatre-vingt mille. Les forces respectives ne comportaient donc pas une guerre. Il ne pouvait être question d'aucun combat. C'était une affaire d'opinion. Si les troupes étaient fidèles au roi, la troupe de Napoléon disparaissait comme un nuage; si les troupes prenaient parti pour lui, comme cela arriva, c'était lui alors qui avait quatre-vingt mille hommes, et nous qui n'avions rien. Le jour même où plus de quarante mille avaient rejoint l'Empereur, il était hors de doute que toute l'armée en ferait autant. Cependant on imagina d'ordonner la formation d'un camp à Villejuif, et, mieux encore, on ordonna d'en former un autre avec les garnisons du Nord à Amiens. Si les troupes de Villejuif suivaient l'exemple de celles de Lons-le-Saulnier et des autres réunies à Napoléon, il était absurde de croire que celles d'Amiens agiraient différemment. Dans cette situation, le roi étant décidé à ne pas se retrancher dans son palais, et se retirant dans le nord du royaume, le camp formé sur nos derrières, au lieu de nous être utile, pouvait nous être contraire, mettre obstacle à notre retraite et empêcher la liberté de nos mouvements.

Ce n'est pas tout: Lille choisi comme point de retraite, on avait pu avoir pour objet de se servir du prétexte de la formation d'un camp pour en faire sortir des troupes peu sûres et confier la garde de cette forteresse aux habitants, aux gardes nationales, dont le dévouement était constaté et absolu. Alors la disposition aurait été raisonnable; mais on se garda bien de penser à une semblable combinaison. On avait formé le camp d'Amiens sans motif d'une utilité possible et avec de grands inconvénients; puis, quand il devenait important de le conserver, quand le destin de la cause royale semblait dépendre de l'éloignement des troupes de Lille, on le licencia; en sorte que, les troupes revenant dans leurs garnisons, le roi n'y fut plus maître.

À sept heures, m'étant rendu chez le roi, il remit entre mes mains un ordre écrit par lui pour me mettre en marche à minuit avec sa maison pour Saint-

Denis, et en même temps un second ordre également de lui, censé reçu à Saint-Denis pour me diriger sur Lille. Je lui demandai si ce point de retraite était invariablement arrêté. Un autre, le Havre, me paraissait beaucoup meilleur. Je lui dis: «Vous seriez à trois marches de Paris et toujours à portée de cette ville. Quoique cette place ne soit pas forte, elle est capable d'une défense suffisante pour la circonstance. Vous êtes au milieu d'une population toute dévouée, la Normandie, à portée d'autres qui vous sont également attachées, les Flamands, les Picards, les Bretons. Vous pouvez recevoir des secours de ces provinces par mer, et en recevoir même des Anglais s'il est nécessaire. On ne peut ni vous bloquer ni gêner votre retraite personnelle. La maison du roi, moins que rien pour combattre en rase campagne, est suffisante pour la défense d'une petite place. Si Napoléon va à la frontière et que Paris remue, vous pouvez y revenir. Dans tous les cas, votre présence à portée de la capitale vous fera opérer une puissante diversion. Au défaut du Havre, je choisirais Dunkerque, une place maritime enfin.»

Mes raisonnements étaient évidents, et cependant le roi ne put les comprendre. Il persista dans les dispositions faites. Le départ eut lieu vers minuit avec son cortége ordinaire, et cinq capitaines des gardes. Je me mis ensuite en marche avec Monsieur, M. le duc de Berry et la maison du roi.

Nous allâmes le premier jour coucher à Noailles. Cette troupe, dont j'avais le commandement, était conduite par les officiers les plus étrangers au service. Une jeunesse très-recommandable n'offrait de ressources que pour défendre un poste fermé, où on pourrait l'organiser et l'instruire. Les gardes du corps, non montés, furent armés de fusils; mais, peu accoutumée à la fatigue des marches, cette partie de nos forces se désorganisa promptement. Nous couchâmes le second jour à Poix, en avant de Beauvais. Mon intention étant de passer par Amiens, je voulus savoir, avant de me porter sur cette ville, s'il ne s'y trouvait pas de troupes insurgées. J'envoyai en conséquence un garde du corps pour avoir des nouvelles; mais, ce garde du corps n'étant pas revenu à temps, nous prîmes la direction d'Abbeville.

Partout nous trouvâmes la population dans les meilleures dispositions pour nous. L'expression des bons sentiments était universelle. Le désespoir de voir tomber un gouvernement doux et paternel était exprimé sur toutes les figures et dans toutes les paroles. Jamais souverain renversé de son trône n'a reçu un pareil accueil, et des témoignages plus vrais, plus évidemment sincères que Louis XVIII en cette circonstance. L'espoir d'un prompt retour était hautement exprimé, et l'opinion était alors si prononcée en faveur de l'ordre de choses qui croulait, la haine pour ce qui l'avait précédé si énergique, que le concours des étrangers dans l'arrangement de nos affaires ne présentait rien d'odieux, aux yeux du peuple. La fierté nationale, qui réclame avec raison une indépendance absolue dans la discussion de nos intérêts propres, s'était alors soumise à l'empire des circonstances, et l'on ne regardait plus les étrangers comme ennemis. Les ennemis, aux yeux des trois quarts des habitants de ces départements, étaient ceux qui renversaient le roi de son trône et allaient ramener la guerre.

Nous allâmes, le 23, à Saint-Pol. Le 24, nous prîmes la petite route conduisant directement à Lille; mais, à l'approche de cette ville, nous apprîmes le départ du roi, forcé d'en sortir par l'insurrection des troupes, qui avaient fermé les portes de la citadelle et arboré les trois couleurs. On nous annonça en même temps que le roi avait passé la frontière et pris la route de Bruges. N'ayant aucune possibilité d'entrer à Lille, nous nous dirigeâmes sur Béthune, avec l'intention de continuer plus tard notre route pour la Belgique.

Nous étions suivis, dans notre mouvement, depuis Paris, par un corps de cavalerie commandé par le général Excelmans. S'il nous eût atteint et eût voulu presser notre retraite, il aurait pu causer beaucoup de désordre et nous faire éprouver d'assez grandes pertes; mais il était parti tard et n'avait pas l'ordre d'agir avec vigueur. Aussi tout s'était passé jusque-là d'une manière très-pacifique. Cependant, réunis devant Béthune, pour une halte, pêle-mêle, avec le peu d'ordre qui accompagne ordinairement des troupes semblables et d'aussi nouvelle formation, il y eut une grande alerte. La cavalerie d'Excelmans n'entreprit cependant rien de sérieux, et nous continuâmes notre mouvement pour la frontière au milieu de boues épouvantables.

Arrivé à Estaire, Monsieur renvoya la maison du roi et chargea le général Lauriston, qui restait en France et commandait une compagnie de mousquetaires, d'opérer ce licenciement d'une manière régulière. Peu de monde eût obéi si l'on avait prescrit de passer la frontière; seulement ceux qui voulurent suivre la fortune de la famille royale reçurent l'assurance de ne pas être abandonnés.

Environ trois cents gardes du corps et autres nous suivirent, et nous partîmes pour nous rendre à Ypres. La caisse de ma compagnie était bien garnie, j'avais en outre quelques fonds à ma disposition comme commandant la maison du roi; je les distribuai aux officiers et aux gardes de ma compagnie, de manière à les mettre pour le premier moment au-dessus du besoin, et de les empêcher de prendre du service trop tôt après s'être séparés du roi.

Telles sont les circonstances de cette catastrophe du 20 mars, où tout ce que le coeur humain a de plus perfide et de plus bas s'est montré à découvert. Jamais on ne s'est joué avec plus d'audace et d'impudence de ce que les hommes doivent avoir de plus sacré, leur serment. On répétait avec éclat et à chaque instant des assurances de fidélité, quand on était résolu à trahir le lendemain, ou dès le jour même. Les chefs de l'armée, les généraux, portèrent cet oubli de leurs devoirs jusqu'au cynisme. On acceptait des faveurs, car c'était toujours cela d'acquis, et l'on ne faisait rien, absolument rien pour les justifier.

Une semblable conduite dut imprimer dans l'esprit des Bourbons une grande haine et une profonde défiance. Ces souvenirs peuvent expliquer la conduite qu'ils tinrent plus tard envers eux, mais non la justifier; car ce qu'ils firent était opposé à leurs intérêts bien entendus. Des hommes supérieurs se seraient élevés si haut, qu'ils auraient écrasé par leur magnanimité leurs adversaires, et conquis pour toujours tout ce qui portait un coeur généreux. Mais n'anticipons pas sur cette grande question de la conduite tenue à la seconde Restauration. Ce sera bientôt l'objet de mes récits et d'une triste critique.

Malgré ce que je viens de dire de sévère sur la conduite des généraux, il n'est pas démontré qu'un bon nombre n'eût servi fidèlement, s'il y eût eu un temps d'arrêt, une lutte engagée sur un point quelconque dans un poste fermé, sous les yeux du roi. Par un motif ou par un autre, beaucoup de ceux qui l'avaient quitté lui seraient revenus. L'opinion publique, et le désir de préserver la France de nouveaux malheurs, eussent singulièrement favorisé ce retour et servi de prétexte. Un souverain a droit d'exiger l'obéissance de ses peuples; mais ses peuples ont le droit d'exiger de lui protection et direction. Quand l'une et l'autre manquent, les liens sont rompus entre eux; il n'y a plus de rapport qui les unisse. Je me suis souvent demandé ce qu'aurait fait Napoléon, s'il eût trouvé louis XVIII dans son château fortifié, avec des défenseurs dévoués et des vivres? Il aurait fait usage de toutes sortes de séductions; mais certes il n'aurait pas essayé d'employer la violence.

Le roi s'était, comme je l'ai dit, rendu d'abord à Bruges. Il vint ensuite à Gand, où nous l'avions précédé, après avoir passé deux jours à Ypres. On assure qu'arrivé à Bruges M. de Blacas voulait le décider à passer en Angleterre. La fortune qu'il avait acquise pendant les dix mois de son administration suffisait alors à l'ambition de ce personnage. Accoutumé à la pauvreté, quelques millions réunis lui paraissaient le *nec plus ultra* de la fortune, et il voulait mettre en sûreté des richesses de beaucoup supérieures à tous les rêves qu'il avait jamais faits; mais le roi résista. S'il eût passé la Manche, il est probable que la couronne de France lui échappait ainsi qu'à son frère. Le roi s'établit donc à Gand, y réunit tout ce qui était sorti de France, et nomma des ministres *in partibus*, qui tinrent une espèce de conseil et crurent gouverner. M. de Chateaubriand, dévoré de la manie ministérielle, quelque impuissant qu'il soit à exercer le pouvoir, se crut réellement ministre, fit divers rapports au roi, dont les colonnes du *Moniteur de Gand* furent remplies. Une vanité enfantine, poussée jusqu'à l'excès, lui a fait depuis rappeler à tout propos ce prétendu ministère.

À notre arrivée à Gand, nous fûmes informés de la déclaration du congrès de Vienne, en date du 13 mars. Elle décidait la question de l'avenir. Napoléon avait commis une immense faute en précipitant son entreprise. S'il eût attendu, pour quitter l'île d'Elbe, le départ de Vienne des souverains (et ils étaient au moment de se séparer), il doublait ses moyens de résistance, en gagnant le temps nécessaire à ses ennemis pour s'entendre et concerter leurs efforts contre lui. Mais voyons maintenant si, une fois le masque jeté, et dans la position où Napoléon s'était placé, il a pris le meilleur parti et tenu la conduite la plus conforme à ses intérêts.

Le débarquement de Napoléon avec une poignée de soldats, sa marche hardie, sa manière de se présenter devant les premières troupes qu'il rencontra, rappellent ces inspirations sublimes dont sa vie est remplie et cette supériorité de génie qui le caractérisait. Mais, arrivé à Paris, il ne fut plus le même homme. En contact avec de grandes difficultés, il les aurait vaincues dans sa jeunesse, mais alors elles furent plus fortes que lui. Cette grande énergie de volonté qui anciennement lui était propre avait disparu. Ces hommes à phrases, si funestes au succès des affaires dont ils se mêlent, s'emparèrent de lui et lui imposèrent. Il voulut les tromper, et pour cela il masqua son caractère, tandis qu'en le conservant dans sa vérité il pouvait réussir et mettre plus de chances en sa faveur.

Le pays n'a pas rappelé Napoléon, c'est l'armée. L'armée seule faisait sa force [4]. Une fraction de la nation s'est réjouie de son retour, mais la masse en a été au désespoir; et la preuve s'en trouve dans le peu d'efforts faits pour continuer la lutte après les premiers revers, malgré tant de moyens employés pour les développer. La déclaration du 13 mars, rendant la guerre certaine, et son appui véritable étant l'armée, il devait baser sur elle presque tous ses calculs et réduire son thème à une question toute militaire. L'armée qu'il retrouvait n'était pas cette armée composée de misérables débris comme en 1814, mais une armée reposée, refaite, remplie de vieux soldats revenus de Russie, d'Autriche et d'Angleterre, ayant des injures à venger. Nous avions organisé quatre-vingt mille hommes et cent pièces de canon attelées contre lui. Ces quatre-vingt mille hommes ayant fait demi-tour, il était en état d'opposer immédiatement aux étrangers quatre-vingt mille hommes, qu'il aurait pu facilement porter à cent ou cent vingt mille, avec une artillerie nombreuse, bien attelée et en état d'entrer en campagne.

Note 4: (retour) Le 21 mars, M. Mollien, ancien ministre du Trésor, vint féliciter Napoléon sur son retour et sur les transports de joie que les populations lui avaient témoignés, disait-il, sur son passage. Napoléon lui répondit: «Est-ce que vous croyez cela aussi? Ce sont des contes; elles m'ont laissé passer comme elles ont laissé partir l'autre.» (*Note du duc de Raguse.*)

Son débarquement à Cannes et son arrivée à Paris m'avaient rappelé le Bonaparte d'Italie et d'Égypte. Je le crus revenu tout entier et j'étais convaincu qu'après avoir reconquis le pouvoir il se hâterait d'employer le seul moyen de le consolider. Napoléon, en ce moment, devait continuer à frapper l'opinion, à étonner le monde par quelque chose de surnaturel. Puisqu'il avait parlé de trahison, quelque absurde que fût cette assertion, il devait rejeter tous les malheurs passés sur elle. Des succès éclatants eussent remué encore les coeurs, même des gens les moins dévoués, tant la gloire a de prix aux yeux des Français!

Si Napoléon eût donc conçu son rôle ainsi, s'il fût entré tout de suite en campagne pour ressaisir ce que l'on est accoutumé à appeler les frontières naturelles, il les aurait reprises en un moment et sans la moindre difficulté. Persuadé qu'il agirait ainsi, je calculais le commencement de ses mouvements pour le 4 avril.

Six mille Anglais seulement, se trouvant en Belgique, se seraient immédiatement réfugiés dans Anvers. L'armée belge, depuis si peu de temps séparée de l'armée française, animée précisément du même esprit, n'aurait pas hésité à se réunir à elle et l'aurait augmentée de trente mille hommes. Les troupes prussiennes dans le grand-duché, étant peu nombreuses et toutes éparpillées, se seraient jetées dans Juliers ou auraient repassé le Rhin.

Ainsi, sans coup férir, sans combattre et par de simples marches, Napoléon aurait eu, en peu de jours, ses avant-postes sur l'Escaut et sur le Rhin. Après avoir rallié trente mille soldats et acquis Bruxelles et des pays riches, pleins de ressources de toute espèce, calcule-t-on le retentissement d'un pareil résultat dans toute la France, et le mouvement qui en serait résulté en faveur du gouvernement? De tous côtés les conscrits se seraient levés et l'auraient rejoint avec empressement. Les discussions intempestives auraient été ajournées et la France était débourbonisée. Au lieu de cela, Napoléon se laissa imposer par les vieux révolutionnaires et les jeunes libéraux, sortant de l'école créée par la Restauration; et, tandis que la guerre l'aurait peut-être sauvé, il fit de la politique et de la révolution, ce qui devait infailliblement le perdre; car il en résultait pour les étrangers un répit et du temps pour s'organiser, s'entendre et agir avec ensemble. D'ailleurs une révolution, celle même qui un jour doit donner des produits utiles, s'affaiblit immédiatement en divisant les moyens. Elle commence toujours par le désordre, et le désordre est une cause de mort pour tout pays comme pour tout gouvernement qui y est en proie.

Il est assez bizarre de reprocher à Napoléon de n'avoir pas fait la guerre, mais dans la circonstance il eut tort. Elle était dans ses intérêts et devait résulter de sa position. Il eut l'air d'ouvrir les yeux à la lumière, et les doctrinaires, si vains de leur nature, furent enchantés de sa conversion, comme si un homme semblable pouvait jamais changer. Il voulut paraître avoir modifié ses idées et son caractère. Il ne trompa que peu de gens et perdit la faculté d'agir dans le moment le plus opportun. Il resta donc et se mit à discuter avec Benjamin Constant et consors. Il annonça le retour prochain de Marie-Louise, et l'on sut promptement qu'il n'aurait pas lieu. L'Autriche restant sourde à sa voix et à ses efforts pour la détacher de l'alliance, il vit chaque jour s'évanouir ses espérances et s'amonceler de nouveaux obstacles devant lui. Au moment d'entrer en campagne, il avait les plus tristes pressentiments. Il s'en expliqua plusieurs fois dans l'intimité, et Decrès, la veille de son départ pour l'armée, surprit un jour sa pensée intime. Entré dans son cabinet, il le vit enfoncé dans un fauteuil, ayant l'air assoupi. Decrès resta silencieux et immobile pour attendre le moment du réveil. Peu après Napoléon se leva brusquement en prononçant tout haut ces paroles: «*Et puis cela ira comme cela pourra!*»

Je le répète, Napoléon manqua à sa fortune en devenant infidèle à son caractère. Il aurait donné un mouvement immense aux esprits, enflammé les imaginations, s'il avait conquis la Belgique et les bords du Rhin. En éloignant à vingt ou trente marches les premiers champs de bataille, il donnait à la guerre un tout autre caractère. Mais sa volonté n'était plus la même, l'homme était usé, et les deux dernières campagnes ne l'avaient que trop montré. Relevé avec éclat pour un moment, bientôt il était retombé. La manière dont il fit personnellement la campagne de Waterloo le prouve. Decrès, que je citerai encore, homme d'esprit, bon observateur et bien placé pour voir, me dit de lui, au retour de Gand, ces propres paroles: «Il y a toujours en lui un esprit prodigieux. Sous ce rapport, il est tel que vous l'avez connu; mais plus de résolution, plus de volonté, plus de caractère. Cette qualité, si remarquable autrefois chez lui, a disparu. Il ne lui reste que son esprit.»

On connaît les proclamations du golfe de Juan, où j'étais accusé de trahison, ainsi que le duc de Castiglione. Mon devoir m'ordonnant d'y répondre, je publiai une défense peu après à Gand. Cette réponse, envoyée en France, imprimée, y produisit l'effet désiré auprès de ceux qui en eurent connaissance. Le caractère de vérité qu'elle porte donna du crédit à mes paroles; mais le gouvernement, mécontent de l'accueil qui lui était fait, mit obstacle à sa circulation, et elle ne fut pas alors suffisamment répandue [5]. Je fis la faute de ne pas la faire réimprimer à notre retour en France, et insérer dans le *Moniteur*. Quand on a la conscience pure et un noble et légitime orgueil, l'idée d'être réduit à se justifier d'une infamie offense et blesse le coeur. Cette justification se trouve jointe aux pièces justificatives de ces *Mémoires*. Écrite à Gand, au quartier général de l'émigration, elle a le ton de modération et la nuance d'opinion qui convenaient à mes antécédents.

Note 5: (retour) Voir pièces justificatives.

Je ne parlerai pas des affaires politiques qui se traitèrent à Gand, n'ayant pas été mis dans leur secret. Je restai un mois environ dans cette ville, vivant dans la familiarité du roi et le voyant beaucoup. Pendant ces longues journées et les soirées, j'ai pu juger plus particulièrement de la nature de l'esprit de Louis XVIII, et me convaincre qu'il y avait chez lui peu de ce que l'on appelle vulgairement esprit, c'est-à-dire la faculté de combiner ses idées avec promptitude. Il contait volontiers, ne se refusait pas à la discussion, et l'autorisait sans jamais l'approfondir; mais il savait admirablement bien, avec son incroyable mémoire, appliquer son érudition, faculté qui te rendait quelquefois éblouissant auprès de ses nouveaux auditeurs.

J'ai à citer un trait qui peint merveilleusement l'imprévoyance de M. de Blacas et sa coupable insouciance dans la conduite des affaires. Le *Moniteur* avait annoncé que Napoléon avait trouvé dans le cabinet de Louis XVIII une très-grande quantité de papiers importants; il donnait l'indication de leur nature et parlait de la correspondance du roi avec ses partisans en France pendant tout le temps de l'émigration. Je crus le fait faux et justifié seulement par la trouvaille de quelques lettres égarées et insignifiantes. On en parla à dîner. J'étais auprès de M. de Blacas, et je lui dis: «Sans doute ce que dit le *Moniteur* est de pure invention, car il serait incroyable que l'on eût agi ainsi?

--Je vous demande pardon, me dit M. de Blacas avec cet air de satisfaction qui accompagne toujours ses paroles; tous les papiers existent en effet en totalité, et classés par année et par lettre alphabétique.

--Comment! lui dis-je, et vous n'avez pas craint de compromettre et de perdre tant de gens et de familles qui se sont attachés au roi! Mais comment n'avez-vous pas emporté les papiers? Si vous ne pouviez les emporter, vous pouviez les faire jeter dans des malles, des sacs, en les confiant en dépôt à des personnes sûres. Enfin le pis aller était de les brûler.»

Il persista dans son opinion et me dit encore que cela eût été impossible. En vérité, il paraissait jouir de l'idée du bon ordre et du classement dans lequel il les avait laissés. Et puis, faites des affaires dans des temps extraordinaires, avec de pareilles gens, aussi peu prévoyants, aussi dépourvus de ressources dans l'esprit!

Nous étions à Gand depuis plusieurs jours quand nous apprîmes, par le *Moniteur*, l'issue fâcheuse de l'entreprise de M. le duc d'Angoulême et le rôle joué, dans cette circonstance, par le général Grouchy. Je n'ai jamais vu Monsieur dans une fureur pareille: elle était assurément bien légitime, car il voyait la vie de son fils très-compromise. Il jura de se venger de Grouchy si la fortune lui en fournissait l'occasion; mais, quand elle s'est offerte, en bon chrétien, il l'a dédaignée.

Je ne veux pas caractériser la conduite de Grouchy dans cette circonstance; je ne veux que raconter les faits [4]. Grouchy avait reçu, quatre jours avant la catastrophe, le cordon rouge et renouvelé les assurances de sa fidélité; mais à peine M. le duc d'Angoulême eut-il remué dans le Midi et marché sur la Drôme, que le zèle exprimé par Grouchy à Napoléon détermina celui-ci à l'envoyer pour s'opposer à ses progrès et mettre de l'ensemble dans le mouvement des troupes employées contre lui. Avec ses antécédents,

Grouchy devait, ou ne pas se charger de cette mission, ou n'y consentir qu'à la condition expresse de sauver la personne du prince. À son arrivée, il trouva la besogne faite et une capitulation assurant à M. le duc d'Angoulême une libre retraite en Espagne, véritable fortune pour Grouchy de voir un arrangement déjà fait, signé et en pleine exécution. Des engagements semblables sont toujours respectés, et cette circonstance sortait Grouchy d'embarras sans compromettre sa responsabilité; mais, loin de profiter d'une occasion si favorable, il déchira la capitulation. Le malheureux prince perdait ainsi sa sauvegarde et tombait entre ses mains. Si Napoléon, en domptant son caractère, ne fût pas revenu sur un premier mouvement, tout de vengeance et de sévérité; si les hommes qui l'entouraient n'eussent pas cherché à agir sur lui pour adoucir ses résolutions, M. le duc d'Angoulême, selon toutes les apparences, devait périr.

Note 6: (retour) *Moniteur* du 11 avril 1815. Dépêche télégraphique de Montélimar du 9.

Moniteur du 12 avril. Réponse et ordre de l'Empereur au général Grouchy.

Moniteur du 16 avril. Détails sur la capitulation du duc d'Angoulême avec le général Gilli.

Le général Grouchy était dévoré du désir d'être maréchal. Il fut élevé à cette dignité après cette singulière campagne. Le scandale de ce choix fut bientôt expié par la conduite qu'il tint à Waterloo. Les tristes souvenirs des causes de sa promotion ne l'ont pas empêché de crier à l'injustice quand les Bourbons n'ont pas voulu le reconnaître comme maréchal. Il a fallu une nouvelle révolution, celle de 1830, pour le faire jouir enfin de ce titre, tant ambitionné.

Tout se disposait à la guerre; les troupes arrivaient de toutes parts en Belgique. J'étais bien résolu à ne jouer aucun rôle actif dans une guerre contre mon pays. En conséquence, je crus convenable de m'éloigner du théâtre des opérations laissant à l'avenir de décider de mon sort. Si les événements eussent fait triompher Napoléon, j'étais bien décidé, à moins d'une réparation solennelle de sa part, à ne jamais rentrer en France; et j'avais envisagé mon exil avec le même courage que quinze ans plus tard, j'ai retrouvé dans une circonstance analogue et pire; car alors il ne fallait que le retour à la justice et à la vérité d'un seul coeur, celui de Napoléon. J'ai eu depuis l'assurance qu'il était non-seulement disposé, mais encore tout résolu; tandis qu'aujourd'hui j'ai contre moi les passions populaires, cette hydre à cent têtes, si dangereuse à combattre et si difficile à vaincre. Je me décidai donc à me rendre à Aix-la-Chapelle pour y prendre les eaux, que mes blessures reçues en Espagne me rendaient nécessaires. Le roi, auquel je parlai avec franchise de mes opinions et de ma résolution, l'approuva complétement.

Avant de partir de Gand, j'eus le désir de voir une compagnie d'artillerie à cheval anglaise, qui s'y trouvait. Le matériel anglais est si différent de celui dont nous nous servions autrefois, que la comparaison était curieuse à faire. Je l'examinai donc en détail, et j'admirai la simplicité de ces constructions, adoptées depuis en France. Cette visite donna lieu à une circonstance singulière. On me présenta le maréchal des logis, qui, le 22 juillet 1812, avait pointé la pièce dont la décharge m'avait fracassé le bras, une heure avant la bataille de Salamanque. On ne pouvait s'y tromper, cette blessure fatale avait été causée par un coup de canon unique, tiré à une heure connue, sur un point déterminé. Je fis bon accueil à ce sous-officier. Depuis j'ai revu ce même homme à Woolich, où il est garde-magasin, quand j'ai été, en 1830, visiter ce magnifique arsenal; mais alors il n'avait qu'un bras, ayant perdu l'autre à Waterloo; et, lui faisant mon compliment de condoléance, je lui dis: «Mon cher, à chacun son tour.»

Je me rendis à Aix-la-Chapelle, où je me soignai avec un tel succès, que je retrouvai, à une diminution de forces près, l'usage complet de mon bras. J'attendis les événements dans cette ville, et le commencement de la guerre. Napoléon débuta par des succès sur l'armée prussienne: le combat de Fleurus, où les Prussiens furent surpris, et la bataille de Ligny, gagnée par les Français. Indépendamment des pertes éprouvées sur le champ de bataille, les Prussiens eurent un si grand nombre de fuyards, que plus de trois mille hommes arrivèrent jusqu'à Aix-la-Chapelle, avec une promptitude extraordinaire. J'eus ce spectacle sous mes yeux. Rappelant mes souvenirs, je dois exprimer mes sensations d'alors. Elles étaient toutes de joie intérieure et de satisfaction; et cependant un second succès m'aurait fait quitter ma retraite pour me porter plus loin. Mais, après avoir passé sa vie au milieu d'une armée, dont on a partagé la gloire et les malheurs, on ne peut être insensible à ses succès, quoique devenu étranger à sa destinée, et lors même que ses succès doivent nous être personnellement funestes. Ces affections profondes dépassent de beaucoup les limites des intérêts. Ceux-ci gouvernent les masses; celles-là nourrissent les coeurs élevés. Toutefois, je le répète, j'éprouvai une satisfaction véritable en voyant fuir les Prussiens; mais je restai chez moi, afin de ne pas montrer des impressions qui m'auraient rendu suspect à l'autorité, deux jours après, la nouvelle de la bataille de Waterloo arriva, et successivement celle de la dispersion de l'armée française et de la marche des étrangers sur Paris; enfin, celle du départ du roi pour Cambrai. Je me mis en route peu après, pour aller le rejoindre.

Je me garderai bien de discuter à fond les circonstances militaires de cette courte campagne. Cependant j'en dirai deux mots. Le début en fut habile et brillant. L'offensive fut préparée avec mystère. L'ennemi fut surpris dans ses cantonnements. La faute du 16 est d'avoir trop affaibli le maréchal Ney, ce qui l'empêcha d'emporter la position des Quatre-Bras, et d'écraser l'avant-garde ennemie, chose qui aurait été d'un effet immense, en mettant obstacle au rassemblement de l'armée anglaise. Le corps du comte d'Erlon passa, comme le troisième corps à Leipzig, la journée en marches et en contre-marches, et ne fut utile ni contre les Prussiens, où il était inutile, ni contre les Anglais, où il aurait été nécessaire, conséquence naturelle des indécisions de Napoléon. La bataille de Ligny paraît devoir être aussi un objet de critique par la manière dont l'armée prussienne fut attaquée, et cependant des succès couronnèrent les efforts de cette journée; mais ce qui ne peut se comprendre, c'est la manière d'opérer de Napoléon, le 18, jour décisif de la bataille de Waterloo.

Après la bataille de Ligny, gagnée, le 16, sur les Prussiens, ceux-ci s'étaient retirés sur Wavres. Napoléon mit à leur poursuite Grouchy avec un corps de quarante mille hommes, et lui, avec tout le reste de l'armée, se porta dans la direction de Bruxelles, par la grande route. Les Anglais, qui occupaient la position des Quatre-Bras, l'évacuèrent et prirent position en avant de la forêt de Soignies. Là, s'étant arrêtés, ils se décidèrent à livrer bataille. Les Prussiens, après s'être ralliés et réorganisés, rejoints par des troupes fraîches, devaient déboucher sur le flanc de l'armée française. Ce mouvement ordonné et convenu, naturel à penser, fut connu par Napoléon, au moyen d'une lettre interceptée du général Blücher, annonçant qu'il ne pourrait pas déboucher avant les quatre heures de l'après-midi. Napoléon avait donc un motif puissant de commencer la bataille de très-bonne heure. Il était en mesure de combattre successivement, et non ensemble, les deux armées ennemies. Une attaque matinale lui donnait des chances de succès, et, s'il était vaincu dans le premier combat, il avait le temps de s'éloigner du champ de bataille, avant l'arrivée des nouvelles forces de l'ennemi. Une sorte de négligence, le mauvais temps, des calculs de munitions (et il est incroyable que, si peu de temps après l'ouverture de cette campagne et si peu éloignés des dépôts de la frontière, on fût déjà à court de munitions); enfin, le concours de ces divers motifs fit que l'action ne commença qu'à onze heures. Elle fut menée sans ensemble. On attaqua les différents points isolément. Une grosse ferme retranchée, la Belle-Alliance, fut assaillie sans avoir été auparavant écrasée par un bon feu d'artillerie. Enfin, on ne suivit aucune des règles indiquées en pareils cas.

Tout à coup un grand mouvement s'opère dans la cavalerie française; elle se réunit à la droite de l'armée et attaque la gauche des Anglais. La cavalerie anglaise est mise en poussière; elle se réfugie sous l'appui de son infanterie. Celle-ci est chargée avec vigueur; mais elle repousse pendant une demi-heure les diverses attaques qui sont dirigées contre elle, et la cavalerie française, après avoir fait des efforts de valeur surnaturels, n'étant pas soutenue, dut renoncer au combat. Si un corps d'infanterie d'une force suffisante eût concouru en ce moment et appuyé l'attaque de la cavalerie française, il est probable que l'infanterie anglaise aurait été culbutée. Dans le terrain étroit où était placée cette armée, avec les embarras et le matériel qui couvraient les défilés par lesquels elle pouvait seulement se retirer, elle eût probablement été détruite. Après les efforts infructueux de la cavalerie, et à l'instant où commençait le désordre, la garde s'ébranla pour attaquer l'armée anglaise; mais elle fut écrasée sans même avoir montré une valeur conforme à son ancienne réputation. Prise en flanc et menacée sur ses derrières par l'armée prussienne, elle se mit en déroute. Alors toute l'armée prit la fuite, et les corps et les différentes armes confondus prirent la direction de Charleroi.

Pendant le cours de la journée, Napoléon s'était trouvé si éloigné du champ de bataille, qu'il n'avait pas pu modifier l'exécution de ses projets, et particulièrement faire soutenir, à temps, ce mouvement de cavalerie qui aurait pu produire un effet si utile et si décisif. Prématuré et exécuté d'une manière isolée, il devint inutile; et cependant, si, quand il commença, on eût fait donner la garde, on aurait remédié au mal.

Au moment du désordre, la terreur s'empara de l'esprit de Napoléon. Il se retira au galop à plusieurs lieues, et, à chaque instant (il était nuit), il croyait voir sur sa route ou sur son flanc de la cavalerie ennemie et l'envoyait reconnaître.

Je tiens ces détails d'officiers attachés à l'Empereur et en ce moment près de lui, et entre autres du général Bernard, officier du génie, son aide de camp de confiance, officier distingué et homme très-véridique. Grouchy, détaché à la poursuite de l'armée prussienne, avait eu l'ordre de la presser et de ne pas la perdre de vue. Il agit mollement, suivant son habitude, se complaisant dans l'importance du commandement qui lui avait été confié.

L'ennemi se retira sur Wavres, y passa la Dyle, et, le 18, marcha dans la direction du Mont-Saint-Jean. Il fit ce mouvement, chose incroyable, sans avoir rompu les ponts de la Dyle, de Sainte-Marie, Montion, Ottignies, et sans avoir placé des troupes sur ces points pour les défendre ou au moins pour les observer. Une avant-garde française s'était portée sur Wavres, tandis que les coureurs avaient passé la Dyle aux points que je viens d'indiquer. Ceux-ci virent le mouvement rapide de l'armée prussienne, qui, avant de tomber sur le flanc de l'armée française, avait encore les défilés de Lasnes à passer. La masse des forces de Grouchy, étant à portée, pouvait l'attaquer sur ses derrières et sur son flanc gauche. Le mouvement de l'ennemi, se faisant d'une manière décousue et sans aucune formation régulière, si une tête de colonne seulement eût paru, l'armée prussienne s'arrêtait; et, si Grouchy eût marché avec abandon, il est probable que cette armée, atteinte ainsi, sans être préparée à combattre sur ce point, divisée par les défilés de Lasnes, aurait été détruite presque sans résistance. Au lieu de cela, Grouchy hésita et resta dans cette irrésolution, fond de son caractère, dont j'ai donné de si étranges preuves dans le récit de la campagne de 1814. Il raisonna beaucoup et resta en place. La journée s'écoula, et les Prussiens vinrent compléter les malheurs de l'armée française et donner d'immenses fruits à la victoire défensive que l'armée anglaise avait déjà remportés; car on peut dire que la bataille a été gagnée par l'armée anglaise seule, mais les résultats ont été obtenus par l'armée prussienne.

Cette question relative à Grouchy a été l'objet d'une grande controverse entre lui et le général Gérard, commandant un corps sous ses ordres. J'ai cru pouvoir accuser le général Gérard de juger après l'événement et de se targuer de conseils donnés après coup. Une fois la guerre finie, il n'y a pas de petit officier qui ne blâme, à tort et à travers, les opérations de son général. Beau mérite que de juger des coups quand les cartes sont sur la table! C'est lorsque tout est incertitude et soumis aux calculs des probabilités que le métier est difficile; mais, dans la circonstance, la polémique élevée a amené des publications, des récits et l'établissement de faits qui décident la question sans réplique pour tout homme raisonnable.

Grouchy entendait le canon de Waterloo. Il connut par ses avant-gardes le mouvement de l'ennemi sur la rive gauche de la Dyle. Il était à portée de marcher sur lui et de l'atteindre. Il occupait les ponts de la Dyle, et avait des postes en avant; ainsi sa conduite est impardonnable.

Cependant, sans le défendre sur des fautes aussi graves, sans vouloir le justifier d'avoir manqué au premier principe du métier en pareille circonstance, celui de prendre pour point de direction le bruit du canon, direction qui lui était de plus indiquée par la vue du mouvement des colonnes ennemies, il est certain que, le soir du 17, Grouchy écrivit à l'Empereur pour lui rendre compte de sa position et de ce qu'il avait appris. Sa lettre arriva à huit heures du soir, et était apportée par un officier du 15e régiment de dragons. Le général Bernard, aide de camp de service, la remit à Napoléon et lui demanda une réponse. À minuit, cet officier la réclama de nouveau, et Bernard vint la demander. Il lui fut dit d'attendre. À quatre heures, mêmes instances de la part de l'officier, qui déclara avoir l'ordre de ne pas revenir sans en apporter une, et il fut congédié sans en recevoir. Un homme comme Grouchy avait besoin d'être corroboré dans ses instructions, et il eût fallu lui recommander de nouveau de presser le corps prussien et de l'attaquer sans relâche. On ne courait pas le risque de lui voir faire des imprudences, et on se mettait en garde contre sa lenteur et sa timidité. Abandonné à lui-même, il ne sut ni juger l'importance de sa position, ni le prix du temps, ni le devoir qu'il avait à remplir. Il fut à Waterloo ce qu'il avait été, en 1814, à Montmirail; mais, en ce dernier moment, les circonstances et son influence sur les destinées de l'armée étaient d'une tout autre importance.

La perte de la bataille de Waterloo a été causée d'un côté par la direction incertaine, le décousu des attaques et l'éloignement du champ de bataille de Napoléon, tandis que de l'autre l'armée anglaise était ensemble, et Wellington, placé dans les lieux les plus exposés, a su maintenir la confiance par sa présence et la bravoure extraordinaire qu'il a déployée. Enfin le résultat funeste de la bataille a été l'ouvrage de l'impéritie de Grouchy.

La dispersion de l'armée, la marche des étrangers sur Paris, déterminèrent Louis XVIII à se rapprocher de sa capitale. Au moment de passer la frontière, il voulut se laver des fautes dont on accusait son gouvernement pendant les dix mois qu'il avait eu le pouvoir en France. Une opinion, favorable au roi, les rejetait sur. M. de Blacas, dont on supposait le crédit plus grand qu'il n'était effectivement. Pour donner une espèce de satisfaction à l'opinion publique, M. de Blacas quitta le roi. Il se résigna sans murmurer. Le roi lui donna l'ambassade de Rome et lui laissa l'administration de six ou sept millions qui lui restaient et dont plus tard il lui fit don.

L'armée française se rallia en partie à Laon, d'où elle se retira sur Paris. Le corps nombreux dont Grouchy avait fait un si pauvre usage s'y rendit également. Des bataillons de fédérés, campés à Montmartre, à Belleville et dans la plaine de Saint-Denis, portaient toutes ces forces à cent mille hommes. On pouvait opérer avec au moins quatre-vingt mille hommes. L'ennemi parut bientôt. Blücher, avec l'ardeur qui le caractérisait, avec la passion dont il était animé, arriva le premier. Quoique se trouvant à plus de deux marches en avant des Anglais, il entreprit, avec une imprudence inouïe, d'exécuter le passage de la Seine en présence de forces aussi considérables, et il réussit. Il choisit Argenteuil, et défila en vue de Paris et pour ainsi dire à la portée des canons de Montmartre.

Le maréchal Davoust, qui commandait, l'aurait détruit cent fois pour une s'il avait eu la moindre résolution; mais il fit de la politique là où un succès ne pouvait qu'améliorer singulièrement la position des choses. L'armée prussienne n'avait pas alors plus de soixante mille hommes réunis, loin des Anglais, et divisée par la Seine au moment de son passage, elle était à sa discrétion. Il envoya des troupes sur la rive gauche de la Seine, et il y eut à Versailles un combat de cavalerie très-brillant, très-glorieux pour les troupes françaises, mais qui fut le dernier de la guerre.

Une fois les Anglais arrivés, le maréchal Davoust signa une capitulation pour l'évacuation et la remise de la ville. Curieux rapprochement à faire avec ce qui s'était passé l'année précédente! En 1814, huit ou dix mille hommes de troupes composées de débris s'éloignèrent après avoir soutenu un combat opiniâtre et montré une valeur presque sans exemple contre toutes les forces alliées, montant à cent quatre-vingt mille hommes, et cela, quand la population de Paris semblait leur être hostile. En 1815, quatre-vingt-dix mille hommes de belles troupes, soutenues par une partie de la population en armes, évacuèrent la capitale en présence de cent et quelques mille hommes. Je demande à tout homme impartial quelle est celle des deux armées dans laquelle l'énergie, le courage et le dévouement ont été le plus remarquables?

Le roi arriva bientôt à Saint-Denis. Je l'avais rejoint à Roye deux jours auparavant. Là, les intrigues se développèrent. L'opinion de Paris, sauf les fédérés et une faction, était en faveur du roi; mais on chercha et l'on parvint à créer une espèce de fantasmagorie. On présenta la disposition des esprits, et en particulier de la garde nationale, comme hostile, et à cet effet des postes d'hommes choisis dans cette disposition d'esprit furent placés aux barrières; mais une multitude d'individus franchit les murailles pour venir au-devant du roi et fit connaître bientôt le véritable état des choses. On chercha à démontrer la nécessité de composer le ministère de manière à rallier les intérêts révolutionnaires. Cette opinion, professée par le duc de Wellington, soutenue par Monsieur, concluait à admettre Fouché comme ministre. Il faut rendre justice à Louis XVIII, il s'y refusa longtemps. Il voyait toute la flétrissure imprimée à son règne par cette lâche condescendance. Monsieur, échauffé par ses amis de Paris, qui, protégés par Fouché pendant les Cent-Jours, étaient devenus ses partisans, insista, et Fouché fut nommé. On demanda l'adoption de la cocarde tricolore, chose monstrueuse alors. Je me gardai bien d'adopter une pareille opinion. J'avais défendu cette cocarde avec ardeur l'année précédente, et, si on l'eût conservée alors, peut-être aurait-on été préservé de cette déplorable révolution. À cette époque, la victoire et le temps l'avaient consacrée; aujourd'hui, elle était devenue l'emblème de la perfidie et de la révolte. On ne pouvait la prendre sans se déshonorer. On le sentit, et ces exigences furent rejetées.

Fouché voulait empêcher le roi d'entrer avec ses gardes du corps et le forcer à s'en séparer pour ne pas émouvoir et irriter, disait-il, la population. Il traçait l'itinéraire du roi pour son entrée par la barrière de Clichy, afin d'éviter les quartiers populeux. Louis XVIII montra du jugement, du courage, de l'élévation en cette circonstance. Il ne crut à aucun de ces contes sans cesse répétés à ses oreilles. Il prit son escorte ordinaire, entra par le faubourg Saint-Denis, et suivit le boulevard pour se rendre aux Tuileries. Partout un peuple nombreux était rassemblé, et partout il reçut des témoignages de respect et fut l'objet d'acclamations plus ou moins vives; mais l'effet de toutes ces menées était en partie produit: Fouché était ministre. On proposa au roi de le comprendre dans la promotion des pairs, faite peu après. Mais le roi s'y refusa; il répondit: «On peut bien, quand on est forcé par les circonstances, prendre un tel homme pour ministre, sauf à s'en débarrasser bientôt; mais on n'assoit pas d'une manière durable sa position en l'admettant à la Chambre des pairs.»

Je reviens en arrière, pour parler encore une dernière fois de Napoléon. Il avait quitté l'armée immédiatement après la perte de la bataille de Waterloo, et était arrivé à Paris avec la nouvelle de sa défaite. Il manda Davoust, alors ministre de la guerre, et, après lui avoir raconté les événements à sa manière, il lui dit qu'il lui fallait une levée de quatre cent mille hommes. Davoust lui répondit brutalement: «Vous n'en aurez point, et vous ne pouvez plus régner!»

La plus vive effervescence se montra dans les Chambres, et une nouvelle abdication de Napoléon fut exigée. Il la donna sans se faire trop prier et resta à l'Élysée comme simple particulier. Mais il ne tarda pas à se repentir d'avoir ainsi renoncé à la partie. Quelques groupes d'ouvriers ou de gens du peuple venaient quelquefois près du jardin de l'Élysée crier: *Vive l'Empereur!* Napoléon cherchait à en tirer des conséquences favorables et à s'abandonner à l'illusion qu'il pouvait reprendre le pouvoir; mais les gens sensés, placés près de lui, le ramenaient à des idées plus raisonnables. Le général Bernard, envoyé plusieurs fois pour vérifier la valeur de ces cris auxquels il attachait encore tant d'importance, revenait en les lui montrant sous leur véritable jour. Depuis, Napoléon se rendit à la Malmaison, et là il eut une velléité prononcée de reprendre le commandement. Les dispositions des troupes semblaient s'y prêter. Il envoya demander des chevaux sous un vain prétexte et dut s'adresser au duc de Vicence, tout à la fois grand écuyer et membre du gouvernement provisoire. Celui-ci, jugeant de l'intention, refusa les chevaux. Napoléon dut recevoir une rude et une cruelle humiliation d'une semblable dépendance de la part d'un de ses serviteurs, d'un officier de sa propre maison. J'ai reçu ces détails de ceux mêmes qui étaient dans la confiance de Napoléon, et qui furent les intermédiaires de cette démarche. Napoléon prit la route de Rochefort; son voyage et les événements qui suivirent sont écrits partout, et je ne pourrais que répéter ce qui a déjà été dit à cet égard.

Je citerai, avant de finir sur Napoléon, quelques-unes de ses réponses, dont plusieurs me sont relatives. Quelque temps après le 20 mars, le colonel Fabvier, resté en France, compatriote du général Drouot et lié avec lui, se plaignait de l'oubli de l'Empereur envers quelques officiers qui n'étaient pas employés, et de l'injustice des accusations qu'il avait portées contre moi dans sa proclamation. Drouot en parla à l'Empereur, qui lui répondit: «Je sais mieux qu'un autre tout ce qui s'est passé. Les circonstances m'ont fait une loi du langage que j'ai tenu; mais que les choses s'arrangent, et tout sera bientôt réparé.»

Une autre fois le général Clausel lui parla avec intérêt de ce qui me concernait. Il lui répondit: «Vous savez quelles sont les exigences de la politique. Ce que j'ai fait m'était commandé; mais que tout s'arrange, il nous reviendra et j'aurai grand plaisir à l'embrasser.»

Lorsque, deux jours avant la bataille de Waterloo, Bourmont passa à l'ennemi, Napoléon, en apprenant cette nouvelle, dit ces paroles au général Bernard: «Mon cher, entre les bleus et les blancs c'est une guerre à mort. Si les choses vont bien, tous les nôtres nous reviendront.» Il voulait parler du duc de Bellune et de moi.

Napoléon avait eu la plus grande répugnance à employer Bourmont. Ce ne fut qu'après les demandes multipliée du général Gérard, qui s'était fait son patron, qu'il y consentit, et, celui-ci ayant dit: «Sire, je réponds de lui sur ma tête,» Napoléon lui répondit: «Je vous l'accorde; mais je vous préviens d'avance que votre tête m'appartient.»

Un jour avant l'ouverture de la campagne, un rapport de police annonçait que je devais prendre le commandement d'un corps d'armée ennemi. Napoléon lut le rapport attentivement, regarda Bernard, et, en jetant le papier avec dédain, il lui dit ces paroles remarquables: «C'est une infamie, il en est incapable!»

Enfin, quand Montrond revint de la mission qu'il avait eue à Vienne pendant les Cent-Jours, il s'informa auprès de lui de ce qui me concernait et de ce que je devenais. Il demanda, avec une sorte d'inquiétude, si je n'entrais pas pour quelque chose dans la direction des opérations contre lui; et, comme Montrond paraissait étonné que, dans cette supposition, il s'en alarmât, il lui répondit: «Ne vous y trompez pas: Marmont est un homme de beaucoup d'esprit et de beaucoup de talent, mais de beaucoup de talent!»

Enfin le duc de Vicence m'a plusieurs fois rapporté que Napoléon lui avait dit que j'étais le seul de ses maréchaux qui le comprît et avec lequel il aimât à parler de guerre.

Quelque peu de modestie qu'il y ait à rappeler ainsi moi-même des éloges aussi directs, on en trouvera peut-être l'excuse dans le prix que je mets à transmettre à la postérité l'opinion de Napoléon sur mon compte.

Enfin un dernier mot de cet homme extraordinaire, dont je n'aurai plus jamais l'occasion de prononcer le nom, et qui peint ce caractère si peu en harmonie avec les autres hommes. Avant l'entrée en campagne de 1815, il demanda au général Bernard, chargé de son bureau topographique, la carte de France, ainsi que les cartes de la frontière du Nord. Il poussait la manie des grandes cartes jusqu'à l'exagération; il ajouta: «Est-ce que vous n'avez rien de plus grand que cela?

--Non, Sire, c'est la seule carte que l'on puisse consulter, parce qu'elle est sur la même échelle que celle des Pays-Bas.

--Et c'est toute la France?

--Oui, Sire.»

Il resta en contemplation pendant quelque temps, les bras croisés, et dit: «Pauvre France! ce n'est pas l'affaire d'un déjeuner!»

CORRESPONDANCE ET DOCUMENTS

RELATIFS AU LIVRE VINGT ET UNIÈME

EXTRAIT DU JOURNAL DU COMTE WALDBOURG-TRUCHSESS

OFFICIER PRUSSIEN, L'UN DES COMMISSAIRES QUI ONT ACCOMPAGNÉ NAPOLÉON DEPUIS SON DÉPART DE FONTAINEBLEAU JUSQU'À SON EMBARQUEMENT POUR L'ÎLE D'ELBE.

«... À un quart de lieue en deçà d'Orgon, Napoléon crut indispensable la précaution de se déguiser: il mit une mauvaise redingote bleue, un chapeau rond sur sa tête avec une cocarde blanche, et monta un cheval de poste pour galoper devant sa voiture, voulant passer ainsi pour un courrier. Comme nous ne pouvions le suivre, nous arrivâmes à Saint-Canat, bien après lui. Ignorant les moyens qu'il avait pris pour se soustraire au peuple, nous le croyions dans le plus grand danger, car nous voyions sa voiture entourée de gens furieux qui cherchaient à ouvrir les portières: elles étaient heureusement bien fermées, ce qui sauva le général Bertrand. La ténacité des femmes nous étonna le plus; elles nous suppliaient de le leur livrer, disant: «Il l'a si bien mérité, que nous ne demandons qu'une chose juste!»

«À une demi-lieue de Saint-Canat, nous atteignîmes la voiture de l'Empereur, qui, bientôt après, entra dans une mauvaise auberge située sur la grande route, et appelée la *Calade*. Nous l'y suivîmes; et ce n'est qu'en cet endroit que nous apprîmes le travestissement dont il s'était servi, et son arrivée à cette auberge à la faveur de ce bizarre accoutrement; il n'avait été accompagné que d'un seul courrier; sa suite, depuis le général jusqu'au marmiton, était parée de la cocarde blanche dont ils paraissaient s'être approvisionnés à l'avance. Son valet de chambre, qui vint au-devant de nous, nous pria de faire passer l'Empereur pour le colonel Campbell, parce qu'en arrivant il s'était fait passer pour tel à l'hôtesse. Nous promîmes de nous conformer à ce désir, et j'entrai le premier dans une espèce de chambre, où je fus frappé de trouver le ci-devant souverain du monde plongé dans de profondes réflexions, la tête appuyée dans ses mains.

«Je ne le reconnus pas d'abord et je m'approchai de lui. Il se leva en sursaut en entendant quelqu'un marcher. Il me fit signe de ne rien dire, me fit asseoir près de lui, et, tout le temps que l'hôtesse fut dans la chambre, il ne me parla que de choses indifférentes. Mais, lorsqu'elle sortit, il reprit sa première position. Je jugeai convenable de le laisser seul; il nous fit cependant prier de passer de temps en temps dans sa chambre pour ne pas faire soupçonner sa présence.

«Nous lui fîmes savoir qu'on était instruit que le colonel Campbell avait passé la veille justement par cet endroit pour se rendre à Toulon. Il résolut aussitôt de prendre le nom de lord Burghersh.

«On se mit à table; mais, comme ce n'étaient pas ses cuisiniers qui avaient préparé le dîner, il ne pouvait se résoudre à prendre aucune nourriture, dans la crainte d'être empoisonné. Cependant, nous voyant manger de bon appétit, il eut honte de nous faire voir les terreurs qui l'agitaient et prit de tout ce qu'on lui offrit; il fit semblant d'y goûter, mais il renvoyait les mets sans y toucher. Son dîner fut composé d'un peu de pain et d'un flacon de vin, qu'il fit retirer de sa voiture et qu'il partagea même avec nous.

«Il parla beaucoup et fut d'une amabilité très-remarquable. Lorsque nous fûmes seuls, et que l'hôtesse qui nous servait fut sortie, il nous fit connaître combien il croyait sa vie en danger; il était persuadé que le gouvernement français avait pris des mesures pour le faire enlever ou assassiner dans cet endroit.

«Mille projets se croisaient dans sa tête sur la manière dont il pourrait se sauver; il rêvait aussi aux moyens de tromper le peuple d'Aix, car on l'avait prévenu qu'une très-grande foule l'attendait à la poste. Il nous déclara donc que ce qui lui semblait le plus convenable, c'était de retourner jusqu'à Lyon et de prendre de là une autre route pour s'embarquer en Italie. Nous n'aurions pu, en aucun cas, consentir à ce projet, et nous cherchâmes à le persuader de se rendre directement à Toulon, ou d'aller par Digne à Fréjus. Nous tâchâmes de le convaincre qu'il était impossible que le gouvernement français pût avoir des intentions si perfides à son égard, sans que nous en fussions instruits, et que la populace, malgré les indécences auxquelles elle se portait, ne se rendrait pas coupable d'un crime de cette nature.

«Pour nous mieux persuader, et pour nous persuader jusqu'à quel point ses craintes, selon lui, étaient fondées, il nous raconta ce qui s'était passé entre lui et l'hôtesse, qui ne l'avait pas reconnu. «Eh bien, lui avait-elle dit, avez-vous rencontré Bonaparte?--Non, avait-il répondu.--Je suis curieuse, continua-t-elle, de voir s'il pourra se sauver; je crois toujours que le peuple va le massacrer: aussi faut-il convenir qu'il l'a bien mérité, ce coquin-là! Dites-moi donc, on va l'embarquer pour son île?--Mais, oui.--On le noiera, n'est-ce pas?--Je l'espère bien!» lui répliqua Napoléon. «Vous voyez donc, ajouta-t-il, à quel danger je suis exposé!»

«Alors il recommença à nous fatiguer de ses inquiétudes et de ses irrésolutions. Il nous pria même d'examiner s'il n'y avait pas une porte cachée par laquelle il pourrait s'échapper, ou si la fenêtre, dont il avait fait fermer les volets en arrivant, n'était pas trop élevée pour pouvoir sauter et s'évader ainsi.

«La fenêtre était grillée en dehors, et je le mis dans un embarras extrême en lui communiquant cette découverte. Au moindre bruit il tressaillait et changeait de couleur.

«Après dîner, nous le laissâmes à ses réflexions, et de temps en temps nous entrions dans sa chambre, d'après le désir qu'il en avait témoigné.

«Il s'était rassemblé dans cette auberge beaucoup de personnes: la plupart étaient venues d'Aix, soupçonnant que notre long séjour était occasionné par la présence de l'empereur Napoléon. Nous tâchions de leur faire accroire qu'il avait pris les devants; mais elles ne voulaient pas ajouter foi à nos discours. Elles nous assuraient qu'elles ne voulaient pas lui faire du mal, mais seulement le contempler, pour voir quel effet produisait sur lui le malheur; qu'elles lui feraient tout au plus, de vive voix, quelques reproches, ou qu'elles lui diraient la vérité, qu'il avait si rarement entendue.

«Nous fîmes tout ce que nous pûmes pour les détourner de ce dessein, et nous parvînmes à les calmer. Un individu, qui nous parut un homme de marque, s'offrit de faire maintenir l'ordre et la tranquillité à Aix, si nous voulions le charger d'une lettre pour le maire de cette ville. Le général Koller communiqua cette proposition à l'Empereur, qui l'accueillit avec plaisir. Cette personne fut donc envoyée avec une lettre au magistrat. Elle revint avec l'assurance que les bonnes dispositions du maire empêcheraient tout tumulte d'avoir lieu.

«L'aide de camp du général Schuwaloff vint dire que le peuple qui était ameuté dans la rue était presque entièrement retiré. L'Empereur résolut de partir à minuit.

«Par une prévoyance exagérée, il prit encore de nouveaux moyens pour n'être pas reconnu.

«Il contraignit, par ses instances, l'aide de camp du général Schuwaloff de se vêtir de la redingote bleue et du chapeau rond avec lesquels il était arrivé dans l'auberge, afin sans doute qu'en cas de nécessité il passât pour lui.

«Bonaparte, qui alors voulut se faire passer pour un colonel autrichien, mit l'uniforme du général Koller, se décora de l'ordre de Sainte-Thérèse, que portait le général, mit ma casquette de voyage sur sa tête, et se couvrit du manteau du général Schuwaloff.

«Après que les commissaires des puissances alliées l'eurent ainsi équipé, les voitures avancèrent; mais, avant de descendre, nous fîmes une répétition, dans notre chambre, de l'ordre dans lequel nous devions marcher. Le général Drouot ouvrit le cortége; venait ensuite le soi-disant empereur, l'aide de camp du général Schuwaloff; ensuite le général Koller, l'Empereur, le général Schuwaloff, et moi, qui avais l'honneur de faire partie de l'arrière-garde, à laquelle se joignit la suite de l'Empereur.

«Nous traversâmes ainsi la foule ébahie, qui se donnait une peine extrême pour tâcher de découvrir, parmi nous, celui qu'elle appelait *son tyran.*

«L'aide de camp de Schuwaloff (le major Olewieff) prit la place de Napoléon dans sa voiture, et Napoléon partit, avec le général Koller, dans sa calèche.

«Quelques gendarmes dépêchés à Aix, par ordre du maire, dissipèrent le peuple, qui cherchait à nous entourer, et notre voyage se continua fort paisiblement.»

PROCLAMATION DE S. M. L'EMPEREUR AU PEUPLE FRANÇAIS [z].

Note 7: (retour) *Moniteur* du 24 mars 1815.

«Au golfe de Juan, le 1er mars 1815.

«Napoléon, par la grâce de Dieu et les constitutions de l'État, Empereur des Français, etc., etc.

«FRANÇAIS!

«La défection du duc de Castiglione livra Lyon sans défense à nos ennemis; l'armée dont je lui avais confié le commandement était, par le nombre de ses bataillons, la bravoure et le patriotisme des troupes qui la composaient, à même de battre le corps d'armée autrichien qui lui était opposé, et d'arriver sur les derrières du flanc gauche de l'armée ennemie qui menaçait Paris.

«Les victoires de Champaubert, de Montmirail, de Château-Thierry, de Vauchamps, de Mormans, de Montereau, de Craonne, de Reims, d'Arcis-sur-Aube et de Saint-Dizier; l'insurrection des braves paysans de la Lorraine, de la Champagne, de l'Alsace, de la Franche-Comté et de la Bourgogne, et la position que j'avais prise sur les derrières de l'armée ennemie, en la séparant de ses magasins, de ses parcs de réserve, de ses convois et de tous ses équipages, l'avaient placée dans une situation désespérée. Les Français ne furent jamais sur le point d'être plus puissants, et l'élite de l'armée ennemie était perdue sans ressource; elle eût trouvé son tombeau dans ces vastes contrées qu'elle avait si impitoyablement saccagées, lorsque la trahison du duc de Raguse [8] livra la capitale et désorganisa l'armée. La conduite inattendue de ces deux généraux, qui trahirent à la fois leur patrie, leur prince et leur bienfaiteur, changea le destin de la guerre. La situation désastreuse de l'ennemi était telle, qu'à la fin de l'affaire qui eut lieu devant Paris il était sans munitions, par la séparation de ses parcs de réserve.

Note 8: (retour) L'accusation de trahison contre Marmont était, de la part de Napoléon, un moyen politique. Rien ne le prouve davantage que l'accusation faite au duc de Raguse d'avoir livré Paris. Que n'accusait-il aussi son frère Joseph, qui avait envoyé l'ordre ou l'autorisation de capituler? Que n'accusait-il aussi le duc de Trévise, qui a pris part à la capitulation? (*Note de l'Éditeur.*)

«Dans ces nouvelles et grandes circonstances, mon coeur fut déchiré, mais mon âme resta inébranlable. Je ne consultai que l'intérêt de la patrie; je m'exilai sur un rocher au milieu des mers. Ma vie vous était et devait encore vous être utile. Je ne permis pas que le grand nombre de citoyens qui voulaient m'accompagner partageassent mon sort; je crus leur présence utile à la France, et je n'emmenai avec moi qu'une poignée de braves, nécessaires à ma garde.

«Élevé au trône par votre choix, tout ce qui a été fait sans vous est illégitime. Depuis vingt-cinq ans, la France a de nouveaux intérêts, de nouvelles institutions, une nouvelle gloire, qui ne peuvent être garantis que par un gouvernement national et par une dynastie née dans ces nouvelles circonstances. Un prince qui régnerait sur vous, qui serait assis sur mon trône par la force des mêmes armées qui ont ravagé notre territoire, chercherait en vain à s'étayer des principes du droit féodal; il ne pourrait assurer l'honneur et les droits que d'un petit nombre d'individus, ennemis du peuple, qui, depuis vingt-cinq ans, les a condamnés dans nos assemblées nationales: votre tranquillité intérieure et votre considération extérieures seraient perdues à jamais.

«Français! dans mon exil j'ai entendu vos plaintes et vos voeux; vous réclamiez ce gouvernement de votre choix qui seul est légitime; vous accusiez mon long sommeil: vous me reprochiez de sacrifier à mon repos les grands intérêts de la patrie.

«J'ai traversé les mers au milieu des périls de toute espèce; j'arrive parmi vous reprendre mes droits, qui sont les vôtres. Tout ce que des individus ont fait, écrit, ou dit depuis la prise de Paris, je l'ignorerai toujours; cela n'influera en rien sur le souvenir que je conserve des services importants qu'ils ont rendus: car il est des événements d'une telle nature, qu'ils sont au-dessus de l'organisation humaine.

«Français! il n'est aucune nation, quelque petite qu'elle soit, qui n'ait eu le droit et ne se soit soustraite au déshonneur d'obéir à un prince imposé par un ennemi momentanément victorieux. Lorsque Charles VII rentra à Paris et renversa le trône éphémère de Henri VI, il reconnut tenir son trône de la vaillance de ses braves, et non du prince régent d'Angleterre.

«C'est aussi à vous seuls et aux braves de l'armée que je fais et ferai toujours gloire de tout devoir.

«NAPOLÉON.

«Par l'Empereur,

«Le grand maréchal, faisant fonctions
de major général de la grande armée,

«Comte BERTRAND.»

RÉPONSE DU DUC DE RAGUSE
À LA PROCLAMATION DATÉE DU GOLFE DE JUAN, LE 1er MARS 1815.

«Une accusation odieuse est portée contre moi à la face de l'Europe entière, et, quel que soit le caractère de passion et d'invraisemblance qu'elle porte avec elle, mon honneur me force à y répondre. Ce n'est point une justification que je présente ici, je n'en ai pas besoin: c'est un exposé fidèle des faits qui mettra chacun à même de connaître la conduite que j'ai tenue.

«Je suis accusé d'avoir livré Paris aux étrangers lorsque la défense de cette ville a été l'objet de l'étonnement général. C'est avec des débris misérables que j'avais à combattre contre toutes les forces réunies des armées alliées; c'est dans des positions prises à la hâte, où aucune défense n'avait été préparée, et avec huit mille hommes, que j'ai résisté pendant huit heures à quarante-cinq mille, qui furent successivement engagés contre moi; et c'est un fait d'armes semblable, si honorable pour ceux qui y ont pris part, que l'on ose traiter de trahison!

«Après l'affaire de Reims, l'empereur Napoléon opérait avec presque toutes ses forces sur la Marne, et s'abandonnait à l'illusion que, ses mouvements menaçant les communications de l'ennemi, celui-ci effectuerait sa retraite, lorsqu'au contraire l'ennemi avait résolu, après avoir opéré la jonction de l'armée de Silésie avec la grande armée, de marcher sur Paris. Mon faible corps d'armée, composé de trois mille cinq cents hommes d'infanterie et de quinze cents chevaux, et celui du duc de Trévise, fort d'environ six à sept mille hommes, furent laissés sur l'Aisne pour contenir l'armée de Silésie, qui n'en était séparée que par cette rivière et qui, depuis la jonction du corps de Bulow, et de divers renforts, était forte de plus de quatre-vingt mille hommes. L'armée ennemie passa l'Aisne et nous força à nous replier. Mes instructions étant de couvrir Paris, nous nous retirâmes sur Fismes, et nous adoptâmes, le duc de Trévise et moi, un système d'opérations qui, sans nous compromettre, devait retarder la marche de l'ennemi: c'était de prendre successivement de fortes positions que l'ennemi ne pût attaquer sans les avoir reconnues ou sans avoir manoeuvré pour les tourner, ce qui nous préparait aussi les moyens de battre quelques-uns des détachements qu'il aurait faits. Des ordres vinrent de nous diriger à marches forcées sur Châlons. Nous les exécutâmes; mais, arrivés à Vertus, nous fûmes informés que la plus grande partie de l'armée ennemie occupait Châlons, tandis qu'un autre débouchait sur Épernay, et que le corps de Kleist, qui nous avait suivis, passait la Marne à Château-Thierry; et, apprenant en même temps que Napoléon était encore devant Vitry et avait une arrière-garde à Sommepuis, nous marchâmes, sans perdre un moment, pour le rejoindre, et, le 24 mars, je pris position à Soudé. Je croyais encore l'armée française à portée, car qui eût pu croire, en effet, au passage de la Marne sans avoir un pont, et que l'empereur Napoléon eût laissé entre Paris et lui des forces huit fois plus considérables que celles qu'il pouvait rassembler? Le 25 au matin, à peine avais-je acquis la certitude de ce mouvement, que toute l'armée ennemie déboucha sur moi. Je me retirai en canonnant l'ennemi, et toute la retraite se fût faite avec le même ordre si quelques troupes, malheureusement restées à Bussy-l'Estrée et à Vatrv, ne s'étaient trouvées ainsi en arrière de nous: il fallut les attendre pendant une heure à Sommesous, et nous soutenir contre des forces colossales, dont le nombre croissait toujours; le passage des défilés nous fit éprouver quelques pertes, et nous terminâmes la journée en prenant position sur les hauteurs d'Allement, près de Sézanne. Je ne parle pas de la division du général Pacthod, qui, d'après des ordres directs de l'Empereur, manoeuvrait pour son compte, donna dans l'armée ennemie et fut prise sans que j'eusse connaissance de son existence.

«Le lendemain, nous prîmes position de bonne heure au défilé de Tourneloup. L'ennemi arrivant, nous continuâmes notre retraite, et je fis l'arrière-garde. Arrivés le soir devant la Ferté-Gaucher, nous trouvâmes le corps de Kleist occupant cette ville, et à cheval sur la grande route de Coulommiers, tandis qu'un gros corps de cavalerie dépassait la gauche de l'armée ennemie. Notre position était critique, elle était presque désespérée. Nous nous en tirâmes par un bonheur inouï. Quelques troupes du duc de Trévise couvrirent notre mouvement contre le corps de Kleist; une défense héroïque de mes troupes dans le village de Moutis arrêta l'avant-garde ennemie; la nuit arriva, et nous effectuâmes notre mouvement sans faire aucune perte. Comme nous ne pouvions plus reprendre la route de Meaux, nous suivîmes celle de Charenton, et, le 29 au soir, nous occupâmes Charenton, Saint-Mandé et Charonne.

«Le duc de Trévise fut chargé de la défense de Paris, depuis le canal jusqu'à la Seine, et moi depuis le canal jusqu'à la Marne. Mes troupes étaient réduites à deux mille quatre cents hommes d'infanterie et huit cents chevaux. C'était le peu d'hommes qui avait échappé à une multitude de glorieux combats. On mit sous mes ordres les troupes que commandait le général Compans: c'étaient des détachements de divers dépôts, de vétérans et de troupes de toute espèce qui avaient été réunis plutôt pour faire nombre que pour combattre; ainsi toutes mes forces consistaient en sept mille quatre cents hommes d'infanterie, de soixante-dix bataillons différents, et environ mille chevaux. Je me portai au jour sur les hauteurs de Belleville; de là je me hâtai d'arriver à celles de Romainville, qui étaient la clef de la position, et que le général Compans, en se retirant de Claye, avait omis d'occuper; mais l'ennemi y était déjà, et ce fut dans le bois de Romainville que l'affaire s'engagea. L'ennemi s'étendit par sa droite et par sa gauche; il fut partout contenu et repoussé, mais son nombre allait toujours croissant. Plusieurs mêlées d'infanterie avaient eu lieu, et plusieurs soldats avaient été tués à côté de moi à coups de baïonnettes à l'entrée du village de Belleville, lorsque Joseph m'envoya, par écrit, l'autorisation, que j'ai entre les mains, de capituler. Il était dix heures; à onze, Joseph était déjà bien loin de Paris, et à trois heures je combattais encore; mais à cette heure, ayant depuis longtemps la totalité de mon monde engagé, et voyant encore vingt mille hommes qui allaient entrer de nouveau en ligne, j'envoyai divers officiers au prince de Schwarzenberg pour lui faire connaître que j'étais prêt à entrer en arrangement. Un seul de mes officiers put parvenir, et certes je ne l'avais pas envoyé trop tôt, car, lorsqu'il revint, le général Compans ayant évacué les hauteurs de Pantin, l'ennemi s'était porté dans la rue de Belleville, mon seul point de retraite; je l'en avais chassé en chargeant moi-même à la tête de quarante hommes sa tête de colonne, et assurant ainsi le retour de mes troupes; mais je me trouvais presque acculé aux murs de Paris, les hostilités furent suspendues, et les troupes rentrèrent dans les barrières. L'arrangement écrit, qui a été publié dans le temps, ne fut signé qu'à minuit.

«Le lendemain matin les troupes évacuèrent Paris, et je me portai à Essonne, où je pris position. J'allai voir l'empereur Napoléon à Fontainebleau. Il me parut juger enfin sa position et disposé à terminer une lutte qu'il ne pouvait plus soutenir. Il s'arrêta au projet de se retrancher, de réunir le peu de forces qui lui restait, de chercher à les augmenter et de négocier. C'était la seule chose raisonnable qu'il eût à faire, et j'abondai dans son sens. Je repartis aussitôt pour faire commencer les travaux de défense que l'exécution de ce projet rendait nécessaire. Ce même jour, 1er avril, il vint visiter la position, et là il apprit, par le retour des officiers que j'avais laissés pour la remise des barrières, la prodigieuse exaltation de Paris, la déclaration de l'empereur Alexandre et la révolution qui s'opérait. En ce moment la résolution de sacrifier à sa vengeance le reste de l'armée fut prise; il ne connut plus rien qu'une attaque désespérée, quoiqu'il n'y eût plus une seule chance de succès en sa faveur, avec les moyens qui lui restaient; c'étaient seulement de nouvelles victimes offertes à ses passions. Dès lors tous les ordres, toutes les instructions, tous les discours, furent d'accord avec ce projet, dont l'exécution était fixée au 5 avril.

«Les nouvelles de Paris se succédaient fréquemment. Le décret sur la déchéance me parvint. La situation de Paris et celle de la France étaient déplorables, et l'avenir offrait les résultats les plus tristes, si la chute de l'Empereur ne changeait pas ses destinées en faisant sa paix morale avec toute l'Europe et n'amortissait pas les haines qu'il avait fait naître. Les alliés, soutenus par l'insurrection de toutes les grandes villes du royaume, maîtres de la capitale, n'ayant plus en tête qu'une poignée de braves qui avaient survécu à tant de désastres, proclamaient partout que c'était à Napoléon seul qu'ils faisaient la guerre. Il fallait les mettre subitement à l'épreuve, les sommer de tenir leur parole et les forcer à renoncer à la vengeance dont ils voulaient rendre victime la France; il fallait que l'armée redevînt nationale en adoptant les intérêts de la presque totalité des habitants qui se déclaraient contre l'Empereur et appelaient à grands cris une révolution salutaire qui occasionnerait leur délivrance. Tout bon Français, de quelque manière qu'il fût placé, ne devait-il pas concourir à un changement qui sauvait la patrie et la délivrait d'une croisade de l'Europe entière armée contre elle, de la partie de l'Europe même possédée par la famille de Napoléon? S'il eût été possible de compter sur l'union de tous les chefs de l'armée; s'il n'eût pas été probable que les intérêts particuliers de quelques-uns croiseraient les mesures les plus généreuses et les plus patriotiques; si le moment n'eût pas été si pressant, puisque nous étions au 4 avril et que c'était le 5 que devait avoir lieu cette action désespérée, dont l'objet était la destruction du dernier soldat et de la capitale, c'était au concert des chefs de l'armée qu'il fallait recourir; mais, dans l'état actuel des choses, il fallait se borner à assurer la libre sortie de différents corps de l'armée pour les détacher de l'Empereur et neutraliser ses projets, et les réunir aux autres troupes françaises qui étaient éloignées de lui. Tel fut donc l'objet des pourparlers qui eurent lieu avec le prince de Schwarzenberg. En même temps que je me disposais à informer mes camarades de la situation des choses et du parti que je croyais devoir prendre, le duc de Tarente, le prince de la Moskowa, le duc de Vicence et le duc de Trévise arrivèrent chez moi à Essonne. Les trois premiers m'apprirent que l'Empereur venait d'être forcé à signer la promesse de son abdication, et qu'ils allaient à ce titre négocier la suspension des hostilités. Je leur fis connaître les arrangements pris avec le prince de Schwarzenberg, mais qui n'étaient pas complets, puisque je n'avais pas encore reçu la garantie écrite que j'avais demandée, et je leur déclarai alors que, puisqu'ils étaient d'accord pour un changement que le salut de l'État demandait, et qui était le seul objet de mes démarches, je ne me séparerais jamais d'eux. Le duc de Vicence exprima le désir de me voir les accompagner à Paris, pensant que mon union avec eux, après ce qui venait de se passer, serait d'un grand poids. Je me rendis à ses désirs, laissant le commandement de mon corps d'armée au plus ancien général de division, lui donnant l'ordre de ne faire aucun mouvement et lui annonçant mon prochain retour. J'expliquai les motifs de mon changement au prince de Schwarzenberg, qui, plein de loyauté, les trouva légitimes et sans réplique; et je remplis la promesse que j'avais faite à mes camarades dans l'entretien que nous eûmes avec l'empereur Alexandre. À huit heures du matin, un de mes aides de camp arriva et m'annonça que, contre mes ordres formels, et malgré ses plus instantes représentations, les généraux avaient mis les troupes en mouvement pour Versailles à quatre heures du matin, effrayés qu'ils étaient des dangers personnels dont ils croyaient être menacés et dont ils avaient eu l'idée par l'arrivée et le départ de plusieurs officiers d'état-major venus de Fontainebleau. La démarche était faite, et la chose irréparable.

«Tel est le récit fidèle et vrai de cet événement, qui a eu et aura une si grande influence sur toute ma vie.

«L'Empereur, en m'accusant, a voulu sauver sa gloire, l'opinion de ses talents et l'honneur des soldats. Pour l'honneur des soldats, il n'en était pas besoin: il n'a jamais paru avec plus d'éclat que dans cette campagne; mais, pour ce qui le concerne, il ne trompera aucun homme sans passion, car il serait impossible de justifier cette série d'opérations qui ont marqué les dernières années de son règne.

«Il m'accuse de trahison! Je demande où en est le prix? J'ai rejeté avec mépris toute espèce d'avantages particuliers qui m'étaient offerts pour me placer volontairement dans la catégorie de toute l'armée. Avais-je des affections particulières pour la maison de Bourbon? D'où me seraient-elles venues, moi qui ne suis entré dans le monde que peu de temps avant le moment où elle a cessé de gouverner la France? Quelle que fût l'opinion que j'eusse pu me faire de l'esprit supérieur du roi, de sa bonté et de celle des princes, elle était bien loin de la réalité; ce charme que l'on trouve près d'eux m'était inconnu et n'avait pas fait naître les engagements sacrés qui me lient à eux aujourd'hui, et que les malheurs actuels, si peu mérités, resserrent davantage encore; engagements sacrés, car, pour les gens de coeur, les égards et les témoignages d'estime valent mille fois mieux que les bienfaits et les dons. Où donc est le principe de mes actions? Dans un ardent amour de la patrie, qui a toute la vie maîtrisé mon coeur et absorbé toutes mes idées. J'ai voulu sauver la France de la destruction; j'ai voulu la préserver des combinaisons qui devaient entraîner sa ruine; de ces combinaisons si funestes, fruit des plus étranges illusions de l'orgueil, et si souvent renouvelées en Espagne, en Russie et en Allemagne, et qui promettaient une épouvantable catastrophe, qu'il fallait s'empresser de prévenir.

«Une étrange et douloureuse fatalité a empêché de tirer du retour de la maison de Bourbon tous les avantages qu'il était permis d'en espérer pour la France; mais cependant on leur a dû la fin prompte d'une guerre funeste, la délivrance de la capitale et du royaume, une administration douce et paternelle et un calme et une liberté qui nous étaient inconnus. Quelques jours encore, et cette liberté si chère, si nécessaire à tous les Français, était consolidée pour toujours.

«Les étrangers étaient perdus sans ressource, dit-on, et c'est moi qu'on accuse de les avoir sauvés. Je suis leur libérateur, moi qui les ai toujours combattus avec autant d'énergie que de constance, dont le zèle ne s'est jamais ralenti un moment; moi qui, après avoir attaché mon nom aux succès les plus marquants de la campagne, avais déjà une fois préservé Paris par les combats de Meaux et de Lizy! Disons-le, celui qui a si fort aidé les étrangers dans leurs opérations et rendu inutile le dévouement de tant de bons soldats et d'officiers instruits, c'est celui qui, avec trois cent mille hommes, a voulu garder et occuper l'Europe depuis la Vistule jusqu'à Cattaro et à l'Èbre, tandis que la France avait à peine pour la défendre quarante mille soldats réunis à la hâte; et les libérateurs de la France, ce sont ceux qui, comme par enchantement, l'ont délivrée de la croisade dirigée contre elle et assuré le retour de deux cent cinquante mille hommes éparpillés dans toute l'Europe et de cent cinquante mille prisonniers, qui font aujourd'hui sa force et sa puissance.

«J'ai servi l'empereur Napoléon avec zèle, constance et dévouement pendant toute ma carrière, et je ne me suis éloigné de lui que pour sauver la France, et lorsqu'un pas de plus allait la précipiter dans l'abîme qu'il avait ouvert. Aucun sacrifice ne m'a coûté lorsqu'il a été question de la gloire ou du salut de mon pays; et cependant que de circonstances les ont rendus quelquefois pénibles et douloureux! Qui jamais fit plus que moi abnégation de ses intérêts personnels et fut plus maîtrisé par l'intérêt général? Qui jamais paya plus d'exemple dans les souffrances, dans les dangers, dans les privations? Qui montra dans toute sa vie plus de désintéressement que moi? Ma vie est pure, elle est celle d'un bon citoyen, et on voudrait l'entacher d'infamie! Non, tant de faits honorables dans une si longue suite d'années démentent tellement cette accusation, que ceux dont l'opinion est de quelque prix refuseront toujours d'y croire.

«Quelle que soit la destinée qui m'est réservée, que ma vie entière se passe dans la proscription ou qu'il me soit encore permis de servir la patrie, que j'y sois rappelé ou que je sois repoussé de son sein, mes voeux pour sa gloire et pour son bonheur ne varieront jamais, car l'amour de la patrie a été et sera toujours la passion de mon coeur. Et le roi a bien connu mes sentiments et rendu justice à la droiture de mes intentions lorsqu'il a daigné ajouter à mes armes la devise: *Patriæ totus et ubique,* qui fait en peu de mots l'histoire de toute ma vie.

«Gand, le 1er avril 1815.
«LE MARÉCHAL, DUC DE RAGUSE.»

PIÈCES RELATIVES AUX OPÉRATIONS DU COLLÉGE ÉLECTORAL DE LA CÔTE-D'OR
dont le Duc de Raguse était Président en 1815 [2].

Note 9: (retour) En insérant ces pièces, on a pour but de démontrer que la conduite politique du duc de Raguse, sous la Restauration, a été complétement conforme aux sentiments de modération qu'il manifeste dans ses *Mémoires. (Note de l'Éditeur.)*

«Paris, le 29 juillet 1815.

«Monsieur le duc, je m'empresse de vous informer que Sa Majesté, par ordonnance du 26 juillet courant, a daigné vous choisir pour présider le collége électoral du département de la Côte-d'Or, dans la prochaine session qui ouvrira le 22 août.

«J'ai l'honneur de vous transmettre,

«1° Votre brevet de nomination;

«2° La lettre que Sa Majesté vous a écrite à ce sujet;

«3° Un exemplaire des instructions que j'ai cru propres à faciliter les opérations que MM. les présidents auront à diriger.

«Je vous engage à vous rendre le plus tôt possible à Dijon, et à envoyer préalablement à M. le préfet du département un nombre suffisant d'exemplaires de la lettre que vous jugerez convenable d'adresser à MM. les électeurs pour les prévenir de la convocation.

«Veuillez, je vous prie, m'accuser la réception de la présente lettre et des pièces qui y sont jointes.

«Le ministre secrétaire d'État de la justice, chargé provisoirement du portefeuille de l'intérieur,
«PASQUIER.»

LETTRE CIRCULAIRE DU DUC DE RAGUSE AUX ÉLECTEURS.

«Monsieur, j'ai l'honneur de vous prévenir que, par ordonnance du, Sa Majesté a ordonné la convocation du collége électoral du département de la Côte-d'Or. La gravité des circonstances, le vif désir que le roi éprouve d'être entouré des véritables représentants de la nation, vous feront concevoir, monsieur, de quelle importance il est que tous les individus appelés à voter soient exacts à se rendre à la convocation dont ils sont l'objet. C'est donc au titre du bien de la patrie et du service du roi, et en particulier au nom de l'intérêt du pays qui nous a vus naître, que je vous engage à vous trouver à Dijon assez à temps pour assister à l'ouverture du collége, qui aura lieu le 22 de ce mois. Je me trouve heureux, monsieur, que la confiance du roi m'ait appelé à concourir avec vous à des choix qui auront, j'espère, une heureuse influence sur notre avenir.

DISCOURS DU DUC DE RAGUSE ADRESSÉ AU COLLÉGE ÉLECTORAL DE LA CÔTE-D'OR LE 22 AOUT 1815.

«Messieurs, la gravité des circonstances qui motivent notre réunion est d'une telle nature, qu'aucune époque de notre histoire ne peut lui être comparée. Une catastrophe sans exemple a causé des maux intérieurs et extérieurs qu'à peine on ose approfondir. Le patriotisme le plus désintéressé est le seul remède à tant de maux; ainsi de la bonne composition de l'Assemblée, à la formation de laquelle nous sommes appelés à concourir, dépend le sort de la France. C'est donc un esprit de concorde et d'union qui doit présider à nos choix. Nous chasserons loin de nous le souvenir de nos divisions, car dans ces divisions se trouvent le principe et la source des maux dont nous gémissons. Un peuple perd sa puissance, sa considération et sa physionomie lorsqu'il est divisé; dans quelque situation au contraire que l'empire des circonstances l'ait placé, il est toujours redoutable et sa position est toujours noble, lorsqu'il est uni. Que la cruelle épreuve que nous venons de faire nous serve au moins et ne soit pas perdue pour notre avenir; rallions-nous sincèrement autour de ce trône qui doit nous protéger, et de la Charte qui a consacré nos droits.

«Le roi, messieurs, dont la sagesse avait prévu, il y a cinq mois, tous les malheurs dont nous sommes accablés aujourd'hui, chercha vainement à les prévenir; sa voix ne fut point entendue. Depuis il est accouru pour se placer entre son peuple et les étrangers, auxquels d'anciennes haines venaient de faire reprendre les armes, et plus que personne au monde il gémit de notre situation. Le roi enfin, pour qui le trône serait sans charmes si le bonheur public n'était le prix de ses soins, consacre tous ses efforts à l'assurer. Il veut être environné des véritables représentants de son peuple, élus par la masse des électeurs, et non de ceux d'une faction, à l'exemple du gouvernement éphémère qui vient de finir après avoir appelé tant de calamités sur la France. Ses lumières lui ont assez fait connaître que la France ne saurait être heureuse sans une liberté sage, et il met sa gloire à la fonder; lui seul peut satisfaire ce voeu constamment exprimé, ce voeu qu'il partage, parce qu'il sait bien que ce noble sentiment élève l'âme, et que la force des souverains est dans l'opinion de leurs peuples. Enfin ses lumières et son coeur garantissent à la France qu'il confond et confondra toujours ses intérêts avec les siens.

«Tels sont, messieurs, les sentiments bien connus du souverain qui nous gouverne, et dont j'ai pu mieux juger qu'un autre par le bonheur que j'ai eu de l'approcher. Vous les apprécierez ces sentiments, messieurs, et vous l'environnerez d'hommes dépositaires de votre estime et de votre confiance, d'hommes au-dessus de leurs passions, d'hommes modérés, car avec la modération seule se trouvent la raison, la force et la vertu. Enfin, messieurs, vous l'environnerez d'hommes dignes de lui et de la France, qui, aimant leur pays avant tout, mettront ses intérêts avant les leurs propres, et qui, sous l'égide du roi et lui prêtant leurs forces, sauveront à la fois le roi et la patrie.»

LIVRE VINGT-DEUXIÈME

1815-1824

Je reviens à l'époque qui suivit le 8 juillet, jour de la deuxième rentrée du roi à Paris.

Le ministère fut composé de Talleyrand, Fouché, Gouvion-Saint-Cyr, Louis, Jaucourt, Pasquier, et le ministère de l'intérieur resta vacant. Il était destiné à Pozzo di Borgo, ambassadeur de Russie, désireux de devenir Français en recevant en même temps la pairie. La leçon des Cent-Jours, si grande, aurait dû profiter si on avait eu le talent de bien reconnaître les fautes commises. On aurait pu modifier la Charte; mais on prétendit la respecter, et cependant on sortait de diverses manières de l'ordre régulier qu'elle avait consacré.

Au lieu de se livrer, par des ordonnances de proscription, à la poursuite misérable de quelques gens, plus ou moins coupables, dont un grand nombre était tout à fait inconnu, n'aurait-on pas dû prendre de grandes mesures pour assurer l'avenir? Ainsi, par exemple, rien n'eût paru plus simple, plus juste, que de rendre inhabiles aux fonctions politiques les individus qui avaient siégé dans les deux Chambres créées par Napoléon. On faisait disparaître de la scène politique, sans répandre de sang, sans bannissement, les athlètes les plus redoutables et les plus factieux, et on pouvait relever de cette interdiction tous les individus qui, avec le temps, en seraient jugés dignes. La manière dont les listes de proscription furent faites mit le comble à l'absurdité de cette mesure. Ce travail si important fut arrêté sans réflexion, sans discussion et avec cette légèreté incroyable dont notre pays présente seul l'exemple. On porta ensuite une loi de bannissement contre ce qu'on appela les régicides relaps, et en cette circonstance on blessa à la fois la justice, le bon sens et la langue.

On appela régicides relaps ceux qui avaient, pendant les Cent-Jours, accepté des fonctions quelconques. Or, en bon français, si l'on peut appliquer le mot de *relaps* à autre chose qu'à la religion, le régicide relaps est un homme qui serait une seconde fois régicide après avoir eu sa grâce une première. On aurait pu, on aurait dû peut-être, en 1814, chasser tous les régicides; mais, en 1815, il fallait n'en frapper aucun; car la mesure prise contre eux alors présenta ce scandaleux et singulier spectacle: le meurtrier du roi resta tranquille, et ce fut l'ambitieux qui avait exercé des fonctions de simple maire de village qui fut proscrit. Le crime resta impuni, et une légère faute fut traitée comme un crime. Dans la forme et dans le fond, tout, dès le début, fut mal calculé, gauche et misérable. On menaça beaucoup sans faire grand mal. On injuria sans cesse, chose partout nuisible, mais toujours funeste en France, et qu'aucune circonstance ne justifie, même quand on est décidé aux actes de la plus sévère rigueur. On jeta ainsi les germes d'une redoutable réaction.

L'armée avait été coupable; mais toute l'armée avait participé à la faute. Quand une faute a été universelle, il faut trouver un moyen d'absoudre et chercher à se placer sur de meilleures bases pour l'avenir. On voulut faire des catégories, établir mille nuances entre ceux qui avaient servi plus ou moins Napoléon, et on ne vit pas les conséquences injustes, funestes et absurdes qui devaient en résulter. Beaucoup de ceux qui avaient les honneurs de la fidélité, sur lesquels on allait appeler les faveurs et faire reposer la confiance, étaient, à un très-petit nombre près, le rebut de l'armée. Ces officiers n'avaient pas servi, parce que Napoléon n'avait pas voulu les employer. Parmi les généraux, et au premier rang, je citerai d'abord Canuel et Donadieu, qui furent portés aux nues. Les préférences dont ils furent l'objet offensèrent plus les généraux honorables de l'armée que diverses mesures de rigueur dirigées contre eux-mêmes. Chacun dit: «S'il faut ressembler à ces individus pour être distingué par les Bourbons, je ne veux pas de leur faveur.» Il arriva que l'honneur, aux yeux de la multitude, fut dans la disgrâce, et cela dans le pays du monde où les hommes sont les plus courtisans et les plus solliciteurs. Triste début pour fonder le pouvoir! Il faut reconnaître les services rendus n'importe par qui; mais certes il vaut mieux placer sa confiance dans un caractère honorable et une vie entachée par une seule faute que dans l'individu qui a prouvé une seule fois son dévouement, mais dont la vie est remplie d'une suite de mauvaises actions; car l'une est l'exception, et l'autre l'habitude. Ainsi il fallait tenir compte aux généraux Canuel et Donadieu de leur bonne conduite pendant les Cent-Jours, mais ne pas les placer au-dessus d'hommes qui, de tout temps, avaient été entourés de l'estime générale. Il fallait, tout en reconnaissant la faute, la remettre généreusement et n'en plus garder le souvenir. Les braves gens sont plus sensibles à un traitement pareil, et la reconnaissance est plus sincère pour un témoignage de confiance reçu, quand ils savent qu'il pourrait leur être refusé, que pour des bienfaits. Quand le pouvoir s'élève à une grande hauteur et montre de la magnanimité, il double son éclat et ses moyens d'action sur l'esprit des hommes.

L'armée, s'étant retirée sur la Loire, présentait une masse compacte. Après avoir arboré le drapeau blanc, elle pouvait devenir menaçante si les circonstances l'eussent amenée à défendre les intérêts de la France, et non plus ceux d'une faction, contre les exigences des étrangers. La menace seule, de la part du roi, de se réfugier avec sa famille au milieu de cette armée, les eût effrayés. Mais cette menace prétendue, faite par Louis XVIII, ne l'a jamais été sérieusement. Les étrangers exigèrent, au contraire, le licenciement de l'armée, et le maréchal Gouvion-Saint-Cyr se chargea de rédiger l'ordonnance qui le prescrivait, tandis que le maréchal Macdonald reçut la douloureuse mission de l'exécuter. On adopta, en remplacement, le système des légions composées d'hommes de la même province; système économique et bien entendu, qui charge les mêmes hommes du soin de conserver la gloire des corps dans lesquels ils servent et des provinces où ils sont nés, moyen d'ajouter à l'énergie de leurs facultés en prolongeant, dans leur vieillesse et au milieu de leurs villages, les souvenirs communs des événements des camps et de leur jeunesse.

On donna le titre de légion à ces corps d'infanterie, parce qu'on voulut ajouter à chacun d'eux un détachement de cavalerie et d'artillerie, idée bizarre; car, s'il est vrai qu'à la guerre les armes doivent être mélangées, il est de principe et d'expérience qu'en temps de paix et pour l'instruction les armes doivent être séparées. Mais toute cette organisation ne fut qu'ébauchée et ne reçut jamais le développement qu'avait conçu son auteur. Avant de procéder à cette nouvelle organisation, chaque soldat licencié reçut l'ordre de rentrer dans ses foyers, et l'on vit cent cinquante mille vieux soldats répandus sur le sol du royaume, un bâton à la main, allant retrouver paisiblement leurs villages sans causer nulle part aucun désordre. On peut reconnaître, en cette circonstance, ce qu'opérèrent la soumission aux lois, le respect pour l'autorité et le sentiment des devoirs du citoyen. Il y avait loin de ces moeurs à celles des grandes compagnies conduites par du Guesclin.

Une fois les étrangers débarrassés de toute crainte à l'égard de l'armée, les exigences de leur part n'eurent plus de bornes. Rappeler l'enlèvement des objets d'art et des trophées que nos victoires avaient réunis dans notre capitale, les contributions de toute espèce imposées, et qui s'élevaient à de si épouvantables sommes, serait superflu. Enfin, pour mettre le comble à notre humiliation et blesser au coeur une nation glorieuse, on diminua encore l'étendue de notre territoire, déjà si fort restreint.

Il est impossible de se refuser à faire ici la comparaison des deux Restaurations. À la première, une grande partie du pays conquis nous est enlevée; mais cependant quelques fractions de nos conquêtes nous restent. À la seconde, le vieux territoire de l'ancienne France est même entamé, et on prend à tâche d'ouvrir la frontière pour nous mettre à la discrétion de ceux qui voudront nous attaquer. En 1814, pas un objet d'art n'est enlevé, pas un trophée ne nous est ravi, et la victoire respecte les propriétés que la victoire seule nous avait données. En 1815, tout est enlevé, et l'on va jusqu'à tout disposer pour détruire des monuments d'utilité publique, à cause des noms qu'ils portent [10], comme si on pouvait faire rétrograder les temps et effacer les souvenirs de l'histoire! En 1814, les propriétés sont respectées, et aucune contribution n'est imposée en représailles des sommes immenses que nous avions, pendant dix ans, enlevées à l'Europe, et des ravages qui partout ont marqué notre passage. En 1815, près de deux milliards sortent de nos coffres pour entrer dans ceux de l'étranger. Les Bourbons sont reçus avec joie, avec espérance d'abord; à la seconde fois comme une nécessité. Ces circonstances de la première Restauration sont dues à la manière prompte dont le pays se sépara des intérêts de Napoléon, juste représaille, puisque lui-même avait depuis longtemps séparé les siens de ceux du pays; alors cette séparation fut toute patriotique, et, s'il y eut corruption et intérêt privé dans quelques chefs, tout fut généreux dans les masses. Dans la seconde, une faction puissante s'étant substituée à la nation, la nécessité de l'abattre servit de prétexte à la vengeance et à la cupidité. Cette faction, qui s'est souvent présentée comme animée des sentiments les plus nationaux, n'a jamais pensé qu'à elle.

Note 10: (retour) Les ponts d'Austerlitz et d'Iéna. (*Note de l'Éditeur.*)

Cette révolution des Cent-Jours, si funeste au pays, à son honneur, à l'ordre public, à l'établissement d'une sage liberté, une fois réprimée, se trouva servir merveilleusement les intérêts et les passions de l'émigration; aussi combien de plaintes contre tous les individus occupant des places, quels que fussent leurs titres! Combien d'accusations, de calomnies! Avec quelle violence tout fut bouleversé, et avec quelle avidité tout fut envahi! L'ambition n'avait aucune règle, aucune limite, et demander tout et demander toujours était devenu l'habitude universelle.

Un homme se disant bien pensant, c'était l'expression du temps, était propre à tout. Le même individu (j'ai vu de ces sortes de pétitions) sollicitait à la fois ou le commandement d'un régiment, ou une sous-préfecture, ou une place de juge. Jamais confusion n'exista nulle part au même degré. Un ordre de choses pareil porta ses fruits. L'administration fut confiée aux hommes les plus inhabiles. On choisit presque tous les colonels de l'armée parmi des hommes qui n'avaient jamais servi; et les tribunaux, après une prétendue épuration, furent remplis d'hommes de parti et de passion. La société prit une nouvelle physionomie, eut une nouvelle constitution, et les pouvoirs de toute espèce arrivèrent aux mains des hommes les moins dignes ou les plus incapables de les exercer.

On s'occupa de former une nouvelle Chambre, en se servant des colléges électoraux en usage sous l'Empire, avec un certain nombre d'adjonctions pris dans les ordres royaux. Ces colléges étaient de nature à représenter l'opinion du pays, et cependant, malgré la conduite peu éclairée du gouvernement, malgré l'humiliation causée par les traitements des alliés, les élections se tirent toutes dans un sens royaliste: nouvelle preuve que la première Restauration avait été dans l'opinion nationale et reçue avec satisfaction, tandis que le retour de l'île d'Elbe, vu avec répugnance, avec effroi, avait rendu odieux ceux que l'on accusait d'en avoir été les auteurs. L'opinion publique devait être bien profondément pénétrée de ces sentiments, pour résister à tout ce qui aurait dû la changer.

Le gouvernement m'envoya à Dijon pour présider le collége électoral de la Côte-d'Or. Douze ans auparavant, dans des circonstances bien différentes, j'avais été chargé d'une semblable mission. Je fus reçu avec empressement et affection par mes compatriotes, jouissance à laquelle je n'ai jamais été insensible. Quoique les départements de l'Est en général, et particulièrement ceux de l'ancienne Bourgogne, aient toujours été les moins favorables aux Bourbons, les députés, choisis loyalement et sans fraude, furent des individus qui leur étaient attachés et dévoués de tout temps. L'opinion royaliste, alors celle de la France entière, était professée et sentie partout avec ardeur, avec exagération, comme il arrive si souvent chez nous, tandis que les partis opposés, objets de la haine publique, se tenaient silencieux dans l'observation.

Une énorme promotion de pairs fut faite alors, mais sans discernement, sans système et sans choix. En 1814, on avait suivi des principes raisonnables, en prenant pour le fond de la Chambre le Sénat. Ce corps avait rappelé le roi et se trouvait former le lien entre le passé et l'avenir. Il devait, sauf quelques exceptions, devenir la base de l'ordre politique nouveau. On y avait placé les anciens ducs et pairs, presque tous les anciens ducs, et, d'un autre côté, toutes les illustrations de l'Empire. Ces trois éléments étaient naturels, dans la formation du nouvel ordre de choses; mais, cette fois, on prit au hasard, choisissant suivant les caprices et les fantaisies de chacun. Les ministres présentèrent et firent admettre leurs protégés. Le roi se borna à choisir un seul individu, M. de Frondeville, recommandé par sa nièce. Chose indubitable, il fallait donner plus de consistance à la Chambre des pairs, mais atteindre ce résultat en y appelant les grandes notabilités provinciales; dans ce but, établir un mode régulier de recherche, de présentation et de choix. La marche suivie cette fois servit d'exemple à d'autres promotions qui ont été funestes.

C'est ici le moment de raconter un événement heureux pour moi. J'étais bien loin alors de deviner toute son importance pour mon avenir. La promesse de la restitution de mes dotations en Illyrie me fut faite, à cette époque, par l'empereur d'Autriche, de la manière la plus flatteuse et la plus aimable.

En 1814, un traité conclu à Fontainebleau, fixait le sort des dotations et en assurait la conservation aux titulaires. Je ne crus pas devoir faire alors la plus petite démarche pour assurer mes intérêts d'une manière particulière. Partager le sort commun était mon seul désir et ma seule prétention. Mais, en 1815, tout était naturellement remis en question. Les circonstances qui avaient accompagné la révolution du 20 mars semblaient devoir annuler les droits. N'ayant pas participé à cette félonie, je croyais avoir des titres à être excepté des mesures de rigueur projetées; mais les gouvernements sont si empressés de s'emparer de toutes les richesses à un titre quelconque, que je comptais faiblement sur cette justice. Les dotations de Hanovre, de Westphalie et de Poméranie ne me laissaient aucune espérance. Je ne pouvais en conserver que pour celles d'Illyrie, me fondant sur l'esprit d'équité de l'empereur d'Autriche et le souvenir du bien que j'avais fait dans ces provinces, quand j'en avais le gouvernement. Me trouvant dans le devoir d'aller lui faire ma cour, avant de me rendre chez lui, quelques amis m'engagèrent à profiter de la circonstance pour lui faire une demande en forme de la restitution de mes biens. En passant la porte de son cabinet, je n'avais aucune résolution prise. Je comptais en parler ou me taire, suivant l'accueil qui me serait fait, et suivant les dispositions plus ou moins bienveillantes que je remarquerais sur la figure de ce souverain. L'empereur me reçut à merveille, et me parla avec la plus grande complaisance du bien que j'avais fait à ses sujets d'Illyrie, aux Croates en particulier, dont j'avais conservé la précieuse organisation, malgré les faiseurs de Paris, dont le désir était de tout changer chez eux. Il me demanda mon avis sur l'organisation la meilleure à donner à la Dalmatie, et je lui dis qu'il me paraissait utile de former dans les montagnes deux ou trois régiments frontières, et de laisser le littoral sous l'autorité civile. Après une conversation assez longue, un silence absolu ayant succédé, je crus pouvoir hasarder ma demande, et je dis à l'empereur que la bonté avec laquelle il daignait me traiter me décidait à l'entretenir d'intérêts qui m'étaient personnels. L'empereur m'interrompit et, sans me laisser achever, il dit: «C'est de vos dotations en Illyrie que vous voulez parler?--Oui, Sire.

--Je vous les rends, ajouta-t-il. Quand l'empereur Napoléon était souverain des provinces illyriennes, par suite de la cession que je lui en avais faite, il était légitime propriétaire des domaines de la couronne qui y étaient renfermés, il y a donc pu en faire tel usage qu'il a voulu; et il m'est fort agréable de faire un acte de justice à votre profit, en vous rendant ceux qui vous étaient échus en partage.»

On juge de ma reconnaissance et de ma joie. Je me hâtai d'aller voir le prince de Metternich, qui me reçut avec la grâce qui le caractérise, et me promit son appui et son concours. Il a bien tenu parole; car, lorsque, fatigué de la lenteur des affaires qui se traitent à Vienne, je vins solliciter moi-même l'exécution des promesses faites si généreusement et si gracieusement par l'empereur, grâce à l'active amitié du prince de Metternich, en moins d'un mois, j'étais en possession d'une rente égale aux revenus des terres que je possédais, et en même temps j'avais reçu, sur le même taux, tout l'arriéré de ces revenus. Cette décision de l'empereur, qui me fut d'abord personnelle, ayant établi le principe, plusieurs dotés furent mis en possession de rentes égales à leurs anciens revenus, et les autres continuent à solliciter et conservent encore l'espoir d'obtenir.

La Restauration me rendit le repos et la liberté; mais elle me plaçait dans une position d'isolement pénible. Séparé de ma femme, et sans enfants, sans frère, ni soeur, ni neveux, aucun intérêt de famille ne remplissait mon coeur et ne pouvait servir d'aliment à ma vie. Pour la gloire militaire, tout était dit: il était probable qu'il n'y aurait plus de guerre. Restaient la politique et les affaires. On peut faire beaucoup de bien quand on arrive au pouvoir naturellement, quand on y est appelé; mais, quand la porte ne s'ouvre que par l'obsession et l'intrigue, on y entre désarmé, et les efforts longtemps impuissants qui ont précédé le succès ont fait acheter le pouvoir par bien des angoisses et des tourments. Il me parut digne et sage de dédaigner cette route pour l'emploi de mon temps.

Que faire cependant pour créer un intérêt nécessaire au bien-être de l'existence? Se livrer aux sciences était de mon goût, mais ne suffisait pas à l'activité de mon esprit. Cette carrière ne pouvait pas me satisfaire; car, sans manquer d'aptitude pour la suivre, j'étais trop âgé pour y jouer un rôle principal et pour y marquer par des découvertes. Rester à la hauteur des connaissances du moment était ce à quoi je pouvais prétendre. Des rapports habituels et une sorte d'intimité avec les savants du premier ordre suffisent pour atteindre ce but.

Il fallait quelque chose qui satisfît le besoin d'une âme brûlante, d'un esprit actif et d'un corps de quarante ans, plein de force et de santé. Je pensai qu'en embellissant l'habitation de mes pères, chose que j'avais rêvée pendant toute ma vie, je me créerais une belle et noble retraite. En me livrant à l'agriculture, j'apporterais dans ma province les bonnes méthodes, et fournirais d'utiles exemples. En peu d'années tout serait changé autour de moi. J'ai voulu joindre l'industrie manufacturière et l'industrie agricole, et montrer qu'en coordonnant les deux branches elles se servent merveilleusement d'appui, se portent réciproquement du secours et doublent les bénéfices. Avec ces idées premières et les ressources d'un esprit vif, d'une instruction suffisante, d'une grande activité et d'une grande force de volonté, on embrasse beaucoup et souvent trop pour bien faire. Cependant tout ce que j'ai fait dans ce système m'a réussi. Ce qui a été la cause de ma ruine, c'est l'industrie des fers, dans laquelle je me suis laissé entraîner et que j'ai créée au profit du pays, mais à mes dépens.

Comme création d'habitation et embellissement, voici ce que j'ai fait. Le château était assez beau, mais cependant incomplet et mal distribué. Je l'ai augmenté de deux pavillons, et il est en rapport aujourd'hui avec toutes les positions sociales. Placé sur un rocher escarpé, au-dessus de la Seine, son accès était difficile. J'ai fait tailler dans le roc une avenue qui aboutit à la grande route, auprès de la porte de la ville. Cette avenue de trois cent douze mètres de longueur en pente douce, de quarante pieds de largeur, plantée de quatre rangées d'arbres, serait digne de mener à une habitation royale. Un jardin de seize arpents a disparu; il a été remplacé par un parc de cinq cents arpents, clos de murs et où passe la Seine. Ce parc, composé de la vallée de la Seine, comprend les deux coteaux opposés et présente une admirable variété de sites. La rivière dont les eaux, vives et abondantes, sont toujours à plein bord, à cause des usines qui se succèdent dans son cours, coule au milieu du parc pendant près d'une lieue, et dans les propriétés de cette terre pendant une autre lieue encore. Un million deux cent mille pieds d'arbres, plantés avec intelligence, furent ajoutés à ce qui existait déjà, et au nombre se trouvaient quatre-vingt mille arbres de haute tige, dont dix-sept mille arbres exotiques; cent vingt arpents de prés arrosés, restant toujours verts, ornés de bouquets de bois, forment le fond de ce tableau, et une culture variée embellit les coteaux. Voilà ce qu'est devenue entre mes mains cette habitation, embellie encore par d'autres choses utiles, entre autres par des usines productives, dont je vais faire l'énumération et présenter le tableau.

Hors du parc, en amont, est un superbe moulin, le meilleur de la contrée, et formant un beau point de vue. Vient ensuite, également en vue du château, comme toutes les autres usines, une brasserie, dont les résidus servaient à mon bétail. Près d'elle une vinaigrerie qui avait le même emploi et fournissait par an deux mille pièces de vinaigre: près de là une tuilerie et une poterie servant à satisfaire aux besoins d'une sucrerie ayant entrée dans le parc d'un côté, et sur la grande route de l'autre; puis une superbe ferme renfermant des établissements complets, et entre autres une bergerie à deux étages pour deux mille bêtes à laine; enfin, sur le bord de la Seine, une magnifique sucrerie.

Cette sucrerie, qui avait un double moteur, l'eau et une machine à vapeur, a fabriqué jusqu'à trois cent cinquante mille livres de sucre de betterave dans une seule année. Les bénéfices de cette industrie sont grands quand elle est bien conduite. Aussi chaque jour elle se naturalise davantage en France. On ne saurait trop l'encourager, non-seulement parce que ses produits dispensent d'exporter beaucoup d'argent à l'étranger, mais encore parce que sa prospérité se lie à la perfection de l'agriculture. Les champs, après avoir été cultivés en betteraves, rapportent un cinquième de blé de plus que ceux qui n'en ont pas produit l'année précédente. Cette culture, loin de fatiguer la terre, lui profite pour l'avenir de tous les soins qui lui sont donnés. La première et la plus grande partie du travail de toutes les plantes se fait d'abord aux dépens de l'atmosphère. Ce n'est qu'au moment où la semence se forme que la terre est mise puissamment à contribution, et, comme la betterave ne rapporte sa graine que la deuxième année et qu'on récolte la betterave pour faire le sucre vers le cinquième mois de sa culture, la terre n'en est nullement fatiguée. Quand une manufacture de sucre est bien conduite et alimentée avec des betteraves de sa propre culture et au prix de la main d'oeuvre et du combustible de la Bourgogne, on a le résultat suivant: En représentant le bénéfice cumulé de la culture et de la fabrication par la surface des terres cultivées, un arpent de treize cent quarante-quatre toises rend mille francs de bénéfice. Ainsi notre terre avec notre climat est si favorable à la production du sucre, qu'une même quantité de terre de première qualité rend en France, en cinq mois, plus de sucre que la même surface aux colonies en seize mois.

À côté de la sucrerie se trouve une autre usine mue aussi par l'eau, et servant à battre le blé, machine suédoise, jointe à un tarare et placée sur deux étages. Le blé est battu et vanné en même temps. Deux hommes seulement suffisent pour la conduire; ils font ainsi l'ouvrage de vingt-deux ouvriers ordinaires. Plus bas est un autre moulin et une fabrique de pâte d'Italie, ce qui m'a donné l'occasion de cultiver des blés d'une nature particulière et préférables aux nôtres. Ce sont ceux connus sous le nom de blé de Taganrog. Une scierie était jointe à ce groupe de bâtiments; elle servait à débiter les planches et les bois de construction. Plus bas étaient deux forges anciennes et trois hauts fourneaux, puis enfin l'immense forge anglaise que j'ai construite et qui m'a ruiné, mais qui aujourd'hui est une source de richesses pour le pays. Je reviendrai sur ce dernier établissement quand j'arriverai à l'époque où il fut construit.

Le parc, indépendamment de ses immenses plantations, représentant une superficie de cent cinquante arpents et de cent vingt arpents de prés arrosés, offre une culture riche et variée. Le plateau sur lequel le château est bâti finit à la ville. D'abord fort étroit, il va en s'élargissant. Dans la partie du midi, opposée au château, il commande de vastes prairies, traversées par la Seine avant son entrée dans la ville. La plus grande partie de cet amphithéâtre est plantée en vignes d'une qualité supérieure, et la dernière forme un magnifique potager en terrasse. Telle est la description de l'habitation que j'avais pris plaisir à embellir, dans laquelle je croyais devoir finir mes jours, et que probablement je suis destiné à ne revoir jamais. Des bois et des fermes, à plus ou moins grande distance, composent le reste de cette belle propriété.

Si j'eusse réussi, j'aurais acquis la plus grande existence sociale possible dans les temps présents en France; car j'aurais réuni en ma personne, à l'influence d'une famille considérée dans le pays, celle qui résulte toujours d'une grande propriété et d'importantes manufactures, qui font vivre toute une population, et enfin celle qui accompagne la possession des premières dignités de l'État.

J'ai entrepris tous ces travaux et j'ai fait les acquisitions indispensables avec des capitaux insuffisants. J'ai pu y appliquer environ sept cent mille francs. Cette somme était bien inférieure aux besoins. J'ai donc dû emprunter, et les emprunts ne sortent souvent d'un embarras que pour jeter plus tard dans un autre pire. Cependant tout se serait liquidé avec le temps et par suite de l'économie que je mettais dans mes dépenses personnelles; mais, quand j'exploitai l'industrie des fers, des millions devinrent nécessaires, et je tombai dans un dédale dont je n'ai pu me tirer. Je tiens à finir ce tableau quand je serai arrivé à l'époque de ces pénibles souvenirs. Ces établissements d'industrie, ces entreprises si patriotiques, si belles et si admirables dans leur ensemble, ont eu une si grande influence sur ma destinée, et m'ont occupé pendant tant d'années, que j'ai dû en parler et que j'y reviendrai encore.

Tous les établissements que je viens d'énumérer furent formés dans l'espace de cinq années. J'en ai montré tout d'une fois le but et l'ensemble, ne pouvant en donner la progression par chaque année, et maintenant je reviens en arrière. Je parlerai à présent des événements politiques qui se succédèrent, et particulièrement de ceux auxquels j'ai été appelé à prendre part.

Cette Chambre de 1815, nommée sous l'influence de l'indignation inspirée par la félonie des Cent-Jours, était animée des meilleurs sentiments pour la dynastie. Elle reste dans les souvenirs un monument indestructible de l'opinion d'alors. Notre pays présente de fréquentes anomalies. On oublie vite ce que l'on dit, ce que l'on fait et ce que l'on a voulu. Les contrastes les plus singuliers, les plus frappants, se présentent sans cesse dans l'histoire de nos révolutions. Tous les députés de 1815 étaient donc des gens remplis d'amour pour la maison de Bourbon, des ennemis déclarés des révolutionnaires et des bonapartistes. Ces députés, en général pleins d'honneur, bien intentionnés, mais ignorants et passionnés, arrivèrent avec tous les préjugés, toutes ces petites vues de gens nouveaux dans les affaires. Ils apportèrent en outre cette importance, cet amour-propre si général en France, et cette vanité de hobereau qui donna à la chambre une physionomie factieuse.

Cette Chambre voulut être plus royaliste que le roi. Elle voulut gouverner et tout maîtriser; enfin, elle enfanta des projets de persécution qui ne pouvaient et ne devaient avoir qu'une influence funeste sur les destinées du pays. Elle devint exigeante, tracassière, et contraria la marche du gouvernement, d'autant plus que l'héritier du trône, Monsieur, lui donnait toute l'autorité de son nom, relevée encore par l'influence qui résultait du commandement de toutes les gardes nationales de France dont il s'était fait investir. La hiérarchie, qui en était la conséquence, établit en sa faveur et mit entre ses mains une sorte de gouvernement royal, constitué sur les principes de l'obéissance militaire, et en opposition habituelle avec la marche de l'administration. Enfin, la Chambre de 1815, qui, par les sentiments dont elle était animée, aurait dû faire tous ses efforts pour créer et fonder le pouvoir du roi, chose si nécessaire et si difficile, présenta des obstacles multipliés et invincibles à son développement. Elle ne négligea, en quelque sorte, rien pour affaiblir l'autorité royale, tout en déclarant son intention de la soutenir et de l'augmenter.

Parmi les trahisons signalées par la révolution du 20 mars, il y en avait de si patentes, et dont l'influence avait été si grande sur les événements, qu'on ne pouvait s'empêcher de les poursuivre. De ce nombre étaient celles de Charles de la Bédoyère et du maréchal Ney. Louis XVIII avait une sensibilité plus feinte que réelle; mais il était loin d'être sanguinaire. Son instinct était la douceur et la bonté; mais, comme tous les hommes faibles, ses opinions et ses résolutions variaient suivant les influences qui agissaient sur lui. Il fut affligé de la prise de ces deux grands coupables. La Bédoyère fut arrêté pendant mon absence de Paris. Je ne connais pas par moi-même les impressions que le roi reçut; mais j'étais près de lui quand Ney fut découvert par sa faute et livré à l'autorité. Louis XVIII en gémit avec moi et me dit: «On avait tout fait pour favoriser son évasion; l'imprudence et la folie de sa conduite l'ont perdu.»

La Bédoyère, condamné, fut exécuté malgré de nombreuses interventions. Le roi, pour faire une espèce de réparation à sa famille et lui donner une sorte de compensation, nomma son frère, Henri de la Bédoyère, officier dans les gardes du corps, quoiqu'il ne remplît aucune des conditions exigées par les ordonnances, et n'eût jamais servi. On peut difficilement comprendre comment cet officier accepta. C'était le prix du sang de son frère; car il est évident que, si Charles n'eût pas été fusillé, Henri n'aurait pas été l'objet de cette faveur.

Bientôt arriva le tour du maréchal Ney. On avait soif de son sang; et, comme on voulait faire des exemples, il devait en servir. Aucun coupable ne pouvait être puni avec plus de justice, car le crime était patent, et il n'y a pas de gouvernement possible avec la pensée que l'action du maréchal Ney mérite de l'indulgence.

La maréchale vint implorer le roi et s'adressa à moi pour obtenir une audience du roi. Je l'y conduisis. Le roi me répondit: «Mon devoir est de la recevoir. Elle peut venir, mais ce sera en vain. Il faut que justice soit faite.»

Effectivement, le roi l'accueillit avec bonté, mais ne lui donna aucune espérance de détourner le coup dont son mari était menacé. Le moment du jugement arriva. Le ministère, par la bouche de M. de Richelieu, parut vouloir agir sur la Chambre des pairs et presser la condamnation: chose superflue, tant l'évidence du crime était démontrée. Celui qui voulut remplir consciencieusement les devoirs de juge ne put hésiter à le condamner. L'exécution eut lieu immédiatement. L'esprit de parti a fait depuis du maréchal Ney un martyr. Une sage politique aurait dû peut-être sauver un homme couvert de gloire et échappé pendant tant d'années à d'innombrables dangers. Si sa grâce eût suivi sa condamnation, les Bourbons seraient mieux restés dans leur caractère et n'en auraient été que plus forts; mais le parti dominant fut inexorable: il voulait du sang. C'est ainsi qu'un sang, coupable, il est vrai, mais bien glorieux, fut répandu.

On réclamait une autre victime; mais celle-ci était l'objet d'un intérêt universel. Lavalette, ancien directeur général des postes sous l'Empire et allié au vice-roi d'Italie et à la reine Hortense, dont il avait épousé la cousine germaine, avait repris la direction de son administration dès le 20 mars, après le départ du roi. Assurément, cette action était sans importance, puisque Napoléon devait entrer à Paris peu d'heures après; mais on lui appliqua le principe de la loi; et, comme il avait usurpé le pouvoir tandis que le roi était encore en France, il était passible de la peine de mort. Arrêté longtemps après le retour du roi, il fut envoyé aux assises comme n'étant plus militaire. J'avais été fort lié avec Lavalette: notre amitié ne l'avait pas empêché de se ranger parmi mes ennemis à la première Restauration, et je ne le voyais plus. La peine ne me paraissait pas devoir dépasser quelque temps de prison. J'en étais peu occupé, quand tout à coup le jugement rendu me fit connaître l'état des choses. Il m'est difficile d'exprimer ce que je ressentis à cet instant et à quel point mon amitié pour lui se réveilla. Je me hâtai de m'offrir à lui pour faire toutes les démarches dans le but de le sauver. Il m'écrivit une longue lettre pour me remercier, et je me mis en mesure de le servir. J'allai chez le roi et lui parlai avec instance et chaleur de ce malheureux, beaucoup plutôt victime des passions du temps que de ses erreurs et de ses fautes; mais le roi fut inexorable. Je lui apportai et lui fis lire une lettre où la conclusion de sa demande était d'être fusillé, et non guillotiné [11]. Le roi lut la lettre en entier et me répondit avec sécheresse: «Non; il faut qu'il soit guillotiné!»

Note 11: (retour)

LETTRE DU COMTE DE LAVALETTE AU DUC DE RAGUSE.

«La Conciergerie, mercredi.

«Je viens d'apprendre au fond de ma prison que vous avez bien voulu vous rappeler mon nom, et que vous avez mêlé à des expressions de compassion des souvenirs touchants d'une ancienne amitié. Je suis embarrassé pour vous en remercier, mon général, si mon affreux malheur n'avait pas dû effacer de votre coeur des sentiments et des procédés qu'il faut bien que je me reproche, puisqu'une prévoyance plus saine et plus élevée les a condamnés. Cependant nous nous trouvons l'un et l'autre placés dans des positions si différentes, que j'ai besoin de franchir l'espace de beaucoup d'années pour pouvoir retrouver mon ancien compagnon d'armes et de lui présenter l'homme qu'il estimait sur le bord d'un abîme dont il ne peut être écarté que par une main amie. Ma tête est dévouée. J'ai pu entendre, sans trouble, l'arrêt fatal qui l'a proscrite; mais, je vous l'avoue, ce n'est pas sans horreur que je me vois entouré de bourreaux et marchant à l'échafaud. Mourir, pour nous, vieux soldats, est peu de chose, nous avons bravé la mort sur de nobles champs de bataille; mais la Grève!... Oh! cela est horrible! Si j'avais méconnu mes devoirs; si, lié par un serment ou engagé par de simples obligation de position, j'avais cru les oublier, je serais coupable. Mon malheur est de ne pas avoir distingué la nuance délicate qui séparait l'intervalle de l'autorité légitime qui s'éloignait de la violence qui la poursuivait. Hélas! notre éducation de sujets a été si mauvaise et si mal dirigée! J'ai consulté le mouvement de mon coeur, ainsi que j'ai toujours fait, et la différence de quelques heures a suffi pour me jeter dans l'abîme.

«La gravité de la cause, plus que l'intérêt que vous m'auriez conservé, vous a, sans doute, bien instruit des fautes qu'on me reproche, et des crimes qu'on m'impute. Je suis étranger aux malheurs de la France. Je suis étranger à l'infortune de notre souverain. Je me suis cru libre d'agir quand je n'ai plus aperçu les traces de l'autorité légitime et sacrée. Hélas! mon général, aujourd'hui, ma malheureuse compagne est tombée aux pieds de Louis XVIII, dans cette même salle où, il y a vingt trois ans, au 10 août, que, confondu avec les gardes suisses, je venais prodiguer ma vie pour Louis XVI et son auguste famille. Vous m'avez connu à l'armée peu d'années après; nous avons sans cesse été unis; ai-je jamais contribué aux malheurs de la France, ai-je jamais propagé ou partagé les principes empoisonnés qui ont corrompu l'esprit public et les moeurs nationales? Ai-je été travaillé de cette ambition inquiète qui troublait ma patrie et l'Europe? Non, non! occupé de devoirs obscurs, trouvant mon bonheur dans ma famille et dans la société de mes amis, j'ai laissé passer tranquillement devant moi tous les ambitieux. Ainsi, étranger à la Révolution, à ses principes et à ses désastres, je croyais avoir acquis le droit de ne plus craindre aucun danger. Je croyais même pouvoir défier l'envie d'approcher de moi, lorsqu'un affreux bouleversement de terre bouleversa tout, lorsqu'un épouvantable volcan s'éleva et envahit tout. Il fallait fuir ou se cacher. Les plus braves et les plus sensés l'ont fait. J'ai attendu le volcan, je l'ai vu arriver, je l'ai reconnu, et je m'y suis mêlé comme tant d'autres. Mais l'échafaud pour une étourderie, tout ce que l'ignominie a de plus exécrable pour une erreur, oh! mon Dieu! la proportion n'y est plus. Mon général, mon ancien compagnon de dangers, dites au roi que je suis un homme d'honneur, un homme de coeur, un homme de sens, et que, dans ces temps déplorables, il faut distinguer la volonté malveillante de l'erreur précipitée. S'il faut livrer ma tête aux bourreaux, je suis tout préparé. Mais qu'y gagnera l'autorité? quel avantage pour le souverain auguste qui s'honore du titre de petit-fils du grand Henri! Henri IV punit une fois avec éclat, mais c'était un traître. Il pardonna toujours, et ses fidèles serviteurs furent innombrables. L'histoire a fait de sa clémence le plus noble et le plus brillant fleuron de sa couronne. C'est celle qui ceint la tête de notre monarque révéré.

«Hélas! cette vie traversée de malheurs, cette vie si courte, il faudra la perdre; mais, au nom de notre ancienne amitié, au nom de nos anciens périls, ne souffrez pas qu'un de vos anciens compagnons d'armes monte à l'échafaud! Qu'un piquet de braves grenadiers la termine: en mourant, du moins, je pourrai me faire une illusion dernière: c'est au champ d'honneur que je vais tomber.

«Adieu, monsieur le maréchal, recevez avec bonté l'expression bien sincère de mon ancienne amitié et de mon profond respect. «LAVALETTE.»

On remua ciel et terre pour intéresser en sa faveur la famille royale. M. de Richelieu voulut essayer de l'intervention de madame la duchesse d'Angoulême pour lui obtenir sa grâce, en lui représentant que cette action lui serait utile dans l'opinion. Elle avait d'abord consenti; mais cette coterie ultra-affamée de vengeance dont elle était entourée eut bientôt fait changer ses résolutions, et la perte d'un homme inoffensif, de moeurs douces, d'un esprit aimable et cultivé, fut résolue plus que jamais.

Je vis madame de Lavalette pour concerter avec elle les démarches à faire dans l'intérêt de son mari. Elle me parla alors du projet de son évasion, qu'elle croyait pouvoir effectuer. Je lui dis de bien se garder d'en faire usage en ce moment; car, si elle échouait, son mari était alors perdu sans ressource. Il fallait auparavant essayer de tous les moyens de salut fondés sur la clémence; implorer elle-même sa grâce auprès du roi, en se jetant en public à ses pieds. Je me chargerais de lui donner le bras dans cette pénible circonstance. Ce projet arrêté, nous prîmes jour pour son exécution.

On eut connaissance à la cour de la tentative projetée, et l'ordre fut donné aux gardes du corps d'empêcher madame de Lavalette d'entrer au château. Cette pauvre femme, infirme et souffrante, ne pouvant marcher qu'avec peine, il lui fallait une chaise à porteurs pour le moindre trajet, et cela donnait une sorte d'éclat à ses démarches. Il y avait donc bien des difficultés à vaincre; mais je ne désespérai pas d'y parvenir. D'abord je décidai que nous nous rendrions dans la salle des gardes pendant le temps où le roi serait à la messe. Si nous nous y fussions établis auparavant, le roi, instruit de sa présence, aurait plutôt renoncé à entendre la messe ce jour-là que de s'exposer à recevoir la requête préparée. Le roi étant passé et arrivé dans la chapelle, nous nous présentâmes. Par un bonheur très-grand, le suisse du bas du grand escalier n'avait pas de consigne, et nous montâmes sans obstacle; mais, arrivés à la salle des gardes, là était la difficulté. La porte étant ouverte, j'attendis, pour entrer, le moment où le garde du corps en faction, se promenant dans le sens opposé à l'entrée, s'en éloignerait. Une fois introduit de dix pas environ, le factionnaire se retourne, me voit, et s'approche respectueusement, mais avec une contenance ferme, et me dit que je ne pouvais pas entrer avec la dame à laquelle je donnais le bras. Je discutai avec lui; mais lui, toujours avec le même calme et la même persistance, se place devant moi et m'empêche d'avancer, en réclamant l'exécution de sa consigne. Ne pouvant obtenir rien de favorable, je lui demandai d'appeler l'officier de garde, dont j'espérais avoir meilleure composition. Heureux d'être débarrassé de la responsabilité, ce garde du corps ne se le fit pas dire deux fois, et me voilà aux prises avec le sous-lieutenant des gardes, le marquis de Bartillac, mari d'une demoiselle de Béthune, et, par là, neveu du duc d'Havré, officier de cour, du reste bon homme. Il arrive près de moi en sautillant et me dit: «Monsieur le maréchal, je me rends à vos ordres,» et se place à mon côté. Tout en marchant pour arriver au fond de la salle, je lui dis qu'on avait voulu m'empêcher d'entrer. Il s'approche de mon oreille et me dit: «C'est madame de Lavalette que vous accompagnez; elle est consignée ici.

--On vient de me le dire; cependant répondez nettement; vous avez eu l'ordre de l'empêcher d'entrer, mais avez-vous eu celui de la faire sortir?

--Non, me dit-il.

--Eh bien, ajoutai-je, laissez-la en paix. Elle vient demander la grâce de son mari, et j'espère qu'elle l'obtiendra. Que risquez-vous? Est-ce au neveu du duc d'Havré à avoir rien à craindre? Le pis aller pour vous est de subir quelques jours d'arrêt, et, en vous soumettant à ce danger, vous courez la chance de sauver la vie d'un homme. On n'a pas souvent une occasion aussi favorable de faire une bonne action. C'est une bonne fortune, ne la laissez pas échapper!» Cette phrase alla droit au bon coeur et à la vanité de M. de Bartillac. Il me répondit qu'il s'en rapportait à moi et que madame de Lavalette pouvait rester. Je l'établis près de la porte d'entrée des appartements, et nous attendîmes la fin de la messe.

Aussitôt la tribune de la chapelle ouverte, M. le baron de Glandevès, major des gardes du corps, vint à moi pour me répéter que madame de Lavalette était consignée. «Oui, lui dis-je; mais apportez-vous l'ordre du roi de la faire sortir?--Non, répondit-il.--Eh bien, répliquai-je, elle restera.» Le roi arriva. Madame de Lavalette se jeta à ses pieds, et, en lui remettant son placet, elle cria: «Grâce, Sire, grâce!»

Le roi, avec beaucoup de noblesse, mais avec fermeté, lui répondit ces propres paroles: «Madame, je prends part à votre juste douleur, mais j'ai des devoirs qui me sont imposés, et je ne puis me dispenser de les remplir.» Et il passa. Un symptôme de l'esprit passionné du temps, c'est qu'après ces paroles les gardes du corps s'abandonnèrent à l'inconvenance de proférer en cette circonstance des cris de «Vive le roi!» qui avaient quelque chose de féroce et sentaient le cannibale.

Madame de Lavalette avait une autre pétition pour madame la duchesse d'Angoulême, qui suivait le roi: elle voulut la lui remettre. Celle-ci l'évita par un mouvement violent et un écart, et en lui lançant un regard furieux, impossible à peindre.

Le roi étant rentré, je ramenai madame de Lavalette à sa chaise à porteurs, et de là chez elle. C'était le 18 décembre. Cette pauvre femme s'abusait sur les intentions du roi; mais moi j'y voyais clair; car l'occasion était trop belle, la circonstance trop dramatique, pour n'en pas profiter et être clément si on n'avait pas eu des intentions contraires. Cependant je résolus une nouvelle tentative pour le lendemain, jour de naissance de madame la duchesse d'Angoulême et anniversaire de sa sortie du Temple.

Je fis transporter madame de Lavalette dans l'antichambre du capitaine des gardes de service, dont le suisse m'était dévoué; de là, elle devait se jeter aux pieds de Madame au moment où elle monterait l'escalier dit l'escalier du Roi. Mais des postes des gardes du corps, mis partout et jusqu'aux combles, les factionnaires multipliés, des portes condamnées pour être à l'abri des surprises, donnèrent à madame la duchesse d'Angoulême le moyen de circuler en liberté. Ce jour aurait dû lui rappeler qu'elle n'était pas étrangère à l'humanité par les hautes infortunes qui avaient été aussi son partage.

Dès ce moment, les esprits les plus prévenus ne pouvaient s'y tromper: on voulait à toute force la mort de Lavalette, et sa pauvre femme s'abandonnait encore à l'idée que le seul but était de l'effrayer. Ses meilleurs amis, madame la princesse de Vaudemont, le duc Charles de Plaisance, l'entretenaient dans cette illusion. Madame de Lavalette me disait: «Monsieur le maréchal, ils veulent n'accorder la grâce à mon mari que sur l'échafaud.

--Gardez-vous de vous y fier, lui répondis-je; s'il y monte, il est mort. Vous m'avez dit avoir moyen d'assurer son évasion. Voilà l'instant d'en faire usage, et je vous engage à ne pas différer: le moment est pressant.»

Le lendemain, on dressait l'échafaud pour s'en servir le jour d'après. Ce fut au moment où on était occupé à ces horribles préparatifs qu'elle exécuta la généreuse résolution dont le succès a été si complet, les circonstances si singulières et si dramatiques. Sa raison n'a pu résister aux émotions qu'elle éprouva. Son esprit s'est dérangé, et, après une démence de quelques années, elle est tombée dans un état d'inertie dont elle n'est pas sortie [12].

Note 12: (retour)

LETTRE DE MADAME DE LAVALETTE AU DUC DE RAGUSE.

«Il y a bien longtemps que j'aurais voulu vous remercier, monsieur, de tout l'intérêt si bon et si aimable que vous avez bien voulu me témoigner. Je désirais seulement que vous sussiez que je ne pouvais point oublier ce que vous aviez fait. J'avais chargé quelqu'un, à plusieurs reprises, de vous l'exprimer. J'espère qu'on aura fait ma commission. Depuis mon retour chez moi, je sentais le besoin de vous écrire moi-même toute ma reconnaissance. Mais quel porteur fidèle employer, non pour moi, mais pour vous? Enfin, je suis sûre cette fois, et malgré que je sois malade horriblement d'un catarrhe, je ne veux pas remettre encore à vous offrir les expressions de mes vœux et la nouvelle expression de toute ma sensibilité. Veuillez l'agréer et me conserver votre souvenir.

«ISAUR DE LAVALETTE.»

Nous devons à l'obligeance de M. Chambry, ancien maire du quatrième arrondissement, la communication de cette lettre, ainsi que de celle de M. de Lavalette.

(*Note de l'Éditeur.*)

Madame de Lavalette, pendant bien des années, reportant ses souvenirs sur ce grand événement de sa vie, répétait mon nom avec reconnaissance; elle disait: «Il a été bien bon pour moi, et seul il m'a dit la vérité.» Mes intentions et mes démarches pour obtenir la grâce de son mari avaient été actives, mais infructueuses; et, si j'ai contribué efficacement à sauver la vie de cette malheureuse victime de nos discordes et de nos passions, c'est en faisant connaître à sa femme, dans le dernier moment, le véritable état des choses.

Madame de Lavalette fut d'autant plus admirable dans sa conduite, que, loin d'être heureuse dans son intérieur, quoique jeune, bien née et belle, elle était délaissée par son mari, qui, laid, petit et de peu de naissance, entretenait des maîtresses.

Si l'on se reporte à ces temps, on devinera les clameurs dont je fus l'objet. La société retentissait de plaintes. Les petites femmes de la cour, qui auraient perdu connaissance à la vue d'un supplice, paraissaient inexorables. Il était de mode d'être sans pitié. C'était à qui serait le plus atroce dans son langage. On ne parlait de rien moins que de me fusiller. Comment, disait-on, avoir une armée si un maréchal de France est le premier à oublier les lois de la discipline et à violer une consigne? Tout cela n'eut d'autre résultat que de donner une sorte de mérite à une action fort simple. Le roi fut à merveille pour moi en cette circonstance, et je ne saurais trop répéter que je l'ai toujours vu, de son propre mouvement, juste et bon. Il me fit appeler dans son cabinet et m'exprima son mécontentement d'avoir méconnu ses ordres; mais il ajouta que le sentiment, cause de ma démarche, excusait mes torts à ses yeux et les lui faisait pardonner.

Jamais donc, à aucune époque, la société de Paris ne montra des passions si violentes qu'alors. Les femmes surtout, avec l'activité qui les caractérise, se mirent en scène et voulurent jouer un rôle politique. Il n'est pas sans intérêt de parler de celles qui occupèrent le premier plan. Entré dans un monde tout nouveau pour moi, j'y contractai diverses liaisons, malgré les différences marquées qui existaient entre les sentiments dominants et les miens; mais des qualités d'esprit et de coeur d'un ordre élevé l'emportèrent sur les inconvénients d'idées politiques peu raisonnables.

La comtesse d'Escars fut celle qui d'abord se mit le plus en évidence. Un esprit très-remarquable, une instruction étendue et un dévouement historique pour les Bourbons l'y plaçaient naturellement. Napoléon l'avait lui-même mise sur un piédestal en la persécutant. Voici son histoire.

Mademoiselle de la Ferrière, petite-fille du maréchal de Balaincourt, avait épousé avant la Révolution le marquis de Nadaillac, homme de qualité. D'une figure jolie plutôt que belle, elle avait déjà une assez grande célébrité à l'époque de nos premiers troubles. Elle émigra. Devenue veuve peu après, elle se réfugia à Berlin. Accueillie par le roi Frédéric-Guillaume II, père du roi actuel, elle eut une existence remarquable par les hommages et les soins dont elle fut l'objet. Un émigré veuf, qui était au service de Prusse, homme de grande maison, le baron d'Escars, lui fit la cour et l'épousa. Revenue en France sous l'Empire, elle proclama tout haut ses sentiments pour les Bourbons et de manière à déplaire beaucoup à Napoléon, qui était fort irritable de sa nature. Un exil rigoureux la confina d'abord à l'île Sainte-Marguerite en Provence avec sa fille, personne charmante, dont le dévouement pour sa mère a toujours été sans bornes. Cet exil donna à madame d'Escars une sorte de célébrité. Plus tard, on fut un peu moins rigoureux à son égard; elle eut la permission de vivre à la Ferrière, terre échappée au naufrage universel et située en Touraine.

Napoléon, voulant dompter ses sentiments bourboniens, lui fit demander en mariage sa fille pour le duc Decrès, ministre de la marine; mais madame d'Escars, afin d'échapper à cette nouvelle persécution, trouva un gendre en peu de jours, et fit épouser à sa fille un homme bien né, d'un caractère honorable, mais peu agréable, le marquis de Podenas. C'est dans cette situation que la Restauration trouva madame d'Escars. Le comte d'Escars, frère aîné du baron, premier maître d'hôtel de la maison du roi, étant mort au même moment, la charge de premier maître d'hôtel du roi revint au baron, devenu comte et bientôt duc, et madame d'Escars, chargée de faire les honneurs de la cour, vint s'établir aux Tuileries.

Dans des temps calmes, personne n'eût mieux convenu à ces fonctions; mais alors elle eut une influence fâcheuse en tenant constamment au château, dans un salon ou la meilleure compagnie et le corps diplomatique étaient constamment rassemblés, des discours absolument opposés à ceux du roi et à la marche du gouvernement. Sa position élevée, les faveurs dont elle était l'objet, la considération dont elle jouissait à juste titre, donnaient du poids à ses paroles et faisaient quelquefois douter de l'union du roi avec son gouvernement. Elle ralliait à ses principes tous les énergumènes, tous les intrigants; et cependant la droiture est le fond de son caractère; mais, comme beaucoup de gens, elle rassemble sans cesse les contraires, et présente à chaque moment les disparates les plus étranges. Admirable dans la manière dont elle pose les principes généraux, rien n'est plus opposé que la façon dont elle en fait l'application. Son esprit me plut, son amitié me toucha, et un dévouement soutenu m'attacha à sa fille, femme d'autant d'esprit et d'autant d'instruction que sa mère, avec beaucoup plus de raison. Jamais dans ma vie je n'ai rencontré de femme d'une amabilité aussi constante et aussi usuelle.

Elle sait causer avec tout le monde et tirer parti de chacun; elle sait discourir avec un savant, un artiste, un poëte, un homme d'esprit, un ignorant et même un sot. Sans être belle, la régularité de ses traits, l'ensemble de sa figure est rempli d'agrément, et son animation donne un prix inestimable à sa personne et à ses paroles. Une intime amitié a existé entre nous pendant de nombreuses années; elle a résisté à de grandes épreuves et survécu à nos bouleversements.

Le salon de madame d'Escars était funeste à la marche d'un gouvernement raisonnable et modéré. Il y avait aberration de la part du roi à le laisser subsister, en adoptant pour son gouvernement une marche tout opposée aux principes qui y étaient professés. Plus d'une fois j'ai rompu des lances avec madame d'Escars sur l'extravagance de ses paroles, mais constamment sans fruit. Retenu par des liens qui m'étaient doux, je la voyais sans cesse; mais, voulant vivre en paix, je m'étais imposé l'obligation de garder le silence et de ne répondre jamais aux folies que je lui entendais débiter; car, en lui répondant, une querelle sérieuse était toujours imminente. Mais, pour lui bien faire connaître, une fois pour toutes, mon opinion, je lui déclarai, avant de prendre le parti d'un silence absolu, que, si jamais le roi m'appelait à faire partie d'un ministère, je mettrais pour condition à mon acceptation, en réclamant pour elle d'autres témoignages d'intérêt et de bonté, sa sortie immédiate du palais, où ses paroles battaient en brèche la monarchie et sapaient l'édifice politique dans ses fondements en égarant les esprits et altérant la confiance publique. Mais cette critique amère de la conduite politique de madame d'Escars n'empêchait pas une affection sincère et véritable; car je ne sais comment on peut résister à la puissance du coeur et de l'esprit, réunis dans la même personne.

On jugera de mes sentiments pour elle par une plaisanterie délicate que je lui fis sous le voile de l'anonyme au premier de l'an. On suppose qu'avec le caractère de madame d'Escars les récits relatifs à son séjour à Sainte-Marguerite sortaient souvent de sa bouche. J'imaginai de faire faire en relief, et avec un grand soin, l'île, le fort, les bois, d'y placer, indépendamment des soldats, deux femmes à la promenade et avec les vêtements que portaient habituellement madame d'Escars et sa fille, et on mit avec mystère cet ouvrage dans son appartement. Sa joie et sa reconnaissance furent grandes.

Une autre femme politique de l'époque, la duchesse de Duras, essaya de jouer un rôle. Elle était fille de M. de Kersaint, capitaine de vaisseau dans la marine royale, ardent novateur et membre de la Convention nationale. M. le duc de Duras, premier gentilhomme de la chambre du roi, l'avait épousée à cause de sa grande fortune.

L'entraînement révolutionnaire de M. de Kersaint rendit plus remarquable son courage à défendre Louis XVI. Atteint d'une maladie grave, M. de Kersaint se fit porter à la Convention pour déposer son vote en faveur du malheureux roi. Après la catastrophe, il donna sa démission. Peu de temps après, il fut condamné par le tribunal révolutionnaire, et sa tête tomba sur l'échafaud. Sa fille, personne d'un esprit supérieur, animée des sentiments les meilleurs, présentait un contraste habituel entre les idées nouvelles, les intérêts et les nécessités de sa position. Le duc de Duras, très-honnête homme, était l'orgueil personnifié. Une rudesse habituelle lui paraissait la conséquence obligée de sa haute naissance. Deux êtres pareils pouvaient difficilement bien vivre ensemble; mais cependant la considération que donne un esprit supérieur uni à une conduite régulière et à une fortune considérable avait fait une position sociale élevée à madame de Duras, et son salon devint le siége de mille intrigues. Madame de Duras voulut créer des ministres et gouverner; mais son influence ne put se développer assez pour la satisfaire; et, quand les mouvements continuels qu'elle se donna eurent amené au ministère l'homme de sa prédilection, l'objet de son culte, M. de Chateaubriand, elle eut la pénible mortification d'être repoussée et de devenir étrangère aux affaires. Sans être laide, elle était dépourvue d'agréments physiques et ne put jamais inspirer de passion; ainsi sa vie se composa d'impossibilités. Elle a peint ses souffrances dans trois ouvrages charmants, qui tous, par divers exemples, donnent l'idée de ce supplice.

Dans le premier, *Ourika*, une négresse, élevée dans le monde avec tous les agréments et les avantages moraux désirables, ne peut, à cause de sa couleur, prendre dans la société la place qu'elle ambitionne, et que l'illusion de son éducation lui avait fait croire pouvoir occuper.

Dans le second, *Édouard*, un bourgeois, devient amoureux d'une grande dame, et, malgré ses hautes qualités, il ne peut l'épouser.

Enfin dans le troisième, *Olivier* (qui ne fut pas imprimé, mais dont la lecture fut réservée à quelques amis), sujet singulier choisi par une femme vertueuse, un homme privé des facultés de son sexe, ayant éprouvé et inspiré de l'amour, et enveloppant dans le mystère ses motifs pour ne pas accepter la main de la personne qu'il aime, se tue au moment où cette femme, ne pouvant expliquer une conduite si extraordinaire, au désespoir de le voir souffrir, s'offre à lui et lui propose de lui consacrer sa vie sans être dans les liens du mariage.

Madame de Duras me distingua, et bientôt des liens d'une sincère amitié nous réunirent. Son adoration pour M. de Chateaubriand fut payée d'une grande ingratitude; il s'éloigna d'elle au moment où une santé chancelante rendait plus nécessaires les soins de l'affection. Cette pauvre femme mourut blessée au coeur par une conduite dont elle lui fit connaître la cruauté dans une lettre destinée à lui être remise après sa mort. Au surplus, le sort de M. de Chateaubriand était d'inspirer, par la beauté de son talent, des sentiments exaltés à plusieurs femmes d'un esprit distingué, sans compromettre cependant leur réputation; car, autre Olivier, mais Olivier philosophe, on assure qu'il est peu capable de tirer parti de leurs faiblesses. Madame de Duras a eu deux filles: l'une, dont le nom a été mêlé aux tentatives politiques de madame la duchesse de Berry, auxquelles elle a pris part, madame de la Rochejaquelein, a fait, malgré de grands avantages personnels, le tourment de sa mère, tandis que l'autre, la duchesse de Rauzan, pleine de qualités et de vertus, a fait sa consolation.

Madame de Staël vivait encore et réunissait toujours du monde; mais tout annonçait en elle une fin prochaine. Elle est si connue par son esprit, ses écrits et tout ce qu'on a publié sur son compte, qu'il est presque superflu d'en parler. Napoléon l'a grandie en la persécutant. Il est remarquable à quel point il redoutait son influence. Elle possédait, il est vrai, une puissance de parole et d'esprit extraordinaire, et sa conversation produisait presque toujours un entraînement universel.

Je la voyais avant son exil, et, m'ayant pris en grande amitié, j'étais devenu un de ses habitués les plus assidus, chose qui peut-être avait dans ma position le mérite du courage.--Ses principes politiques étaient absolus et certainement fort dangereux. Elle a contribué, en 1814, à nous jeter dans les voies doctrinaires, où tout était spéculation, idéologie, théorie, incertitude. Malgré son esprit, on pouvait la combattre avec succès par une suite de raisonnements, sa logique peu sévère offrant à son adversaire des points d'attaque faciles à saisir. Il fallait seulement l'empêcher de dénaturer la question, de changer le point de départ, moyen puissant quelle savait employer avec succès, quand elle était embarrassée. En la réduisant à des raisonnements réguliers et en se mettant en garde contre l'action de son imagination vive, brillante et féconde, on pouvait lui résister et même la vaincre. D'une timidité poussée jusqu'à la poltronnerie, il était aisé de l'effrayer. Bonne femme au fond et fidèle à ses affections, elle a su inspirer à ses enfants une affection et une admiration profonde, et un respect pour sa mémoire tel, que des intérêts d'argent puissants n'ont pas pu les porter à méconnaître ses intentions. Elle m'avait pris en goût, et mes relations avec elle, rétablies en 1814, ont duré jusqu'à sa mort.

Beaucoup d'autres maisons également ouvertes avaient leur nuance d'opinion, dont il serait trop long de donner le détail. C'étaient autant d'arènes où on venait débattre les plus hautes questions politiques. Il n'y avait pas une seule femme qui ne se crût appelée à établir son opinion et à la défendre avec ardeur et souvent avec fureur. Chez madame de Montcalm, soeur de M. de Richelieu, femme infirme et contrefaite, d'un esprit fin et délié et d'un goût délicat, les réunions moins nombreuses étaient moins agitées, plus attrayantes et plus agréables; mais on payait chèrement le plaisir de s'y trouver en y rencontrant habituellement Pozzo di Borgo, ambassadeur de Russie, Français renégat, qui y dominait avec insolence.

Peu après le retour du roi, la maison militaire, rétablie sur de nouvelles bases, fut beaucoup diminuée. On supprima ce qu'on appelait la maison rouge, et les cinquième et sixième compagnies des gardes du corps. Les quatre qui furent conservées eurent une force moindre. Je me consolai facilement de la perte de ma compagnie, quelque agréable que fût un pareil commandement, consistant plutôt en un service de cour qu'en un service militaire. On s'occupa de l'organisation d'une garde royale, et je fus destiné à y avoir un des grands commandements.

Le maréchal Gouvion-Saint-Cyr, chargé de cette organisation, était opposé à cette création. Il fit tout au monde pour la faire échouer, et, quand il ne put plus reculer, il y introduisit des dispositions monstrueuses. On ne se rendit pas compte de leurs conséquences, et on se refusa à reconnaître les principes qui doivent servir de base à une garde. On agit par caprice et d'une manière incohérente.

La garde d'un souverain a plusieurs objets à remplir. D'abord elle doit défendre le trône contre les factieux. Ensuite elle doit être un objet de récompense et d'émulation pour l'armée. Enfin elle doit former une réserve d'une grande valeur pour la guerre.

Pour remplir le premier objet, il faut établir l'obéissance par tous les moyens possibles. La défense du trône devant avoir lieu en agissant contre ses compatriotes, mille considérations diverses concourent à relâcher les liens de la discipline. Il faut donc les multiplier et entourer les chefs de tous les moyens d'influence et d'action possibles. Or deux genres de pouvoir agissent sur les soldats et parlent à leur esprit, le premier tient à l'élévation du rang de celui qui commande, à l'éclat qui l'environne, et qui appartient aux généraux et aux chefs de l'armée; le second se trouve dans la puissance du chef de corps, du père de famille, dont l'action est constante, journalière, et porte sur tous les détails de la vie. Eh bien, pour rendre le commandement plus efficace, pour rendre l'obéissance plus assurée, on a réuni sur la même tête, dans beaucoup de pays, la puissance du chef de famille à l'éclat résultant des plus hauts grades. Ainsi en France autrefois, le colonel des gardes françaises était habituellement maréchal de France, et un régiment de gardes anglaises a pour colonel le duc de Wellington.

Pour remplir le second objet, une garde ne doit jamais être composée de recrues. Sa paye doit être forte, et les officiers de l'armée appelés à y entrer doivent y trouver des avantages de fortune et d'avancement. Enfin, cette garde, assez nombreuse pour ne pas être constamment de service, doit venir seulement par fractions dans la capitale. Le séjour d'une très-grande ville relâchera toujours la discipline et tendra à corrompre les troupes. Il est utile, après quelques mois de séjour, et quand ses effets pourraient s'en faire sentir, de pouvoir employer un temps suffisant dans de petites garnisons à remettre tout dans l'ordre accoutumé.

D'après ces considérations, j'avais proposé de former la garde de quatre légions de quatre à cinq mille hommes chacune, composée de troupes de différentes armes, et dont chacune d'elles serait commandée par un maréchal de France qui en serait le colonel. Les quatre légions auraient eu des quartiers à vingt lieues de Paris, et auraient fourni chacune quinze cents hommes pour le service. Ainsi le roi aurait eu six mille hommes de troupes, se relevant d'époque en époque, et composées de différentes légions.

On devine le motif de cette division pour le service journalier. Dans le cas du rassemblement de la garde, chaque légion aurait été réunie sous son chef propre. Enfin j'avais proposé de donner à chaque officier de la garde un grade supérieur à son emploi, mais sans lui en faire porter les distinctions. Au lieu de cela, on fit une espèce d'armée sans dispositions spéciales.

On créa huit régiments d'infanterie, six français et deux suisses, de trois bataillons chacun. Ces vingt-quatre bataillons furent organisés en deux divisions. Quatre régiments de cavalerie légère et quatre de grosse cavalerie, formant également deux divisions. Enfin, l'artillerie se composait de soixante bouches à feu.

Quatre maréchaux de France furent choisis pour avoir à tour de rôle le commandement de cette garde; mais, comme leur autorité était passagère et n'avait aucune influence sur le choix et les récompenses, aucun d'eux n'avait la plus légère action sur l'esprit des officiers et des soldats. Leurs fonctions ne s'élevaient guère au-dessus de celles des commandants d'armes qui, dans les garnisons, reçoivent les rapports, ordonnent le service et font défiler la parade.

À la guerre, la communauté des dangers, le souvenir des actions glorieuses, établissent entre les généraux et les soldats une espèce de fraternité dont les effets sont incalculables. En temps de paix, un général qui ne récompense pas n'est rien pour les troupes. Les soldats ne le connaissent que par des devoirs, des exercices, des fatigues et des punitions, et sa présence est moins une occasion de joie qu'un motif d'ennui et de tristesse.

On recruta la garde dans la population et par enrôlement volontaire, et jamais les enrôlements volontaires n'ont donné nulle part une composition d'armée comparable à celle des levées faites régulièrement par la loi. On y plaça beaucoup de Parisiens, et cette funeste habitude s'est conservée constamment. Enfin on donna aux officiers un rang supérieur et les distinctions d'un grade qu'ils n'exerçaient pas. Cette profusion de torsades en diminua la considération. On en reconnut plus tard l'inconvénient. On entreprit de faire une nouvelle législation pour la garde. Il en résulta une foule de prétentions et une cause de confusion et d'embarras pour l'administration.

Malgré les vices de son organisation, malgré l'influence fâcheuse de M. le duc d'Angoulême, malgré le peu d'action laissée aux majors généraux sur ce corps, il a répondu en grande partie à l'espérance qu'on avait pu en concevoir. Cependant, s'il eût été établi sur les bases indiquées plus haut, il se serait désorganisé moins rapidement lors des funestes événements de Juillet; mais, en somme, la garde a montré courage et fidélité. Elle commença son service auprès du roi le 1er janvier 1816, et les maréchaux prirent rang entre eux par trimestre dans l'ordre suivant: le duc de Bellune, le duc de Tarente, le duc de Reggio, et moi.

Je reviens maintenant à la politique. Le ministère de M. de Talleyrand perdit promptement tout crédit et toute considération. Louis XVIII sentait le besoin de s'appuyer sur la Russie, seule puissance sans intérêts directs opposés aux siens. Pour atteindre ce but il fallait composer un ministère sous son influence, et mettre à sa tête quelqu'un qui lui fût agréable. M. de Richelieu, homme d'un caractère honorable, d'un esprit modéré et de nobles sentiments, était très-propre à occuper cette place. Une intrigue, conduite avec succès, amena M. de Talleyrand à donner sa démission. Comme la cruelle négociation des charges imposées à la France et des frais de la guerre n'était pas terminée, ce fardeau fut laissé à M. de Richelieu. M. de Talleyrand prétendit n'avoir quitté le ministère que pour se dispenser de signer un traité aussi funeste, mais c'est une imposture. M. de Talleyrand était tout résigné. Le roi lui tendit le piége dans lequel il tomba.

Le ministère nouveau fut composé de M. de Richelieu, ministre des affaires étrangères et président du conseil; de MM. de Vaublanc, ministre de l'intérieur; duc de Feltre, ministre de la guerre; Corvetto, ministre des finances; Marbois, garde des sceaux; Dubouchage, ministre de la marine; et Decazes, ministre de la police. Cette administration, prenant la direction des affaires sous les auspices les plus difficiles, était peu homogène et en partie composée d'hommes de talents contestables.

M. de Richelieu avait quitté la France avant la Révolution, pour aller chercher les aventures et faire la guerre contre les Turcs dans l'armée russe. À la prise d'Ismaïlow, il monta à l'assaut d'une manière brillante. Resté en Russie, quand la Révolution se fut développée en France, il y prit du service. Il eut le commandement d'Odessa, qu'il administra avec sagesse et dont il est comme le créateur. Jamais M. de Richelieu n'adopta les principes, les idées et les préjugés de l'émigration, son penchant et ses opinions le portaient plutôt du côté des idées nouvelles et libérales. Revenu en France à la Restauration, il resta en 1814 sans emploi, s'en tenant à sa charge de cour de premier gentilhomme de la chambre, dont l'année de service n'était pas arrivée. Il suivit le roi à Gand et revint à Paris, où on jeta les yeux sur lui pour occuper la place de premier ministre. D'abord compris dans le ministère Talleyrand, comme ministre de la maison du roi, il avait refusé pour ne pas se trouver dans une position inférieure et pour éviter d'avoir Fouché pour collègue.

M. de Richelieu, connaissant peu la France, avait le sentiment de son ignorance des choses et des hommes. D'un esprit assez peu étendu, mais d'une conception facile, il réunissait à une grande défiance de lui-même un amour-propre très-irritable. Les meilleures intentions l'animaient; son amour du bien public, sa délicatesse et sa probité ne sauraient être placées trop haut; mais, irrésolu, indécis dans le choix de ses moyens, son incertitude sur la marche à suivre était augmentée par celle plus grande encore d'un homme fort vertueux, qui exerçait sur lui un grand empire, M. Lainé, depuis entré dans son ministère.

M. de Richelieu m'a donné l'idée d'un homme auquel on imposerait la tâche de parcourir dans l'obscurité une longue suite d'appartements dont il ne connaîtrait la distribution que d'une manière imparfaite. Cet homme marcherait à droite, à gauche, reviendrait sur ses pas, franchirait une porte, puis s'arrêterait pour essayer de s'orienter. Tel était M. de Richelieu en politique. Son caractère honorable et modéré inspirait l'estime et la confiance, sa mort a été un malheur. Un homme comme lui ne sauve pas un pays, mais il l'empêche de périr tel jour et à telle heure. Il est un point d'arrêt, et donne du répit en appelant la confiance des honnêtes gens. S'il eût vécu, peut-être fût-il rentré aux affaires à l'époque du ministère Martignac. Alors ce ministère aurait eu un centre, un point d'appui, et cette administration, misérable par le peu de force des gens qui la composaient, aurait peut-être pris quelque consistance et quelque dignité.

M. de Vaublanc avait été préfet de la Moselle sous l'Empire, et avait suivi le roi à Gand. En ce moment il était préfet des Bouches-du-Rhône. Homme vain, médiocre et ridicule, il s'était jeté avec une violence sans égale dans l'exagération. Ses prétentions se portaient sur tout; son éloquence était une réunion de mots sonores, mais vides de sens; ses opinions celles des plus violents de son parti. Il se croyait le premier écuyer du monde, et engagea le sculpteur Lemot à venir le voir pour modeler, d'après lui, la statue équestre de Henri IV. Il avait, sur l'emploi de son temps, des idées si singulières, que, montant à cheval dans son jardin pour sa santé, il y donnait en même temps ses audiences. La naïveté de son amour-propre passe toute croyance. Je lui ai entendu dire, tout haut et de bonne foi, que la Chambre de 1813 n'avait fait qu'une faute, une grande faute, c'est de ne pas l'apprécier à sa juste valeur. «Il fallait, disait-il, qu'elle m'élevât des statues.» Cet homme ne pouvait marcher avec M. de Richelieu, dont le caractère modéré et raisonnable était l'opposé du sien. Au surplus, il a proclamé une grande vérité à la tribune, démontrée de plus en plus par le temps, en disant que le gouvernement représentatif n'a pas été inventé pour le repos des ministres.

M. de Marbois, ancien magistrat, a occupé, dans sa jeunesse, l'intendance de la Dominique, où il a laissé des souvenirs honorables. D'un esprit étroit et essentiellement maladroit, il n'a jamais pris la parole à la Chambre des pairs sans nuire à la cause qu'il défendait. Ministre du trésor sous Napoléon, une crise financière fut au moment d'arriver par son incapacité. Napoléon, me parlant de lui un jour à cette époque, me dit: «C'est un honnête homme, un bon garde de trésors, mais un imbécile; il imagine qu'on ne peut pas mentir.» De mœurs rigides, d'un caractère austère, sa faiblesse est extrême, quoique sa figure triste, son âge avancé et sa contenance sérieuse lui donnent l'apparence de la sévérité. Aussi l'a-t-on comparé à un roseau peint en fer. Il s'est prêté, dans l'épuration des tribunaux, à toutes les exigences du parti, sans pouvoir jamais désarmer sa haine. Un petit ouvrage écrit par lui, la *Conjuration d'Arnold*, aux États-Unis, est rempli d'intérêt et un modèle de style.

M. Corvetto était un célèbre avocat de Gênes. C'était un homme d'un esprit fin et piquant. Il a établi de bonnes doctrines d'administration et fondé le crédit dans le budget de 1816; mais, le premier, il a placé l'administration dans les Chambres, en faisant voter les dépenses et l'emploi des fonds, au lieu de s'en tenir au vote de l'impôt, comme le prescrit seulement la Charte. Il eût rempli la double condition de l'ordre et de la prérogative royale en se bornant à présenter le budget des dépenses seulement pour mémoire et comme renseignement, l'affranchissant ainsi du vote législatif. D'une grande dévotion, il passait pour honnête homme, mais avait près de lui un gendre nommé Schiaffino, d'une réputation vénale et réputé un grand fripon. Du reste, je l'ai trop peu connu pour donner des détails plus étendus sur lui.

Le duc de Feltre avait été ministre de la guerre sous Napoléon, et, à ce titre, les gens qui réfléchissent peu, et c'est le plus grand nombre, le croyaient un homme supérieur. La manière dont le ministère de la guerre était organisé alors prouve, au contraire, qu'il n'y avait rien à conclure de semblable, ou plutôt que c'était un homme d'une grande médiocrité.

Le ministère de la guerre se compose du personnel et du matériel. Or, sous l'Empire, les deux branches étaient séparées, et chacune avait un ministre spécial pour la diriger. Le personnel se compose des plans de campagne, de l'avancement, des récompenses, de l'organisation, de la solde et de la justice militaire. Sans doute, personne n'imagine que les plans de campagne de Napoléon étaient faits par le duc de Feltre. Le travail de l'avancement et des récompenses était présenté par les maréchaux commandant les corps d'armée au major général, qui, après les avoir soumis à l'Empereur, expédiait les lettres d'avis, et ensuite envoyait le travail arrêté au ministre de la guerre pour l'expédition des brevets. Les organisations accidentelles des régiments provisoires, des régiments de marche, étaient faites par le major général, quelquefois par l'Empereur lui-même, et renvoyées ensuite au bureau de la guerre pour l'expéditoire des ordres. Il restait donc la solde et la justice militaire; et encore la solde, sauf les garnisons de l'intérieur, ne se payait jamais que sur les ordres spéciaux de Napoléon. Le ministre de la guerre n'était donc rien du tout à cette époque, ou seulement une griffe et un garde des archives.

Le duc de Feltre avait parcouru la plus grande partie de sa carrière dans des emplois d'administration. Attaché, en 1793, au bureau topographique militaire de la Convention, il n'avait servi activement que jusqu'au grade de chef d'escadron, et, s'il avait paru à l'armée, c'était pour occuper des emplois de gouverneur de territoire. On ne pouvait donc plus le ranger parmi les militaires, et, sous Napoléon, il n'avait pas une seule chance pour arriver à la dignité de maréchal. Il se jeta à corps perdu dans les idées de réaction et de vengeance, et avec d'autant plus de plaisir et d'attrait, que, n'étant pas militaire et en portant l'habit, il était l'ennemi des gens de guerre véritables, dont il jalousait la gloire, l'éclat et la considération. Il professa donc des opinions d'une grande sévérité contre les fauteurs de la rébellion, et fit cette ordonnance de catégories si célèbre, qui devait aligner à jamais les esprits; car, chose inouïe! dans les dernières classifications, dans celles qui renfermaient les dispositions les plus rigoureuses, se trouvait tout ce qui avait quelque valeur et faisait la gloire et la force de l'armée.

Le duc de Feltre, nommé ministre peu de jours avant le 20 mars, en remplacement du maréchal Soult, avait suivi le roi à Gand, et cette marque de dévouement, jointe à l'exagération de ses opinions, lui avait donné beaucoup de crédit parmi les royalistes. Il serait allé à Gand, même sans y être appelé par ses fonctions, à cause du sentiment de ses torts en 1814 et de la conduite misérable qu'il avait tenue à l'époque du 30 mars. Il redoutait beaucoup de se retrouver en présence de Napoléon, et prit à Gand, lui, ancienne création du régicide Carnot, des sentiments qui l'auraient rendu digne de la première émigration. Renvoyé du ministère au retour et éloigné par Talleyrand des affaires, il resta le point de mire des royalistes, et fut destiné à entrer dans la première combinaison ministérielle faite dans un autre esprit: aussi le donna-t-on à M. de Richelieu pour collaborateur. Une vanité de naissance incroyable, dont rien ne peut donner l'idée, était caractéristique chez le duc de Feltre. Simple gentilhomme, il s'est ruiné à acheter des titres et à se faire faire une généalogie. Il en est venu au point de trouver, pour souche de sa famille, une maison souveraine. Comme les libéraux de notre temps ont souvent été courtisans à d'autres époques, il a obtenu de M. de Las-Cases de l'indiquer dans son ouvrage comme descendant des Plantagenets. Cette manie du duc de Feltre a dû servir, dans de pareilles circonstances, à l'égarer dans sa conduite politique. Du reste, homme probe et délicat, il est mort sans fortune après avoir occupé d'assez grandes places, et pendant assez de temps pour pouvoir s'enrichir.

M. Dubouchage, nommé ministre de la marine, sans manquer de finesse, était de la plus grande médiocrité. Officier dans le corps de l'artillerie, étant entré avant la révolution dans le 8e régiment, chargé du service des colonies, il avait passé au département de la marine. Après avoir fait sa carrière dans ce service obscur, à la Restauration il marqua par ses opinions exagérées. Appartenant à une des meilleures familles du Dauphiné, il se trouva en évidence, et M. de Vitrolles, son compatriote, servit à le grandir dans l'espérance d'en tirer parti pour son propre compte. On peut avoir une idée des lumières de M. Dubouchage et de son esprit de courtisanerie par le fait suivant. Il imagina d'établir l'école des aspirants de la marine dans la ville d'Angoulême, uniquement à cause du nom que portait M. le duc d'Angoulême, grand amiral. Les hommes les moins éclairés savent que l'on ne saurait trop tôt accoutumer à la mer les jeunes gens destinés à ce service. L'habitude des choses ne saurait être donnée de trop bonne heure; et, en vérité, il serait plus convenable de faire accoucher les mères des marins à bord des vaisseaux, que de voir les jeunes gens y monter pour la première fois à dix-huit ans. Mais M. Dubouchage aimait mieux recevoir une expression de faveur de cour que d'avoir la conscience d'une action utile.

Je finirai d'esquisser ce tableau en essayant de faire le portrait de M. Decazes, appelé, peu après la formation de ce ministère, à en faire partie.

M. Decazes appartient par sa naissance à la classe bourgeoise; sa carrière a été la magistrature. Né avec de l'esprit, de l'activité et de l'ambition, trop jeune pour avoir joué un rôle pendant la Révolution, il a commencé à être quelque chose seulement sous l'Empire, en s'approchant de la famille impériale. Il occupa le poste modeste de secrétaire des commandements de Madame-Mère. Né dans le Midi, où les opinions bourboniennes s'étaient déclarées avec force, il fut favorable à la Restauration. Sans être entré dans les intrigues qui l'ont appelée, il servit fidèlement les Bourbons en 1814. À l'époque du 20 mars et pendant les Cent-Jours, il leur montra un grand dévouement. Au retour du roi, fort vanté pour son activité et les sentiments qui l'animaient, il fut fait préfet de police. La méfiance inspirée par Fouché, son chef, ajouta à son importance, et bientôt des rapports immédiats s'établirent entre lui et le roi. M. Decazes plut au roi; son esprit vif, son adresse, les efforts qu'il fit pour satisfaire sa curiosité et l'amuser devaient le faire réussir. Il affichait pour la capacité supérieure de Louis XVIII une admiration sans bornes, et eut grand soin, pendant toute sa faveur, de faire comprendre au roi que, n'étant et ne pouvant être, en affaires politiques, que son élève, ses succès étaient entièrement son ouvrage. Ce genre de flatterie réussit toujours auprès des souverains. Moins la force de leur caractère et l'étendue de leurs facultés leur donnent les moyens de gouverner, plus ils tiennent à paraître les posséder.

Aussi, quand ceux qui portent le fardeau leur rapportent tout, ils sont bientôt l'objet de leur affection la plus tendre. Le prince les identifie avec lui-même.

M. Decazes, comme homme privé, est doué de beaucoup de qualités. Son coeur est chaud, fidèle à l'amitié et serviable; son caractère est loyal. Son esprit, un peu léger, l'empêche souvent de réfléchir assez mûrement avant d'agir. Ses opinions sont modérées, et il comprend le pays en homme sensé. Peut-être n'a-t-il pas vu d'assez haut la nécessité de créer de grandes existences politiques et de donner plus de consistance aux provinces pour suppléer à l'insuffisance de l'aristocratie. Arrivé très-jeune et trop vite aux affaires, s'il fût venu au pouvoir avec plus d'expérience, il aurait beaucoup mieux fait. Il eut tort de se brouiller avec l'héritier du trône. Cette faute impardonnable lui a suscité des obstacles et des embarras de toute espèce dont il est impossible de se figurer l'étendue. S'il se fût appliqué à lui plaire, il eût réussi; mais il rompit en visière quand des négociations l'auraient sauvé, et, après avoir rompu, il ménagea un parti qui voulait le perdre et qu'il eût dû alors écraser. On en jugera à l'occasion des affaires de Lyon. Sa marche fut incertaine quand il eût fallu tout briser; et elle fut trop tranchée et trop décidée au moment où il eût été sage de louvoyer pour éviter de se faire des ennemis. Une immense fortune aurait pu être son partage, et, l'ayant dédaignée, il est sorti des affaires avec des dettes. Il a une tournure élégante, une fort belle figure, une élocution facile. Ses amis lui sont restés fidèles dans toutes ses différentes fortunes. Je n'ai jamais cessé d'être du nombre, parce que je lui ai trouvé des qualités de coeur toujours rares à rencontrer. Il chercha à se créer un appui dans M. le duc d'Angoulême, et fit de grands efforts pour lui plaire; mais il en obtint peu de secours au moment où arriva la crise qui l'a renversé.

Voilà quels étaient les collaborateurs de M. de Richelieu dans son premier ministère. Les travaux politiques du reste de l'année se bornèrent à la formation des listes destinées à être annexées aux ordonnances de proscription, à l'établissement des catégories pour l'armée, et à deux lois rendues, une sur la liberté individuelle, et l'autre sur les cris séditieux. La première fut l'objet de vifs débats, et j'y pris part à la Chambre des pairs. On sentait le besoin d'investir le gouvernement de pouvoirs plus étendus; mais le développement qui leur fut donné devait faire frémir. La faculté de faire arrêter, transmise à tout ce qui était officier de police judiciaire, descendait si bas, que c'était renverser l'ordre de la société. Je croyais nécessaire de donner le droit d'arrestations arbitraires aux ministres sur leur responsabilité, et c'est l'opinion que je soutins de toutes mes forces. On applaudit à mes paroles, mais le résultat ne fut pas conforme à mes espérances. Vinrent ensuite les condamnations de la Bédoyère, Ney et Lavalette, dont j'ai parlé.

On se rappelle avec quelle ardeur et quel enthousiasme la Restauration avait été reçue dans le Midi, en 1814; on se rappelle aussi ce symptôme si remarquable de l'opinion d'alors, que l'Empereur détrôné, marchant sous la sauvegarde des puissances, fut obligé de se déguiser en officier autrichien pour pouvoir traverser le pays en sûreté. Ces sentiments avaient reçu une nouvelle énergie par les événements des Cent-Jours. On avait couru aux armes à Marseille pour s'opposer à la marche de Napoléon. On accusa même dans le temps le maréchal Masséna d'avoir paralysé le zèle des gardes nationales. Un calcul de temps et de distance a démontré la fausseté de cette accusation. Les gardes nationales, rassemblées à Marseille par suite de la nouvelle du débarquement à Cannes, ne pouvaient pas arriver à temps pour disputer le passage de la Durance à Napoléon. Ainsi on ne pouvait pas accuser le prince d'Essling d'avoir favorisé la marche de l'Empereur. Sans doute, la révolution qui s'opérait ne lui était pas désagréable; mais il ne fut pas dans le secret du retour de Napoléon, et il n'y a aucun reproche à lui faire avec justice. On connaît la violence des passions des Méridionaux et avec quelle facilité ils portent tout à l'excès. Si l'on pense à la désorganisation que deux révolutions successives avaient produite, à cette nuée d'ambitieux, d'intrigants qui surgit de toute part, à chaque occasion, on se fera le tableau de l'agitation d'alors. Des assassinats, des emprisonnements, eurent lieu dans le Midi, et, les idées religieuses donnant un nouveau développement aux haines, bientôt la nécessité de la résistance se fit sentir. On arriva à la pensée de renverser un parti qui opprimait, le gouvernement qui le soutenait, et ces idées coupables se transformèrent promptement en projets et en espérances criminelles.

À cette époque, c'est-à-dire au mois d'avril 1816, le ministère se modifia. Les fautes sans cesse renouvelées de Vaublanc, le ridicule dont il était couvert et son incapacité démontrée décidèrent M. de Richelieu à proposer au roi son renvoi. Son remplaçant fut M. Lainé, homme austère, d'un caractère modéré, mais faible, grand orateur et homme de bien. On renvoya aussi M. de Marbois, qui était tout à fait au-dessous des circonstances, et, de plus, très-impopulaire à la Chambre, et on le remplaça par M. le chancelier Dambray, qui reprit les sceaux.

Le Dauphiné devint le théâtre des premières agitations. La révolte, dont Didier était le chef, éclata et fut réprimée immédiatement par le général Donadieu, commandant à Grenoble. La folie de cette entreprise était démontrée par la faiblesse des moyens des conspirateurs et l'époque choisie pour son exécution, car le succès était impossible. En supposant d'abord un résultat favorable, il ne pouvait être qu'éphémère, la présence des étrangers, établis sur la frontière avec une armée d'observation formidable, dans le but avoué de maintenir l'ordre en France, était un obstacle insurmontable au succès des mécontents. Mais le concours de l'armée d'occupation ne fut pas nécessaire: les troupes placées à Grenoble, suffisantes pour réprimer le mouvement, dispersèrent quelques révoltés en armes. Il y eut quelques hommes tués, d'autres arrêtés et jugés; vingt et un condamnés à mort, et dix-sept exécutés, mesure qui parut dans le temps d'une grande rigueur. Aucune révélation importante ne fut faite; on connut seulement le nom du chef, Didier, homme courageux, entreprenant, mais inconsidéré. Il échappa aux premières poursuites, se réfugia en Savoie; mais, son arrestation ayant été mise à prix, il fut livré. Il monta sur l'échafaud et mourut avec courage. Le général Donadieu avait montré de la vigilance; mais il exagéra la gravité des événements et l'importance des faits pour faire valoir davantage ses services. On le combla de récompenses, et il devint un grand homme dans le parti. Ayant fait son devoir, il méritait des témoignages de satisfaction; mais on outre-passa la mesure dans les faveurs dont il fut l'objet, et ces faveurs devinrent la cause principale des troubles qui eurent lieu à Lyon l'année suivante.

La tentative de Didier a certes été réelle; mais les circonstances qui l'ont amenée et son but ont toujours été enveloppés d'un mystère impénétrable. La seule explication raisonnable à lui donner, c'est qu'elle devait être au profit de M. le duc d'Orléans. Les mécontents espéraient sans doute un succès prompt et avaient la pensée que l'opinion, se prononçant en faveur du résultat, les étrangers, les voyant accomplis, en accepteraient les conséquences; mais cette explication même ne lui ôte pas le caractère d'une entreprise insensée.

Cependant des mécontents se montraient dans diverses provinces et à Paris. Des sentiments hostiles à la dynastie étaient exprimés partout, avec publicité et indiscrétion. Cette indiscrétion même était la preuve de leur peu de danger. Les gens du plus bas étage professaient cette hostilité. Des propos recueillis dans les cabarets donnèrent l'éveil à la police; des révélations firent connaître des associations formées, et fournirent la possibilité d'y pénétrer au moyen de cartes de reconnaissance distribuées. Bientôt MM. de la Fayette et Manuel se mirent à la tête de tous les mécontents. On eut la preuve de leur concours, et, par une faiblesse coupable, on n'entreprit pas de les poursuivre. Seulement un nommé Plaignier, chef apparent du complot, et quatre de ses complices, furent condamnés à mort et furent exécutes.

Dans une grande ville comme Lyon, il y avait quelques individus de l'espèce de ceux que je viens d'indiquer, exhalant dans les cabarets leur haine et leur mécontentement. Le général Canuel, qui commandait à Lyon, se piqua d'honneur. Son ambition étant stimulée par les récompenses données à Donadieu, il se détermina à mettre en oeuvre ce qui était sous sa main, et à donner du corps et une espèce de consistance à quelques hommes isolés qui n'avaient ni formé ni pu former aucun projet sérieux. Il leur choisit un chef, et ce chef, qui recevait ses ordres et ses instructions, prit toute la direction de la prétendue conspiration.

Lyon était le chef-lieu d'une association catholique dont l'origine remontait au temps de la persécution dirigée contre le pape par Napoléon. Depuis la Restauration, elle avait pris beaucoup de force. Elle était devenue le point d'appui de cette puissance occulte qui a fait tant de mal et contribué si puissamment à la perte des Bourbons par les ennemis qu'elle leur a créés et les fautes dans lesquelles elle les a entraînés. Ce parti voulait briser la Charte; il ne rêvait que gouvernement absolu; il ne désirait que troubles et que conspirations. Il savait que ces conspirations seraient impuissantes à cause de la présence des armées étrangères; mais il comptait qu'elles serviraient à motiver la prolongation de leur séjour, et qu'elles mèneraient à des mesures violentes, et à modifier l'ordre établi. Ce parti raisonnait comme si l'emploi de la force, qui est utile parfois en des circonstances passagères, pouvait jamais être une base permanente de gouvernement. L'emploi de la force, quand on est obligé d'y avoir recours, ne doit jamais être qu'accidentel, car le moyen s'use de lui-même, et le temps le détruit toujours. Un gouvernement ne peut avoir de solidité que fondé sur la conviction, la confiance et les intérêts; mais les partis, en général, et surtout le parti dont je parle en ce moment, à qui le ciel semble avoir refusé toute intelligence, ne sont pas capables de comprendre de semblables vérités; ce parti, par ses opinions et ses cris, servit puissamment les projets criminels du général Canuel.

Avant de faire le récit des événements qui se passèrent à Lyon à cette époque, je vais tâcher de faire connaître les deux individus marquants qui y exerçaient l'autorité.

Le général Canuel est un des plus anciens généraux de la République. Malgré cette ancienneté, il n'a jamais figuré dans nos campagnes mémorables à notre grande époque. Employé constamment dans l'intérieur ou sur les derrières de l'armée, à commander les territoires, jamais il ne s'est trouvé à une bataille. La seule guerre qu'il ait faite est celle de la première Vendée. Alors aide de camp d'un homme dont le nom rappelle tout ce qu'il y a de plus abject, le général Rossignol, il se distingua par sa férocité. Une demande de récompense, faite par le général Rossignol pour Canuel, consacrée par l'implacable *Moniteur*, est motivée sur la manière dont il avait, non pas combattu, mais puni les brigands, et cet acte héroïque était le massacre des Vendéens dans l'hôpital de Fougères, auquel Canuel avait prêté son bras. Pendant l'Empire, sa vie fut obscure. À la Restauration, il se mit en avant et protesta de son zèle. En 1815, placé dans la Vendée, il prétendit avoir fait de grandes prouesses et fit imprimer un récit de sa campagne. Le général Lamarque lui répondit dans une brochure, chef-d'oeuvre de plaisanterie et de bon goût. Il y tourne en ridicule, avec un succès complet, une campagne où lui, vainqueur, n'a jamais eu l'occasion de combattre. Le général Canuel, voulant faire étalage de sa fidélité, tint un jour cet horrible propos: «J'ai marché, disait-il, dans le sang jusqu'à la cheville pour la République; pour les

Bourbons, ce sera jusqu'aux genoux!» Homme crapuleux, dépourvu d'esprit et d'instruction, il fut adopté par le parti moral et religieux. La faveur dont on l'investit devint un malheur public, en contribuant beaucoup à aliéner les coeurs généreux de l'armée.

M. de Chabrol, alors préfet de Lyon, est né en Auvergne. Son père, avocat ou procureur instruit et distingué, ayant fait fortune, acheta une charge qui l'anoblit. M. de Chabrol parcourut d'abord la carrière judiciaire, puis celle de l'administration. Il devint, sous l'Empire, intendant général des finances des provinces illyriennes, qu'il a administrées avec sagesse et probité. À la Restauration, il montra beaucoup de zèle pour les Bourbons et fit remarquer ses sentiments. Investi des pouvoirs de Louis XVIII pendant les Cent-Jours, et croyant devoir être ministre, il fut déconcerté d'être envoyé, comme simple préfet, dans le département du Rhône. Il s'y conduisit d'abord avec sagesse, et semblait peu d'accord avec le général Canuel. Son caractère de magistrat et d'honnête homme contrastait chaque jour avec les idées et les mesures révolutionnaires du général Canuel; car, sous un nom ou sous un autre, le général Canuel n'était qu'un infâme révolutionnaire. Ses propres observations et les rapports qu'il recevait contrariaient constamment le dire du général Canuel; mais, royaliste de bonne foi et sincèrement attaché à la dynastie, aussitôt qu'une révolte eut éclaté, il se repentit de la divergence de ses opinions avec le général Canuel, homme peu digne de lui être comparé. Timide et ambitieux, il chercha à réparer des torts imaginaires en abondant alors dans le sens de celui-ci. Il proclama qu'il s'était trompé, lorsqu'il avait eu raison. La préoccupation de son esprit fut telle, qu'elle l'empêcha de voir que, si le général Canuel avait prédit des révoltes, il l'avait fait à coup sûr, puisqu'il n'annonçait rien de plus que l'exécution de mouvements préparés par ses ordres. Une fois les premiers désordres éclatés, M. de Chabrol, vaincu, se livra à Canuel. Canuel se sentit bien fort quand il se trouva exercer un pareil ascendant sur un honnête homme.

M. de Chabrol a un esprit droit, mais peu étendu. Sa probité l'empêcha de soupçonner une conduite coupable. Une vanité excessive fit qu'il tint depuis aux idées qu'il s'était faites des choses et des hommes. Enfin la faiblesse de son caractère, corroborée par son ambition, le place habituellement dans une sorte de dépendance des autres. Cette ambition dévorante de M. de Chabrol a été satisfaite. Il a été ministre plusieurs fois; mais, pour un homme comme lui, dont les intentions sont pures, il aura le regret éternel d'avoir contribué, à la fin de sa carrière, à la formation d'un ministère dont les oeuvres devaient être, pour tout homme de sens, la perte de la monarchie.

On était donc, à Lyon, pendant la première partie de l'année 1817, dans une agitation et une inquiétude extrêmes. La cause en est encore cachée aux esprits sages et non prévenus. Tout à coup le bruit se répand qu'un complot va éclater, et trois ou quatre jours après, le 8 juin, jour de la fête du Saint

Sacrement, une tentative de trouble a lieu. Personne ne bouge dans la ville. Un individu portant des cartouches est arrêté à la barrière, et pendant la nuit le capitaine Ledoux est poursuivi par des gens armés et tué de deux coups de pistolet; mais, si Lyon est tranquille, le tocsin sonne dans plusieurs villages de la banlieue, entre autres dans ceux de Saint-Genis-Laval, de Brignais, de Millery et d'Irigny. Plus tard il sonne à Saint-Andéol, et un capitaine à demi-solde, nommé Oudin, proclame Napoléon II, envoie des commissaires dans les environs et s'installe dans la municipalité. Lors de ces mouvements, qui eurent lieu presque simultanément, on ne parvint pas à réunir plus de quatre cents mécontents. Des détachements de troupes, accompagnés de gendarmerie, suffirent pour tout faire rentrer dans l'ordre. À peine fut-il tiré quelques coups de fusil. Mais, aussitôt le calme rétabli, on fit marcher la cour prévôtale, et partout on publia que le royaume avait couru les plus imminents dangers. On grossit beaucoup les événements dans les comptes rendus. Des actes de rigueur multipliés servirent les vengeances particulières et les intentions criminelles de ceux qui aspiraient à voir naître des troubles. Une sorte de terreur se répandit dans tout le pays. Les ouvriers des fabriques de Lyon, et les fabricants eux-mêmes, désertèrent la ville par crainte d'être compris dans quelques machinations infâmes, et, en peu de mois, il s'opéra un tel changement dans cette ville, dont la prospérité s'évalue par le nombre des métiers en activité, qu'au lieu de dix-huit mille métiers le nombre tomba rapidement et était réduit à sept mille au moment où je fus envoyé dans ce pays avec des pouvoirs extraordinaires.

Ainsi que je l'ai déjà dit, M. de Chabrol avait combattu jusque-là les idées du général Canuel, et blâmé les actes irréguliers dont il s'était rendu coupable. Homme légal, il était opposé à tout ce qui sentait l'arbitraire. Mais, une fois le mouvement éclaté, la peur s'étant emparée de son esprit, il ne jugea plus rien d'après lui-même et n'eut plus de direction. Non-seulement la peur des révolutionnaires le faisait trembler, mais il redoutait davantage encore le jugement des hommes de son parti. La crainte d'être accusé de manquer de zèle ou d'avoir une indulgence coupable, le glaçait d'effroi. C'est un sentiment de cette nature qui a donné tant d'extension aux crimes de 1793.

M. de Chabrol porta aux nues le général Canuel, proclama ses services, et celui-ci, débarrassé ainsi d'un censeur importun, et libre d'agir à sa guise, se mit à son aise. L'arbitraire le plus révoltant, les mesures les plus coupables et les plus vexatoires envers les citoyens, furent à l'ordre du jour. On feignit de croire à un danger imminent. Les troupes, munies de cartouches, reçurent l'ordre de se tenir sur leurs gardes. À force de proclamer le danger, on le fit naître, et des précautions, d'abord superflues, devinrent nécessaires, par suite de l'indignation publique et du mécontentement universel. Ces rapports alarmants, se succédant, donnaient de vives inquiétudes au gouvernement. Les efforts patents avaient été si peu de chose de la part des mécontents, et les cris d'alarme si vifs de la part des autorités et des chefs du parti, qu'il parut y avoir de l'obscurité dans les causes aux yeux des hommes de bonne foi. Le roi eut la pensée d'approfondir ce mystère et de m'envoyer sur les lieux pour vérifier les faits et porter le remède que les circonstances commandaient.

J'étais à Châtillon, et un courrier extraordinaire vint, le 20 août, m'y chercher pour m'appeler à Paris [13]. Les pouvoirs les plus étendus me furent délégués, et un titre nouveau, celui de lieutenant du roi, destiné à les rappeler, me fut donné: seule fois que, dans la Restauration, semblable mesure ait été prise. Le 25 août au matin (jour de la fête de saint Louis), étant chez M. Decazes, ministre de la police, et causant avec lui, on lui apporta une dépêche télégraphique, datée de Lyon, à dix heures du matin. On lui mandait que, malgré les mouvements annoncés, tout était encore tranquille. Il me dit, à plusieurs reprises, combien serait éminent le service rendu au roi et à la France si je parvenais à rétablir la paix et le calme dans ce pays. Il avait bon espoir dans ma prudence et ma fermeté. Mes pouvoirs civils et militaires s'étendaient sur les deux divisions voisines, celles de Lyon et de Grenoble. J'avais la faculté de faire mouvoir les troupes dans un rayon de quarante lieues, et de rassembler toutes les forces existantes dans le centre du royaume; enfin on voulait un résultat favorable, et on ne négligea aucun des moyens convenables pour m'aider à l'obtenir.

Note 13: (retour)

«Monsieur le maréchal,

«Je m'empresse de vous annoncer que le roi m'a chargé de vous engager à revenir le plus tôt possible à Paris. L'intention de Sa Majesté est de vous confier une commission très-importante, et qui intéresse le bien de son service et de l'État. Le roi, qui connaît tout votre zèle, et qui désire le mettre à profit, ainsi que vos talents et votre expérience, espère que vous lui donnerez encore, à cette occasion, une nouvelle preuve de votre dévouement. Je suis heureux, monsieur le maréchal, d'être l'interprète de la confiance du roi à votre égard, et de vous assurer en même temps de l'inviolable attachement et de la haute considération avec laquelle j'ai l'honneur d'être, monsieur le maréchal,

«Votre très-humble et très-obéissant serviteur.

«RICHELIEU.

«Paris, le 20 août 1817.»

Je me mis en route à la fin d'août, et j'arrivai à Lyon le 3 septembre au matin. Reçu avec les honneurs dus à ma dignité de maréchal commandant en chef, je fis mon entrée à Lyon. Je ne perdis pas un moment pour entretenir les autorités, et je déclarai à tout le monde qu'investi de la confiance du roi, muni de ses pouvoirs, et chargé par lui de rendre la paix à ces provinces agitées, j'allais écouter, entendre et rechercher les causes des troubles qui avaient existé et qui menaçaient l'avenir. Je réclamai de chacun tous les renseignements propres à m'éclairer et la connaissance des faits.

M. de Chabrol, étant conseiller d'État, avait le premier rang. Je le vis d'abord, et le plus habituellement. Nous nous connaissions de réputation, à l'occasion des fonctions remplies par tous deux en Illyrie, quoique en des temps différents. Il me portait une considération particulière, ayant été témoin des souvenirs que j'y avais laissés. De mon côté, je le savais un homme estimable, et ce fut avec confiance que je le consultai; mais lui-même, tout en me présentant les troubles comme sérieux et redoutables, m'éclaira beaucoup, en me faisant l'historique des temps qui avaient précédé le mouvement du 8 juin. Son incrédulité d'alors, son opposition au général Canuel, la censure qu'il avait d'abord faite de ses actes, et sa soumission crédule ensuite, me firent naître l'idée qu'en ce moment M. de Chabrol était la dupe d'un misérable coquin.

Un M. de Senneville, commissaire général de police, compromis par une absence momentanée de Lyon à l'époque des troubles, était l'objet de la haine du parti. Il rassembla une multitude de faits qui contribuèrent puissamment à me confirmer dans ma pensée. J'eus d'abord une grande défiance de ses rapports et de ses opinions; mais la vérité n'a qu'un langage. Il me fut bientôt démontré que tous les troubles étaient factices. Le général Canuel et ses agents avaient voulu les faire naître et les propager pour avoir la gloire de les réprimer et recevoir des récompenses. Enfin les chefs du parti ultra-royaliste entraient ardemment dans ces combinaisons machiavéliques, dans des vues politiques de l'intérêt le plus élevé. Ce crime, de la part des dépositaires du pouvoir, si odieux, devait trouver beaucoup d'incrédules; car il n'en est aucun qui lui soit comparable. Employer les armes mises dans nos mains pour le maintien de la paix à la troubler; faire usage du pouvoir protecteur dont on est revêtu dans l'intérêt de la société pour la déchirer; un pareil crime est au-dessus de tous les autres: aucune punition ne peut lui être proportionnée.

Indépendamment des actes criminels dont je viens de rendre compte, il se passait chaque jour des faits capables d'irriter au plus haut degré tout ce qui avait des sentiments honnêtes ou élevés. Les officiers en non-activité, assez malheureux par la misère à laquelle ils étaient réduits, par le renversement de leur carrière, étaient abreuvés de dégoûts et d'humiliations. Un misérable général Maringoné, homme vil et méprisable, sortant de nos rangs et ayant servi dans la garde impériale, était commandant de la place. Pour plaire au parti, il traitait ces officiers de la manière la plus infâme, les insultait et en passait la revue dans son écurie. On peut juger à quel point de désordre on en était venu par l'événement arrivé sous mes yeux, et quand ma présence semblait tenir en bride les factieux; mais l'oppression était passée dans les moeurs.

Une multitude d'individus avaient été arrêtés, et les prisons étaient encombrées. Un de ces détenus, de fort mauvaise humeur, et à juste titre, adressa quelques injures à un factionnaire; celui-ci lui répondit par un coup de fusil et le tua. La garde sortit et tira aussi contre les prisonniers qui se montraient à la fenêtre et que cet acte atroce avait révoltés. Le concierge, étant entré dans la prison pour y mettre l'ordre, faillit périr par le feu des soldats; et ce n'était pas la première fois qu'un pareil mode de discipline était en usage dans les prisons!

Après quelques jours d'observation et de mûres réflexions, le remède le plus simple et le plus efficace me parut consister à tenir la main à l'exécution des lois et à sévir contre les individus qui se rendaient coupables d'abus de pouvoirs, de voies de fait, et insultaient les citoyens. Les troupes avaient partout leurs armes chargées; j'ordonnai, en laissant un petit nombre de cartouches à chaque soldat de garde, de défendre de charger les armes, autrement que sur un ordre spécial du chef de poste, si quelque chose d'extraordinaire lui en faisait pressentir la nécessité. Je déclarai ensuite à tout le monde être venu pour donner de la force aux lois, et non pour m'en écarter. Je renvoyai de Lyon six officiers de l'état-major du général Canuel, ses infâmes agents dans l'exécution de ses intrigues criminelles. Il me parut nécessaire de destituer quelques maires de village, coupables d'avoir concouru au même but avec ardeur, la plupart habitants de Lyon et ne résidant pas, revêtus d'un pouvoir dont ils faisaient le plus funeste usage. Enfin je regardai comme indispensable le rappel du général Canuel lui-même, et comme utile de le mettre en jugement, si je parvenais à réunir assez de preuves de son crime pour le faire condamner.

Les preuves arrivaient de toutes parts, et, si le gouvernement eût senti comme moi la nécessité d'éclaircir complétement cette question et de faire cet exemple, on les aurait réunies en foule. Tout ce qui était de bonne foi reconnut que le capitaine Ledoux, de la légion de l'Yonne, assassiné dans la nuit du 8 au 9 juin, était le chef donné par le général Canuel aux conspirateurs. Cet officier avait été à Saint-Genis, lieu d'où le principal mouvement devait partir. Quelques démarches incertaines et équivoques donnèrent des soupçons aux conspirateurs. Craignant une trahison, ils épièrent la conduite du capitaine Ledoux, et l'assassinèrent au moment où il se rendait chez son général. Il avait été prouvé par la procédure que plusieurs des accusés avaient agi en vertu d'ordres donnés, et ils furent acquittés. Le principal coupable, Oudin, ne fut jamais saisi; cet homme aurait pu faire d'importantes révélations; mais on repoussa, au lieu de les accueillir, les insinuations qui vinrent de sa part. Enfin tout porta le caractère de la plus infâme combinaison et des entreprises les plus criminelles. Cependant un grand nombre de condamnations avaient eu lieu.

Je suis loin d'accuser M. de Chabrol d'avoir participé d'une manière directe à ces crimes; mais son amour-propre était engagé dans la question, et, quoique au fond de sa conscience il dût s'apercevoir à quel point il avait été trompé et dupe, jamais il ne voulut en convenir. Au contraire, il s'obstina à légitimer ce qui avait été fait. Dès ce moment, son séjour à Lyon devait être funeste, et je provoquai son remplacement, qui eut lieu immédiatement. M. de Lesai-Marnesia vint occuper le poste de préfet du Rhône. Homme d'esprit, de caractère et animé des intentions les plus droites; homme de naissance et n'ayant jamais occupé d'emplois pendant l'Empire ni la République, il offrait aux royalistes de bonne foi toutes les garanties désirables. Le général Canuel fut remplacé par le général Maurice Matthieu, homme rempli de droiture, d'honneur et de vérité. Ces deux individus, revêtus de pouvoirs civils et militaires, animés des mêmes intentions, s'entendirent parfaitement et n'eurent besoin d'aucun moyen extraordinaire pour maintenir l'ordre public et assurer l'exécution des lois.

Le parti jeta les hauts cris; il n'y eut sorte d'infamie qui ne fut débitée sur moi. J'étais complice des jacobins et un jacobin moi-même. Je voulais le renversement de la monarchie. Les plus odieuses déclamations furent le prix de la pacification sincère et réelle qui était mon ouvrage. Le ministère me soutint, mais me soutint faiblement. Il accepta une partie de mes propositions, sans s'engager dans une lutte corps à corps avec le parti. Il aurait triomphé, et son triomphe lui aurait servi à fonder la puissance royale sur les intérêts nationaux, la justice, la raison et la vérité. Ce fut une grande faute dont il devint plus tard la victime.

La question de Lyon, dénaturée par les passions, a été embrouillée à dessein. Elle est facile cependant à éclaircir et à juger en observant les faits et surtout les résultats.

Un pays est en fermentation et en révolte; tout est alarme et danger aux yeux de tous. La population industrielle, frappée de terreur et de l'idée des dangers qu'elle court, se disperse; le chaos semble prochain, et tout menace la société. Un homme, revêtu de grands pouvoirs, arrive; il ne dit pas autre chose que ces paroles: «Je viens donner de la force aux lois et assurer leur empire. Que les lois règnent donc, et le premier qui les enfreindra sera l'objet de ma sévérité.» Il renvoie le général et le préfet, et avec eux douze individus civils et militaires occupant des emplois subalternes.

Dès ce moment, le pays reste tranquille; pas un signe de mécontentement ne se montre; la population est docile et disciplinée, et, pendant treize ans, la paix la plus profonde règne dans cette cité. L'industrie renaît, et, en moins d'un an, elle se développe au point de dépasser ce qu'elle avait été dans les temps les plus prospères. Au lieu de sept mille métiers en activité, et dont le nombre diminuait constamment, plus de vingt mille sont en mouvement, et, plus tard, il y en a vingt-sept mille.

Quand de pareils résultats sont obtenus, sans doute l'autorité a pris les meilleurs moyens pour assurer la paix, et, quand les mesures employées se réduisent à celles indiquées, on doit croire que les individus éloignés étaient les seuls obstacles à la prospérité publique, et qu'ils faisaient usage de leur pouvoir d'une manière opposée à leurs devoirs et aux intérêts du souverain. Mais il fallait donner satisfaction à l'opinion, et aux individus blessés dans leurs droits, et menacés dans leur existence. Le gouvernement devait punir d'une manière sévère un général coupable d'un si exécrable forfait. J'en étais si convaincu, que, dans une lettre à M. de Richelieu, je lui disais: «En faisant tomber la tête du général Canuel, supplice qu'il a mérité mille fois pour les victimes qu'il a immolées et l'ébranlement qu'il a fait subir à l'ordre social, le roi acquerrait un pouvoir plus grand, une autorité plus forte que celle que lui donneraient cent mille soldats dévoués; car sa puissance serait fondée sur la reconnaissance et la confiance de ses sujets.» Mais on ne me comprit pas. On prit un terme moyen: en ajournant les dangers, on en créa d'autres. Au lieu de mettre en jugement le général Canuel, après l'avoir retiré de Lyon, on le fit inspecteur, et, s'il perdit la faculté de remuer et d'irriter les populations, il eut un poste honoré et recherché. Les discours les plus violents furent dirigés contre moi à la Chambre. M. Decazes osa à peine me défendre. Sans désarmer ses ennemis, il donna beaucoup de force aux miens et rendit ma position pénible et difficile.

À mon retour à Paris, je me trouvai au milieu du choc des partis, blessé, froissé, meurtri. On me fit ministre d'État pour faire un acte public d'approbation de ma conduite; mais on ne s'était pas prononcé nettement et avec énergie sur mes actes particuliers, chose bien plus nécessaire à l'intérêt public qu'une récompense dont je n'avais pas besoin.

Qu'arriva-t-il de cet état de choses? le peuple de Lyon, délivré par mes soins, après avoir été victime et avoir souffert, attendait, de la part du gouvernement, des garanties contre le retour d'un pareil ordre de choses. Voyant ces garanties lui échapper, il les chercha en lui-même, c'est-à-dire dans les élections. Qu'augurer de l'avenir quand le libérateur, auteur du rétablissement de la paix, est pour ainsi dire, abandonné par le gouvernement? Ne doit-on pas redouter, pour d'autres temps, l'essai de nouvelles persécutions? Le même remède se trouvera-t-il une seconde fois? Alors que reste-t-il à faire? Nommer des députés pour être les sentinelles vigilantes de leurs concitoyens. Il en arriva ainsi. Mais bientôt les passions font dépasser les limites et tomber dans un excès contraire. De détestables élections eurent lieu, tandis qu'elles auraient été toutes dans le sens du gouvernement si on eût fait justice du général prévaricateur.

Quant à M. Decazes, quel fut, pour lui-même, le fruit de sa politique? Le parti, acharné à sa perte, se soutint; il acquit une force proportionnée au ménagement qu'on avait pour lui, et il finit, quand l'occasion lui fut favorable, par le renverser. Si M. Decazes eût adopté hautement tous mes actes, eût tenu mon langage, épousé mes intérêts sans inquiétude et eût fait condamner Canuel, il aurait soumis tous ses ennemis d'un seul coup et serait resté toujours au pouvoir. Soutenu par de bonnes élections et par l'opinion, il eût été invulnérable. Cette époque présente une crise où le trône aurait pu facilement se consolider; mais, au contraire, il a commencé à être ébranlé. Dès ce moment une guerre à mort fut déclarée entre les hommes exaltés et les hommes raisonnables.

M. Decazes avait obtenu le consentement du roi pour la dissolution de la Chambre et faire faire de nouvelles élections. Il fallait nécessairement une autre assemblée d'une composition plus raisonnable, moins passionnée et plus maniable, qui pût servir de base à un meilleur système de gouvernement; mais, pour arriver à l'ordonnance qui prescrivait cette grande mesure, il fallait obtenir de la majorité du ministère une opinion conforme à la sienne. Il y avait sept ministres: MM. de Richelieu, Lainé, Decazes, Dubouchage, Corvetto, le duc de Feltre et Dambray. Les trois premiers étaient favorables à cette mesure; les quatre autres lui étaient opposés. On promit au duc de Feltre de le faire maréchal s'il voulait passer à la minorité du ministère et lui donner ainsi la majorité. Dévoré d'ambition et sans aucun titre à faire valoir pour la satisfaire, un événement extraordinaire pouvait seul lui faire obtenir cette dignité; aussi, saisissant cette occasion avec empressement, il fit le marché. L'ordonnance célèbre du 5 septembre signée, Dambray, Dubouchage et Corvetto se retirèrent du ministère, et furent remplacés par MM. Louis, Pasquier et maréchal Gouvion-Saint-Cyr à la marine, d'où bientôt il passa à la guerre.

Après avoir tout mis en ordre à Lyon, je partis pour faire une tournée dans la septième division. Il n'y avait aucune trace des désordres de l'année précédente; seulement le général Donadieu était en guerre avec les autorités. On se plaignait de son ton absolu, de ses formes et de quelques actes arbitraires. Je l'engageai à modifier sa conduite; mais je ne portai aucune plainte contre lui; je le soutins même contre ses ennemis, parce qu'il avait rendu des services véritables dans des troubles réels et dont les conséquences eussent pu devenir graves, s'ils n'avaient pas été réprimés sur-le-champ. Je fis aussi une excursion dans le département de la Loire, à Saint-Étienne, ce centre si prodigieusement actif de l'industrie française, qui, par l'abondance des combustibles, leur bas prix, et l'esprit de la population, est appelé à une prospérité à peine possible à concevoir. Je revins à Lyon, où je restai jusqu'à ce que les travaux de la cour prévôtale fussent terminés. Je me méfiais des vengeances auxquelles on ne manquerait pas de se livrer après mon départ, si je laissais quelques affaires en arrière. Tout étant clos et fini, et les nouveaux pouvoirs en fonction, je revins à Paris.

Jamais mission n'avait eu un succès plus complet. La paix la plus profonde avait été rétablie d'une manière tellement durable, que la tranquillité n'a plus été troublée depuis. Eh bien, les accusations les plus étranges, les moins vraisemblables, les plus absurdes furent dirigées contre moi. Ce parti qui se tient ordinairement dans l'ombre, et dont l'arme habituelle est la calomnie; ce parti qui disparaît toujours dans le danger, et qui, après avoir opéré les plus grandes catastrophes par son imprudence et sa lâcheté, accuse ses victimes des malheurs qu'il éprouve, ce parti se déchaîna contre moi. Un journal intitulé le *Moniteur royaliste*, porté à domicile furtivement, était rempli des plus grandes horreurs. Il inspira cependant du dégoût aux honnêtes gens, et sa vie ne dépassa pas son cinquième numéro.

Monsieur, chef et confident du parti, me reçut fort mal à mon retour. Je me défendis en citant les faits, et, montrant que la paix régnait à la place des troubles et du chaos. Il me fit cette étrange réponse: «Je le crois bien: ils ont tout ce qu'ils veulent.» Et ce qu'ils voulaient, et ce qui les avait contentés, c'était une protection égale pour tout le monde et le règne des lois. Je méprisai les clameurs, et je me réfugiai dans l'idée consolante du bien réel que j'avais fait à mon pays. Le roi m'accueillit aussi bien que je pouvais le désirer, et m'exprima se satisfaction de ma conduite.

Pendant le cours de l'hiver, des plaintes et des récriminations sur l'affaire de Lyon se renouvelèrent à plusieurs reprises. Il sembla nécessaire de réprimer tant d'impudence par un exposé officiel et positif des faits, et d'empêcher ainsi l'opinion d'être égarée. Le colonel Fabvier, officier de la plus grande distinction, qui m'était fort attaché et avait fait les dernières campagnes près de moi et rempli, pendant ma mission, les fonctions de chef d'état-major, se trouvait naturellement, par cette circonstance, appelé à se charger de la rédaction et de la publication de cet exposé. Homme d'un esprit remarquable, d'un caractère fort élevé et du plus grand courage, mais d'une nature ardente et emportée, il avait vu, avec plus d'indignation encore qu'un autre, ce qui s'était fait. Il mettait du prix à confondre de lâches calomniateurs. Il publia, au printemps, un écrit ayant pour titre: *Lyon en* 1817, qui fit grand bruit. On y répondit avec violence; il répliqua, les réponses furent publiées au nom du général Canuel, de M. de Chabrol, de M. de Fargues, maire de Lyon. Ce dernier, si fier de sa fidélité, avait cependant si bien accueilli Napoléon dans les Cent-Jours et lui avait montré tant de dévouement, qu'à son passage en 1815 il en avait reçu la décoration de la Légion d'honneur. La réplique de Fabvier était vive; les individus accusés par lui se décidèrent à l'attaquer en calomnie. Un procès eut lieu, et ce procès mit en jeu toutes les passions.

J'étais à Châtillon, occupé de mes affaires, approuvant complétement les assertions de Fabvier, toutes entièrement vraies; mais j'étais bien tourmenté par l'idée de le voir se mettre en avant pour défendre mes actes et se battre pour moi, tandis que je restais à l'écart. Demander à être mis en cause aurait eu l'inconvénient d'amener l'affaire à la Chambre des pairs, et de donner un éclat, une importance fâcheuse à une chose qu'il eût mieux valu pouvoir étouffer. Après y avoir réfléchi, je me décidai à un acte public, destiné à corroborer les assertions de Fabvier, et à me faire partager, au moins moralement, sa responsabilité. Mécontent, d'ailleurs, de la conduite faible et incertaine du ministère dans cette circonstance, je résolus de le prendre à témoignage des faits, en lui rappelant mes divers rapports et les convictions que je lui avais, en grande partie, fait partager [14].

Note 14: (retour)

LE MARÉCHAL MARMONT AU ROI LOUIS XVIII.

«Sire,

«Il y a quelques mois que, tourmenté par les accusations les plus injustes sur ma mission de Lyon, je formai le projet de publier un écrit qui devait rétablir les faits, et fixer l'opinion.

«Votre Majesté me fit connaître par son ministre qu'elle trouvait plus convenable que je m'abstinsse d'entrer moi-même en lice, et il fut convenu que des officiers employés près de moi se chargeraient de cette publication. C'est à ce titre, et par suite de cette disposition, que le colonel Fabvier prit la plume. Respectueux observateur des désirs de Votre Majesté, j'ai constamment gardé le silence depuis, quelque grave que soit devenue la discussion.

«J'aurais persévéré dans cette résolution si de nouvelles circonstances n'étaient venues me forcer d'y renoncer; mais, aujourd'hui, la question a changé de nature. Le colonel Fabvier est appelé devant les tribunaux, et je suis pour beaucoup dans les causes qui l'y conduisent, puisqu'il a combattu pour me défendre; je dois appeler sur moi les coups qui sont dirigés vers lui.

«J'ose donc croire que Votre Majesté, qui est si juste appréciatrice des sentiments élevés, ne désavouera pas le parti que je prends de publier une très-courte lettre qui fixe ma place dans la question qui s'entame, à laquelle je ne saurais honorablement rester étranger. La forme que j'ai prise d'écrire au président du conseil m'a paru la plus digne et la plus convenable, eu égard aux hautes fonctions que j'ai exercées, à la place élevée que je dois aux bontés de Votre Majesté et que je remplis près d'elle. J'ai dû m'expliquer avec force et netteté; mais j'ose croire n'avoir pas dépassé les bornes que je devais respecter.

«Mon désir le plus ardent, Sire, est, en cette circonstance, comme il le sera dans toute ma vie, d'obtenir l'approbation de Votre Majesté.»

J'écrivis une lettre à M. de Richelieu, président du conseil des ministres; et cette lettre, imprimée, fut répandue dans tout Paris au moment même où elle lui était remise. Il en résulta un effet honorable pour moi et utile pour Fabvier, dont les assertions reçurent un grand appui; mais le gouvernement fut blessé d'une démarche qui le compromettait et le mettait ainsi à nu. On délibéra pour savoir quelle punition on m'infligerait. Gouvion-Saint-Cyr, alors ministre de la guerre, en bon camarade, proposa de me destituer de ma place de major général, et conclut aux plus grandes rigueurs. M. de Richelieu, se croyant personnellement insulté, demandait à chacun s'il ne devait pas se battre avec moi. Decazes, dont l'amitié pour moi est réelle, et pénétré d'ailleurs de la pensée de la justice de la cause que je défendais, tout en blâmant la forme, me soutint et démontra qu'on ne devait pas traiter ainsi un homme honorable, dans ma position; et le roi lui-même, que je n'ai jamais trouvé en défaut comme homme juste et bon, et dont, personnellement, j'ai toujours eu à me louer, fut de l'avis de l'indulgence. Il se déclara contre toute rigueur. Le ministre de la guerre fut chargé de me faire connaître le mécontentement du roi pour la publicité donnée à ma lettre à M. de Richelieu, et de m'ordonner de m'abstenir de paraître à la cour jusqu'à nouvel ordre 15. Je reçus avec respect ce témoignage de blâme, mais j'écrivis cependant au roi 16. J'eus soin de ne point aller à Paris pour ne pas mettre en évidence la disgrâce momentanée dont j'étais l'objet, et je gardai le silence. Il n'était ni dans mon caractère ni dans mes goûts de chercher à inspirer l'intérêt public en me présentant comme une victime, et je ne voulais certes pas m'appuyer sur l'opposition. Ce que j'avais fait avait été dicté uniquement par un sentiment d'honneur et de délicatesse. J'avais, à mes yeux, rempli un devoir. Maintenant un autre devoir me commandait de me taire et d'attendre en silence le moment où je rentrerais dans les bonnes grâces du roi.

Note 15: (retour) «Monsieur le maréchal, M. le duc de Richelieu vous a prévenu que le roi avait appris avec autant de surprise que de mécontentement l'intention où vous paraissiez être de publier la lettre que vous aviez cru devoir adresser au président du conseil des ministres.

«Sa Majesté, qui a été informée de la publicité que vous avez donnée à cette lettre, me charge de vous faire connaître, monsieur le maréchal, qu'elle désire que vous vous absteniez de paraître en sa présence jusqu'à nouvel ordre, et qu'en conséquence elle vous dispense de prendre votre service, comme major général de sa garde, à l'époque accoutumée du 1er octobre prochain.

«Recevez, monsieur le maréchal, etc.

Le maréchal GOUVION-SAINT-CYR.

«Paris, le 14 juillet 1818.»

À Son Excellence M. le maréchal duc de Raguse.

Note 16: (retour)

«Sire,

«Il y a quatre ans que les malheurs de la France me décidèrent à me déclarer l'un des premiers pour Votre Majesté. Cette détermination motiva contre moi les calomnies les plus atroces, et a eu sur mon existence personnelle les conséquences les plus graves.

«Sire, il y a trois ans ᴮ, j'ai été proscrit pour les intérêts de Votre Majesté, et pour elle j'abandonnai patrie et fortune.

«Il y a un an que vous jugeâtes, Sire, qu'un serviteur ferme et dévoué était nécessaire pour remédier aux maux auxquels était en proie une grande partie de votre royaume; vous me désignâtes, et le résultat de mes efforts a justifié votre choix et votre confiance.

«La haine immodérée d'un parti qui n'est ni français ni royaliste, et dont les espérances criminelles étaient détruites par mes opérations, m'a poursuivi sans relâche. Réduit à me justifier moi-même, réduit par un sentiment d'honneur à prendre la défense de ceux qui m'ont défendu, je suis frappé d'un témoignage de mécontentement de Votre Majesté.

«Sire, la fatalité qui me poursuit a dépassé les bornes que je croyais pouvoir lui assigner, car aucune des actions qui ont eu pour moi des résultats si fâcheux n'ont eu pour cause que les sentiments les plus désintéressés et les intentions les plus pures.

«J'étais loin de croire avoir mérité votre disgrâce.

«Puisqu'il en est autrement, je le regrette vivement, et, en supportant mon sort avec résignation, je placerai ma consolation du malheur de vivre éloigné de Votre Majesté dans l'espoir que, quelque jour encore, elle me mettra à même de la servir utilement et de lui prouver, par mon dévouement, que je n'ai jamais cessé d'être digne de ses bontés.

«LE MARECHAL DUC DE RAGUSE.»

Note B: (retour) En 1815, au retour de Napoléon.

Mon service devait commencer le 1er octobre. La défense de venir au château n'étant pas levée à cette époque, je restai à la campagne; mais, le 15 octobre, le ministre de la guerre m'annonça que je pouvais venir remplir mes fonctions. La manière dont le roi me reçut doit être racontée; elle est de bon goût et me toucha. Je ne me rendis point dans le cabinet du roi, pour avoir une conversation particulière avec lui, avant de me montrer en public. Je n'avais rien à lui dire qu'il ne sût comme moi. J'attendis son entrée dans le grand cabinet du conseil, pour se rendre à la messe, afin de l'accompagner. Aussitôt qu'il me vit, il me dit ces propres paroles: «Monsieur le maréchal, j'ai dû vous exprimer mon mécontentement d'une démarche qui blessait mon autorité. Aujourd'hui j'en ai perdu le souvenir, et je désire que nos rapports soient tels qu'ils étaient il y a quelques mois. J'ai voulu vous donner cette explication franche sur-le-champ, afin qu'aucun embarras n'existe désormais entre nous.»

Et, dès ce moment, il reprit avec moi ses manières affables et gracieuses, qu'il n'a jamais quittées depuis. Quelques jours après, je rencontrai au château M. de Richelieu, revenu d'Aix-la-Chapelle, où il avait négocié le départ de l'armée d'occupation. Un mot d'explication suffit pour nous réconcilier. Les travaux des Chambres recommencèrent bientôt, et j'y pris part de nouveau. J'avais été nommé secrétaire dans deux sessions, témoignage de la considération de la Chambre. Je tins à l'être une troisième fois à cause de la circonstance, et ma nomination eut lieu presque à l'unanimité.

Pendant les diverses sessions, la Chambre avait montré de la sagesse, et une majorité tout à la fois monarchique et constitutionnelle s'était trouvée toute formée à chaque question. Nous nous étions réunis en secret un petit nombre d'individus, partageant alors les mêmes opinions, et nous fîmes l'épreuve du pouvoir que l'on peut exercer quand plusieurs individus s'entendent et agissent avec un accord secret. Nous étions sept et nous dînions fréquemment les uns chez les autres, et sans qu'aucun étranger y fût admis. Nous discutions les projets soumis à la Chambre et décidions dans quel sens nous devions voter. Nous arrêtions aussi la composition des commissions. Une fois nos opinions fixées, nous les proposions chacun à nos amis, et une majorité se trouvait ainsi formée sans qu'elle se doutât du mécanisme qui l'avait créée. Ces sept individus étaient: MM. Pastoret, Garnier, Molé, Castellane, Dessole, duc de Choiseul, et moi. Notre puissance a duré deux ans. Notre succès a été complet tant que cette organisation a été inconnue. M. de Castellane l'ayant divulguée, elle perdit tout son pouvoir.

Je repris mes travaux d'agriculture et d'industrie; mais mes fonds s'épuisaient. Un abus de confiance, une friponnerie me fit perdre cent mille francs, ce qui ajouta à mes embarras. Le roi vint à mon secours et me prêta deux cent mille francs. J'avais dû compter sur la promesse de l'empereur d'Autriche pour la restitution de mes domaines. J'attendais cette ressource avec impatience, et cependant elle n'arrivait pas. J'eus la pensée d'aller solliciter moi-même à Vienne, et de presser par ma présence la conclusion d'une affaire si importante pour moi; entreprise hardie de me mettre ainsi en évidence pour une chose dont le résultat, il est vrai, paraissait certain, mais qui pouvait être fort éloigné, vu la marche lente de tout ce qui se fait à Vienne. J'aurais éprouvé beaucoup de crainte si alors j'eusse connu, comme je l'ai fait depuis, les moeurs de l'administration de ce pays; mais je me décidai, et, muni d'une lettre du roi pour l'empereur, des lettres de MM. de Richelieu et Decazes pour le prince de Metternich, je me mis en route. J'arrivai dans les premiers jours de septembre. J'avais calculé ma marche pour arriver à l'époque où le prince de Metternich serait de retour de ses terres de Bohême. Je fus accueilli avec amitié par lui et avec cette grâce qu'il possède au plus haut degré. Il devint, en cette circonstance, une seconde providence pour moi.

L'empereur m'accueillit avec une bonté remarquable, me parla encore des souvenirs laissés par moi en Illyrie et du bien que j'y avais opéré, enfin du plaisir qu'il aurait à tenir ses promesses, et j'attendis avec confiance. Je cherchai à être agréable, et je fis tous mes efforts pour plaire à la bonne compagnie de Vienne Je fus comblé partout et particulièrement par la famille du prince Esterhazy, qui me reçut à Eisenstadt, et me fit connaître de quoi se compose l'existence d'un grand seigneur hongrois. Tout en m'amusant beaucoup, mes affaires se terminaient. Chose incroyable! en vingt-sept jours, les décisions de l'empereur furent prises et exécutées. Je me trouvai en possession du titre d'une rente de cinquante mille francs sur le trésor, en remplacement des domaines d'un pareil revenu, et l'arriéré de six ans me fut payé. Je me mis en route immédiatement pour retourner à Paris, où j'arrivai triomphant et où je repris mon service.

Le souvenir du mois que je passai alors à Vienne ne s'effacera jamais de ma mémoire. Jamais je n'éprouvai plus de satisfaction que ne m'en occasionnèrent les succès obtenus, et aussi le charme de la société dans laquelle je vécus.

Le mois de septembre 1819 s'écoula ainsi dans l'intimité du prince de Metternich. Son salon, le soir, était fréquenté par quelques hommes d'une amabilité très-remarquable, et qui payaient bien leur écot dans la conversation; le prince de Ruffo, ambassadeur de Naples; les comtes de Stadion et de Lebzeltern, ministres autrichiens, Schoulembourg, ministre de Saxe. J'y pris mon rôle, et cherchai à le bien remplir. Le prince de Metternich, dont la mémoire était encore remplie des temps de l'Empire et de Napoléon, ne pouvait tarir sur son compte. Nous racontâmes, chacun à notre tour, des choses concernant cet homme extraordinaire. Les soirées étaient si intéressantes, le temps s'écoulait si rapidement, que la princesse Laure, première femme du prince de Metternich, femme maladive et accoutumée à se retirer de bonne heure, s'est souvent laissé entraîner, par le charme de la conversation, à veiller jusqu'à deux ou trois heures avec nous.

Le prince de Metternich revenait à cette époque de Carlsbad. Là, il avait réuni les ministres de toutes les puissances de l'Allemagne, pour y concerter les mesures à prendre pour préserver ce grand pays des révolutions qui le menaçaient. On était alors autorisé à redouter des troubles; mais, grâce à ces mesures, tout se calma, et les dangers disparurent comme les craintes qu'ils avaient inspirées. Depuis il a eu beaucoup à se louer de sa prévoyance à cette époque. Il m'entretint souvent de ce qu'il avait fait, de ce qu'il ferait si des troubles survenaient, et me disait: «La position est bien prise, et nous devons gagner la bataille.» La position était si bonne, qu'il n'y a pas eu de bataille à livrer. C'est ainsi que doivent agir toujours les gouvernements. Après avoir prévu les obstacles, s'ils se placent bien, tout leur est facile. Dans le cas contraire, peu de chose les ébranle, et quelquefois les renverse.

Je retournai à Paris, où mes succès à Vienne retentirent. Madame la duchesse d'Angoulême, qui avait habité cette ville et connaissait la marche du gouvernement et des affaires, me félicita beaucoup d'avoir pu les faire sortir de la routine ordinaire.

Malgré des inquiétudes universellement répandues, l'hiver s'était écoulé avec assez de gaieté, quand arriva l'horrible attentat du 13 février. L'assassinat du duc de Berry consterna la France. On a écrit partout la relation de la belle mort de ce prince, qui montra tant de courage, de force d'âme et de générosité. On a beaucoup discuté la question de savoir si ce crime fut l'effet d'un complot: je suis pour la négative. Ce crime abominable fut isolé, et l'infâme Louvel n'avait pas de complices. Il y avait une agitation universelle, une multitude de projets coupables déjà formés; mais Louvel était un fanatique atrabilaire, excité par le mécontentement général, et son caractère fut exalté par la méditation et une disposition mélancolique profonde. Cet événement donnant une grande puissance aux ennemis de M. Decazes, il quitta les affaires, et M. de Richelieu y rentra, sur les vives instances et les prières de toute la famille royale.

Les royalistes accusaient M. Decazes d'être complice de la mort du duc de Berry, calomnie dont l'absurdité égale l'infamie. *Monsieur*, madame la duchesse d'Angoulême et Madame la duchesse de Berry, réunirent leurs efforts, et cette ligue ne négligea aucune démarche pour éveiller les passions. Aussi, une majorité, à la Chambre des députés, composée d'une réunion momentanée de la droite et de la gauche, se prononçant contre M. Decazes, le roi l'abandonna. Ce sacrifice lui fut extrêmement pénible, car sa confiance en lui égalait l'affection qu'il lui portait. Jamais, dans ses lettres, il ne l'appelait autrement que *mon fils*. Pendant longtemps il ne prononça pas son nom sans répandre des larmes; et, comme il fallait toujours que ses sentiments s'exprimassent avec une sorte de manière et d'apprêt, il consigna sa douleur en donnant, le jour du départ de M. Decazes de Paris, deux mots d'ordre qui rappelaient son nom de baptême et le lieu où il devait coucher, *Élie* et *Chartres*.

Plus tard, madame du Cayla s'étant emparée de toutes ses pensées, les jours fixes de la semaine où il la voyait, le nom de *Zoé* ou celui de *Victoire*, et chacun d'eux à leur tour, étaient donnés pour mot d'ordre du château.

Au moment où M. le duc de Berry fut frappé, il recommanda à sa femme de se conserver pour le dépôt qu'elle portait dans son sein. Bientôt sa grossesse fut constatée et déclarée. Cet événement irrita la fureur de ces conspirateurs de cabaret, de ces factieux du ruisseau, qui ne cessaient de s'agiter. On conçut l'horrible pensée d'effrayer madame la duchesse de Berry, pour lui faire faire ainsi une fausse couche, et un pétard fut tiré sous l'un des passages qui communiquent de la place du Carrousel dans la rue de Rivoli. Le coupable, arrêté en flagrant délit, fut jugé et condamné à je ne sais quelle peine. Ce malheureux, bossu, être abject, donna, au moment où il fut arrêté, les signes de peur les plus honteux et les moins équivoques.

Peu après, et quand j'étais de service, un autre pétard, mis dans le château, fit explosion dans une petite antichambre voisine d'un escalier dérobé qui aboutit d'un côté à la gâterie de pierre et de l'autre près du cabinet du roi. Mais celui-ci, après avoir mis tout le château en émoi, fut reconnu pour oeuvre royaliste, dans le but d'effrayer le roi et de le décider à multiplier ses mesures de rigueur. Cette circonstance, bien constatée, ayant fait grand tort à ses auteurs, il n'en fut plus parlé; mais bientôt des projets dune extrême gravité furent au moment d'être exécutés. Une conspiration véritable éclata. Découverte à temps, des mesures convenables en empêchèrent le succès. Cet événement remua toutes les passions et amena les coupables devant la Chambre des pairs.

CONSPIRATION DU 19 AOUT 1820.

Le 13 août, deux sous-officiers du 2e régiment d'infanterie de la garde se rendirent chez moi et demandèrent à me parler. Ces deux sous-officiers se nommaient Petit et Vidal. Ils me firent connaître qu'un grand complot existait contre la personne du roi et contre la sûreté de l'État. Des manoeuvres criminelles étaient employées dans les troupes de la garnison et dans la garde pour se procurer des complices. On s'était adressé à eux pour les séduire. Je me rendis immédiatement chez M. de Richelieu pour l'informer de cette révélation, premier avis que le gouvernement recevait des projets hostiles formés contre lui. Ni la police civile ni la police militaire n'avaient aucun soupçon, et cependant on était sur le bord d'un abîme, à la veille d'y tomber. Ces sous-officiers, gens de coeur et de devoir, furent encouragés. Je leur ordonnai de paraître accepter les propositions qui leur étaient faites et de m'en donner successivement avis, de me faire connaître la nature des projets et les dispositions préparées pour leur exécution. Ils remplirent fidèlement ce devoir et me mirent à même de prévenir l'explosion d'un complot qui, bien que tramé avec une légèreté et une confiance particulière aux Français, était cependant de nature, par son étendue et son importance, à compromettre gravement l'ordre public.

La conspiration avait dû éclater d'abord le 10. Ensuite on choisit le 19, afin d'avoir le temps nécessaire pour compléter les préparatifs; mais, à l'instant de l'exécution, l'arrestation de quelques-uns des principaux coupables et la fuite des autres mirent fin à l'entreprise et donnèrent naissance à un procès criminel qui offrit au public un scandale sans exemple. Le premier corps politique de l'État se refusait à l'évidence des faits. Des hommes honorables et influents, par l'appui qu'ils donnèrent aux conspirateurs, se rendirent en quelque sorte leurs complices et devinrent les défenseurs des ennemis de la société, au lieu d'en être les juges équitables, mais sévères.

Les renseignements d'alors, l'instruction du procès et les révélations faites depuis mirent fort au jour ces événements. Un mécontentement assez général existait dans diverses classes et surtout dans l'armée. Les choix plus que médiocres des colonels commandant les régiments en étaient en partie la cause. On connaît l'influence d'un bon chef sur l'esprit de son corps, sur sa conduite, sur sa discipline. De vieux émigrés, qui n'avaient été militaires que de nom, ou des jeunes gens sans antécédents militaires, avaient été portés à la tête des corps. Ils étaient peu faits pour inspirer de la confiance aux officiers et aux soldats. Souvent même ils prêtaient à rire par leurs manières, leur ignorance ou leur tenue. Sans autorité véritable sur leurs subordonnés, il s'établit dans beaucoup de ces corps un pouvoir de fait en faveur d'un officier considéré et expérimenté qui l'emportait de beaucoup sur l'autorité du colonel, et quelquefois même cet officier, seulement connu du corps, n'en faisait pas partie.

L'organisation, faite par province, favorisait singulièrement cet état de choses. Un officier général ou supérieur marquant était naturellement connu des officiers de son pays, soit pour avoir servi avec lui, soit comme compatriote. Cette influence ne paraissait pas dans la vie journalière. Tout semblait être dans un ordre régulier, aux yeux de colonels crédules et inexpérimentés, quand chaque matin ils recevaient les rapports et donnaient les ordres de service; mais on voit ce qui devait arriver à la moindre secousse politique et au moment où des intérêts et des passions opposés aux devoirs viendraient à parler. Quatre régiments de ligne, les légions de la Meurthe, du Nord, du Bas-Rhin et des Côtes-du-Nord, formant la garnison de Paris, étaient tous les quatre commandés par des hommes d'une incapacité sans mesure.

Divers officiers de l'ancienne armée, surtout de la garde impériale, habitaient Paris et s'étaient associés dans une spéculation dite le Bazar français. Cet établissement formait un point de réunion naturel et une occasion de se voir habituellement. La politique, les regrets, les intérêts et les passions y prirent bientôt leur place.

Les ennemis de l'ordre de choses, dans une classe plus élevée, voulurent profiter de cette disposition des esprits. À leur tête était M. de la Fayette, dont les sentiments haineux contre la dynastie prenaient chaque jour une nouvelle force. Divers individus, animés par des sentiments républicains, se réunirent à lui, et un comité s'organisa. Parmi les républicains étaient MM. d'Argenson, Dupont (de l'Eure), Manuel, Corcelles, Koechlin, Tarrayre, Mérilhou, Fabvier, et un assez grand nombre de jeunes gens ardents et exaltés. Des bonapartistes y furent affiliés, mais n'entrèrent ni dans le secret ni dans la direction supérieure des opérations. Parmi ces derniers, on comptait les généraux Merlin, Pajol, Bachelu. On les tint à peu près au courant de ce qui se projetait, parce qu'on avait besoin de gens d'exécution et de réputation pour le moment d'opérer; mais, comme ce mouvement était essentiellement républicain, on ne voulait ni se mettre dans leurs mains ni leur donner une importance trop grande. Au surplus, les chefs de la famille Bonaparte se mirent peu en avant dans toutes ces circonstances, et il n'y eut aucune relation directe avec eux ni avec le prince Eugène de la part des conspirateurs.

On s'occupa à travailler l'esprit des troupes et à s'y créer des intelligences. Le colonel Fabvier, chargé de ce soin important, y était éminemment propre pour diverses raisons. Les fonctions qu'il avait exercées près de moi l'avaient mis en rapport avec un grand nombre d'officiers. Son activité prodigieuse, la force de sa volonté, son esprit, et par-dessus tout cela la haine ardente qui l'animait contre les Bourbons, et dont la source était dans les injustices dont il avait été l'objet et la victime à l'occasion des affaires de Lyon, devaient le soutenir dans ses efforts et lui donner le moyen d'atteindre son but. Il se trouvait d'ailleurs, par une circonstance particulière, avoir à sa disposition de nombreux instruments dont il pouvait se servir. Fabvier étant né à Pont-à-Mousson, en Lorraine, et la légion de la Meurthe se trouvant de son pays, il en connaissait presque tous les officiers, et son influence sur ce corps lui donnait une autorité bien plus respectée que celle du colonel. Il recevait régulièrement les rapports de tout ce qui s'y passait, et l'on s'adressait à lui pour avoir une règle de conduite dans toutes les circonstances les plus importantes. Un certain capitaine Nantil, ancien élève de l'École polytechnique, bon officier, mais embarrassé par beaucoup de dettes, et irrité de la destitution d'un emploi que son père avait occupé, ardent et entreprenant par caractère, fut le bras droit de Fabvier, et l'individu qu'il mit en avant. Chargé des missions extérieures et étrangères à son corps, Nantil entra en rapport avec les officiers à demi-solde qui se réunissaient au Bazar français, et dont les principaux étaient le colonel Sausset et le chef d'escadron Masiau, de l'ancienne garde.

Quelques hommes de l'ordre civil furent associés à ces conciliabules, entre autres un nommé Paubelle et un autre individu nommé Dumoulin,

Dauphinois, qui servait dans la garde nationale de Grenoble en 1815. Napoléon, l'ayant distingué à cause de l'ardeur de ses sentiments, l'avait attaché à sa personne, à son retour de l'île d'Elbe, en qualité d'officier d'ordonnance. Ce Dumoulin, homme d'une conception assez vaste, grand joueur à la Bourse, ayant gagné plusieurs millions qu'il avait ensuite perdus, apporta dans cette conspiration la finesse et l'audace de son caractère. Nantil se mit en rapport avec un chef de bataillon des Côtes-du-Nord, nommé Bérard, et celui-ci crut pouvoir disposer de son régiment. Nantil étendit ses relations dans la garde, et deux régiments eurent quelques hommes séduits. Dans le 2e d'infanterie, deux lieutenants, nommés Laverderie et Hutteau, l'adjudant-major Trogoff, Valentin, adjudant sous-officier, entrèrent dans le complot; un nommé Henri, sous-officier dans le 5e, et quelques autres. Dans chacun des corps en garnison à Paris, il y eut des hommes entraînés. Dans les écoles il y avait beaucoup d'individus dévoués aux conspirateurs, et un grand nombre étaient armés.

La séduction s'étendit aussi dans les provinces. À Cambrai, où la première légion de la Seine était en garnison, les capitaines Varlot et Lamotte furent acquis à la conspiration. Le capitaine Parquin, dans le régiment des chasseurs du Cantal, et Carron, officier en retraite, et résidant en Alsace, se mirent en devoir de sonder les dispositions des troupes et de faire des amis et des partisans à l'entreprise qui se projetait. Enfin un réseau, assez faible il est vrai, mais fort vaste, s'étendait dans le Nord et l'Est, et les conspirateurs comptaient pour le succès sur l'état de l'opinion et les nombreux mécontents qui viendraient sans doute se joindre à eux après la levée de boucliers et à l'apparition du drapeau tricolore.

Des sommes d'argent plus ou moins considérables étaient données ou offertes. Le moment de l'exécution approchant, il fallait nécessairement un chef marquant et actif qui se déclarât. Les ouvertures faites aux généraux Bachelu, Pajol, Merlin ne furent pas accueillies avec empressement, les moyens leur paraissant d'autant moins suffisants, qu'on ne les avait pas mis dans le secret complet de l'association. Ils se déclaraient hommes du lendemain, promettant leur concours après l'explosion, mais non auparavant. D'autres généraux semblaient, par leurs propos hostiles, devoir se rallier à la révolution qui se préparait. Leurs noms étaient souvent prononcés, et, parmi eux, on distinguait celui du général Maison. La place de gouverneur de la première division militaire, quoiqu'il n'eût plus de lettres de service, lui donnait quelque importance. On parlait aussi de la même manière du général Defrance, commandant de la première division, et ses absences fréquentes à la campagne semblaient autoriser les bruits répandus sur son compte.

Les conspirateurs n'avaient aucun projet convenu et arrêté autre que celui de détruire l'ordre de choses existant: s'emparer des Tuileries et de la famille royale, proclamer un gouvernement provisoire, voilà quel devait être le résultat de la première entreprise. Plus tard on verrait à quel système de gouvernement il conviendrait de se fixer. C'est dans ces dispositions, et avec ces moyens, que l'on arriva au 19 août. La révolte devait avoir lieu dans la nuit du 19 au 20, la légion de la Meurthe se porter sur Vincennes, s'en rendre maîtresse par surprise et au moyen des intelligences qui y étaient tramées. La légion des Côtes-du-Nord, avec les autres corps, devait prendre les armes, marcher rapidement sur les Tuileries, et s'en emparer pendant que beaucoup de jeunes gens des écoles, répandus par troupes de dix ou douze dans diverses maisons, et bien armés, se joindraient aux troupes au moment de l'explosion. D'un autre côté, des insurrections devaient éclater à Cambrai, à Vitry-le-Français et à Colmar. Dans tous ces points éloignés on devait arborer les trois couleurs aux cris de *Vive Napoléon II!*

Mais les révélations de Petit et Vidal avaient été suivies de rapports successifs sur ce qui se préparait, et je me mis en mesure d'y résister. À l'entrée de la nuit, des dispositions spéciales, prises pour Vincennes, mirent à l'abri cette forteresse. La masse des troupes des environs de Paris reçut l'ordre de se mettre en marche pour la capitale, et en même temps tous les individus de la garde compromis furent arrêtés et conduits à Paris. Aucun d'eux n'échappa. La garde se concentra à minuit autour du château. Si les troupes de la garnison eussent pris les armes contre le roi, je les aurais fait attaquer dès le premier quart d'heure de leur rébellion, en mettant à la tête des troupes tous les chefs et généraux qui avaient de l'influence sur elles, de manière à prévenir la moindre hésitation. Avec ces précautions, il ne pouvait pas y avoir de lutte sérieuse. Mais, dans l'après-midi du 19, Nantil, le bras droit de Fabvier, l'élément actif du complot, informé de la découverte de la conspiration, ne pensa plus qu'à se sauver. Il coupa ses favoris, se déguisa et disparut. Les chefs, voyant l'impossibilité de réussir pour le moment, ajournèrent à une autre époque leur entreprise.

Le gouvernement résolut alors de changer la garnison de Paris, et de remplacer les quatre légions compromises par d'autres corps. Ce mouvement prochain donna aux conspirateurs l'idée de renouer la partie. La légion des Côtes-du-Nord, destinée pour Châlons et Verdun, devait, une fois arrivée à Châlons, quitter cette route pour se rendre à Vitry, où il y avait une réunion de mécontents et de complices. Elle serait précédée dans cette ville par Sausset. Mais le chef de bataillon Bérard, qui était chargé d'exécuter ce mouvement et avait été de très-bonne foi jusque-là, effrayé des conséquences qui pouvaient en résulter pour lui, se décida à dénoncer ce nouveau complot. Compatriote du général Montélégier, il alla le trouver et lui fit des révélations. Montélégier m'en rendit compte. Je lui ordonnai de continuer à recevoir ses déclarations. Plus tard, je me rendis chez lui, pour entendre moi-même Bérard et le questionner. Tout fut clair et précis, et les chefs de la conspiration, qui ne se doutaient pas de la trahison de Bérard, continuant leurs rapports avec lui, se compromettaient chaque jour davantage, quand un mandat d'arrêt de la Chambre des pairs vint enlever Bérard à sa liberté, l'empêcher de recueillir de nouvelles preuves et de faire de nouvelles découvertes. Dès ce moment il n'y avait plus rien à faire, pour les conspirateurs, qu'à s'occuper à se garantir de la vengeance des lois. Ils furent singulièrement favorisés par l'esprit d'alors. La Chambre des pairs, ce tribunal auguste, intéressé à la punition d'une entreprise aussi criminelle, manqua complétement à ses devoirs et au but de son institution, et, ainsi que je l'ai déjà dit, on vit des hommes marquants, d'un caractère honorable, se rendre les défenseurs des accusés. On minait ainsi le trône jusque dans ses fondements. On semblait vouloir absoudre d'avance ceux qui parviendraient à le renverser.

Enfin on en vint jusqu'à établir et soutenir que Nantil était un agent provocateur et toute cette conspiration prétendue une intrigue de la police, tandis que Nantil était brûlant de haine et d'activité contre la dynastie. Il fut de bon ton de tourner en ridicule un légitime effroi et de blâmer la punition des coupables. Cependant, en raison de l'évidence, on ne put s'empêcher de condamner à quelques peines un certain nombre d'individus. Mais les grands coupables échappèrent. M. de la Fayette, le drapeau de la conspiration, et M. d'Argenson, son complice, qui avait prodigué l'argent, ne furent pas mis en jugement, tandis que Fabvier, qui en était l'épée, fut acquitté. Le général Defrance, dont la conduite avait été fort équivoque, fut remplacé par le général Coutard. Le général Maison, devenu chef d'opposition, perdit son gouvernement, qui me fut donné, et les deux sous-officiers Petit et Vidal, qui avaient rendu un si grand service, furent faits officiers.

Telle est en résumé l'histoire de cette conspiration du 19 août 1820, où la dynastie a couru quelques dangers. Ce qu'il y eut de plus effrayant pour elle fut de voir le peu d'ardeur à la défendre, et de remarquer un grand nombre de ses ennemis au milieu de ceux qui, par leur intérêt propre, n'auraient jamais dû séparer leur cause de la sienne.

Les conspirateurs reprirent l'exécution de leur premier projet, mais sur une base plus large. Alors commença l'organisation des sociétés secrètes et du carbonarisme, qui, depuis, a joué un rôle si important.

Madame la duchesse de Berry approchait du terme de sa grossesse, et les esprits étaient en suspens. Si elle fût accouchée d'une fille, la maison d'Orléans n'avait plus de motif pour pousser à une révolution. La couronne lui revenait par la force des choses. D'un autre côté, si les fautes de la famille royale avaient amené à désirer un changement, peut-être aurait-il été accéléré par la pensée de chacun de hâter un événement certain, définitif, et l'arrivée au trône d'une branche de la maison royale, destinée à régner, dont les opinions, étant plus sympathiques avec celles de la nation, promettaient un gouvernement plus conforme à ses voeux. Il est certain aussi que, la branche aînée étant menacée de s'éteindre prochainement, et se trouvant ainsi sans avenir, elle eût gouverné au jour le jour et n'aurait pas rêvé de coup d'État. M. le duc d'Orléans, qui n'aurait plus été un motif d'épouvante, aurait pu alors exercer une utile influence. Il est difficile de décider ce qui serait arrivé; mais probablement il y aurait eu, d'un côté, plus de sagesse, et, de l'autre, moins d'ambition.

La Providence semblait alors vouloir fonder la stabilité; mais les effets, jusqu'à présent, ont été opposés à ce résultat. Toutefois, le 20 septembre, après l'accouchement de madame la duchesse de Berry, une joie universelle se répandit partout. La famille royale fut au comble de la satisfaction, et la France entière y prit part. Tous ceux qui n'avaient pas des désirs de changement devaient être contents, car la naissance du duc de Bordeaux paraissait un gage de repos. Le premier besoin des peuples est protection et repos. Rien n'est plus contraire à ces biens que les changements qui portent sur l'occupation du trône. La jouissance du bien présent doit être garantie par l'avenir afin d'être complète, car le mal prévu gâte, dénature et détruit souvent le bien-être actuel.

On regardait la naissance de M. le duc de Bordeaux comme destinée à préserver de nouveaux orages et à protéger la génération nouvelle. En général, son apparition au monde fut considérée comme un grand bienfait et une garantie de paix intérieure. J'ignore ce que les temps lui réservent, mais il semble aujourd'hui que sa destinée est bien différente. Des individus marquants portèrent un jugement opposé, et on assure que le duc de Wellington, entendant le canon qui annonçait la naissance d'un prince, s'écria: «Voilà le glas de la légitimité!»

Madame la duchesse de Berry, dont le courage sublime et la présence d'esprit peu commune s'étaient montrés d'une manière si éclatante lors de l'événement funeste qui la rendit veuve, ne démentit pas, en cette circonstance, sa réputation. On avait pris les précautions d'usage pour constater la naissance de l'enfant qu'elle portait. On les avait, pour ainsi dire, redoublées par le choix des individus appelés à être témoins. Si on eût choisi seulement pour remplir ces fonctions de vieux seigneurs de la cour attachés aux Bourbons, on aurait pu suspecter leurs témoignages; mais l'un d'eux fut le maréchal Suchet, duc d'Albufera, qui, par son origine et son alliance avec les Bonaparte, ne pouvait être suspect. Établi d'avance aux Tuileries, il devait être placé dans la chambre de madame la duchesse de Berry au moment où naîtrait le royal enfant.

L'accouchement de madame la duchesse de Berry fut extraordinaire par sa promptitude. Son fils vint au monde en quelques minutes. Suchet et les autres témoins furent appelés immédiatement; mais le temps nécessaire pour se mettre en mesure de paraître convenablement, à trois heures du matin, les empêcha d'arriver aussi promptement qu'on le désirait. Madame la duchesse de Berry y suppléa d'abord en faisant entrer dans sa chambre le poste de gardes nationaux de service au pavillon Marsan. Ainsi des individus de la bourgeoisie ou du peuple, pris au hasard, furent les premiers appelés à témoigner de la vérité de l'accouchement et du sexe de l'enfant. Mais, comme elle sentait l'importance de ne rien négliger pour éviter les plus légères objections, fondées sur un changement dans les formes, elle demanda à l'accoucheur si le retard de sa délivrance compromettait la vie de son fils. Celui-ci ayant répondu que les dangers étaient pour elle seule, elle s'opposa à ce que le cordon fût coupé avant l'arrivée des témoins officiels: acte de courage, de présence d'esprit, qui mérite l'admiration universelle. Des femmelettes de Paris ont critiqué cette conduite par des motifs de pudeur. Objection misérable! Devant les intérêts d'une dynastie et du repos d'une nation, de pareilles considérations doivent disparaître, et madame la duchesse de Berry s'éleva au niveau des circonstances. Elle fut sublime. En général, elle a beaucoup d'âme, beaucoup de force morale; elle a un grand instinct de gouvernement. Si la fortune l'avait placée dans des circonstances possibles, il est probable qu'elle aurait réussi dans ses entreprises, qu'elle serait parvenue à se faire un grand nom; et ses succès alors eussent été assurés si elle avait eu auprès d'elle des gens capables.

Le roi, voulant signaler par des grâces la naissance d'un neveu qui continuait sa dynastie, fit la première promotion dans l'ordre du Saint-Esprit. J'y fus compris le quinzième. On autorisa, par exception, tous les chevaliers qui furent nommés à en porter immédiatement les marques distinctives. Le baptême eut lieu au printemps, avec une grande magnificence, et on le célébra par les réjouissances d'usage. La garde me parut aussi devoir fêter ce grand événement. En cette circonstance, ce n'était pas simplement la naissance d'un prince qu'il s'agissait de solenniser, mais la continuation d'une branche de la maison royale prête à s'éteindre, le rejeton posthume du seul membre de cette branche dont on avait pu espérer des héritiers. Il était de bon goût à la garde, comblée de bienfaits par le roi, de célébrer cet immense bonheur de la famille royale avec éclat et splendeur. Étant de service, je mis en avant cette opinion. Elle prit difficilement parmi les généraux et les officiers. Une indigne parcimonie y mettait obstacle. Je passai par-dessus ces considérations, et j'ordonnai la fête à leurs dépens. Mais j'avais calculé que la somme ne dépasserait pas leurs facultés. Le roi me promit de payer la moitié de la dépense en sa qualité de colonel général de la garde.

La maison du roi se réunit à nous, et un jour de solde suffit pour pourvoir à tout. La salle de l'Odéon fut choisie. Quatre mille personnes s'y réunirent. Un spectacle de circonstance d'abord, une admirable cantate ensuite: *Dieu l'a donné!* et un magnifique bal, suivi d'un beau souper servi avec abondance, composèrent cette fête qui réussit à souhait.

J'avais tout disposé pour y ajouter une chose tout à fait nouvelle. Mais je ne sais quelle misérable intrigue survint et l'empêcha, sous prétexte de danger. Des troupes placées sur les deux quais de la rive droite et de la rive gauche, depuis le pont des Arts jusqu'au pont Neuf, devaient tirer des cartouches à étoile et former ainsi un immense berceau de feu sur la rivière, tandis que la statue de Henri IV, d'abord dans l'obscurité, serait illuminée subitement au passage de la famille royale. Cette partie de la fête fut contremandée. On éclaira seulement la statue, et un transparent fit lire des vers que j'avais fait composer, où le grand roi parlait à son descendant et lui donnait des préceptes de conduite. Le roi, ayant une attaque de goutte, ne put quitter les Tuileries.

À cette époque je commençai à m'occuper de l'établissement de mes forges; superbe entreprise, qui aujourd'hui fait la richesse du pays, après avoir causé ma ruine.

La manière de fabriquer des Anglais commençait à être connue. Les avantages qui en résultent m'ayant frappé, je résolus d'en faire jouir ma province. Des Anglais fabricants de machines, établis à Charenton, me persuadèrent qu'au moyen d'avances assez faibles je pouvais l'entreprendre, tandis que des bénéfices prompts et considérables m'en couvriraient promptement. La fabrication avec les cylindres et les fours à puddler emploie du charbon de terre. Un ingénieur anglais, nommé Holkroff, homme de beaucoup de talent, mais léger dans ses assertions, prétendit que le bois pouvait être employé à cet usage avec succès, en ayant fait lui-même l'expérience dans l'Amérique septentrionale. Je me décidai à me livrer à cette entreprise, après m'être assuré cependant qu'au pis aller il y avait possibilité de fabriquer encore avec bénéfice, si j'étais dans la nécessité d'employer le charbon de terre.

Le magnifique cours d'eau existant dans mon parc fut disposé en conséquence. De grandes difficultés étaient à vaincre. Elles furent surmontées, et j'obtins une chute de quinze pieds. Une roue en fer de vingt pieds de diamètre et d'un poids de quarante milliers, de la force de cent chevaux, fut établie comme moteur unique. Un grand étang factice donna à la forge une réserve d'eau, destinée à assurer un travail régulier dans les temps de sécheresse. Enfin une machine à vapeur de trente-six chevaux ajoutée comme supplément, et des cylindres propres à la fabrication des fers de tous les échantillons étant réunis, cet établissement, le plus grand qui existe en France, fut mis en activité en moins d'une année, et on put y fabriquer soixante mille livres de fer par vingt-quatre heures. D'anciennes petites forges furent supprimées et remplacées par de hauts fourneaux. J'en possédais un déjà, j'en achetai encore deux autres, en sorte que j'eus tous les moyens nécessaires pour alimenter la grande forge de ma fabrication.

Malgré tous mes soins et tous mes calculs, mille obstacles devaient contrarier le succès de cette grande entreprise. Les fers étant d'abord de mauvaise qualité, mes concurrents n'eurent point de peine à les discréditer. Quarante ouvriers anglais, appelés à grands frais, me coûtèrent des sommes énormes. Les maîtres des forges du pays se réunirent pour me faire payer à un prix exorbitant les bois vendus annuellement par l'État et dont l'emploi était nécessaire pour alimenter mes fourneaux.

Dans cette industrie nouvelle, il fallait faire l'éducation de tout le monde, à commencer par la mienne propre. Mes agents firent souvent des fautes qui tombèrent à ma charge. Je m'étais consacré au métier le plus pénible. Je passais dix-huit heures sur vingt-quatre à remplir les fonctions de commis de forge, et cependant des devoirs politiques, des devoirs de cour, me forçaient quelquefois à aller à Paris. D'un autre côté, le prix élevé des fers baissa et aggrava ma position. La fabrication avec du bois démontrée mauvaise, sinon impossible, avec la qualité et l'espèce des bois dont je pouvais disposer et leur prix, il fallut recourir à l'emploi du charbon de terre. Alors le canal de Bourgogne, qui sert aujourd'hui à le faire arriver, n'étant pas terminé, il revenait à un prix fort élevé.

La beauté de l'établissement, la lutte établie entre moi et les fabricants de fers de l'arrondissement, leur firent désirer la réunion de nos intérêts. Je souhaitais moi-même ardemment cette association. Aussi fut-elle conclue, mais à des conditions onéreuses pour moi. Cependant, si les prix des fers se fussent soutenus, tout aurait été surmonté; mais ils baissèrent constamment. Enfin, l'ambassade dont je fus chargé en Russie m'ayant rendu pendant cinq mois étranger à mes affaires, ma ruine fut complète.

Je luttai contre mon infortune avec un courage et une persévérance dignes d'un meilleur sort. Une forte volonté, jointe à un esprit actif et industrieux, peut beaucoup. J'avais commencé presque sans capitaux, et cependant mes affaires m'ont forcé souvent à faire des payements de trois cent mille francs dans un seul mois. J'ai pu pendant plusieurs années faire face à de pareilles obligations. Il a fallu de grands efforts pour y parvenir. Avec moins de ressources dans l'esprit et moins de ténacité dans le caractère, j'aurais été arrêté dès les premiers pas et je n'aurais pas été ruiné; mais souvent il arrive aussi, dans l'industrie, que la ruine vient de n'avoir pas voulu persévérer. Quand on est dans une bonne route, un caractère opiniâtre garantit le succès; mais, quand le point de départ est mauvais, et ici le vice se trouvait dans le manque de capitaux suffisants et l'obligation de recourir souvent à des emprunts usuraires, cette force de volonté est la cause infaillible d'une ruine complète; car chaque jour les obstacles augmentent. Plus on fait d'efforts pour les surmonter, plus en quelque sorte on les accroît; on les accumule et on les masse en quelque sorte devant soi, et il arrive un jour où on est écrasé: telle fut ma destinée.

Une révolution avait éclaté en Espagne le 1er janvier 1820. Des troupes accumulées sans solde à l'île de Léon, avec destination pour l'Amérique, destination qui les mécontentait, s'étaient insurgées et avaient donné le mouvement. Une mauvaise administration dans tout le royaume et une absence totale de pouvoir avaient merveilleusement préparé cette révolution. Le colonel Riégo sortit de l'île de Léon avec cinq cents hommes, parcourut toute l'Andalousie, et propagea partout l'insurrection. Cette révolution avait cependant si peu de racines dans la nation, qu'avec un peu de fermeté tout aurait pu être facilement comprimé. La faiblesse et les hésitations du roi Ferdinand lui donnèrent de la consistance. L'insurrection gagna du terrain et s'approcha de Madrid. Le roi envoya au-devant des révoltés le général O'Donnel, connu sous le nom du comte de l'Abisbal. Il devait les combattre; mais il se laissa entraîner et se réunit à eux avec ses troupes. Dès ce moment, Ferdinand se soumit, et la révolution prit une forme régulière. Les Cortès furent rassemblées, et le gouvernement réglé d'après les dispositions de la constitution de Cadix.

Cet événement, qui était funeste pour l'Espagne, n'était cas moins fâcheux pour nous. Un foyer de révolution, si près d'un pays rempli, comme le nôtre, de grands éléments de troubles, était quelque chose de menaçant. On fit un rassemblement de troupes sur la frontière, et l'on établit un cordon, sous le prétexte d'une maladie contagieuse qui venait de se déclarer en Espagne. Les dangers que présentait la nouvelle situation de la Péninsule furent complétés par une révolution du même genre opérée en Portugal.

Les diverses cours de l'Europe ne pouvaient rester indifférentes à des événements aussi graves. De là la réunion à Vérone des souverains et des chefs de leurs cabinets. On y résolut de porter assistance au roi Ferdinand, et la France, admise dans l'union de la sainte-alliance, fut chargée d'agir en son nom. Cette politique ne convenait pas à M. de Villèle. La France, à son avis, ne devait pas se mêler de ce qui se passait chez ses voisins. M. de Chateaubriand, en entrant au ministère, avait adopté les idées opposées, qui étaient aussi celles de l'empereur Alexandre. Il contribua puissamment à les faire exécuter. Aussi, après qu'un succès complet eut couronné cette entreprise, Alexandre voulut récompenser M. de Chateaubriand. Il lui envoya l'ordre de Saint-André, chose choquante; car, en agissant ainsi envers un ministre du roi de France, qui n'était pas le chef du cabinet, et dont la dissidence avec le président du conseil était connue, il faisait acte de gouvernement et allait sur les droits de Louis XVIII. Mais celui-ci n'osa pas s'y opposer. M. de Villèle, contre qui cet acte était dirigé, en fut furieux. Louis XVIII, pour le dédommager, lui donna l'ordre du Saint-Esprit. Dès ce moment, il y eut guerre entre ces deux ministres, guerre qui amena le renvoi brusque de M. de Chateaubriand, qui fut opéré d'une manière injurieuse. Ce fut là le principe et la cause de cette opposition ardente dans laquelle M. de Chateaubriand s'est jeté, et qui a été si hostile et si funeste à la monarchie. M. de Chateaubriand n'a que des intérêts et un amour-propre sans bornes. N'ayant point de principes fixes, point de doctrine ni de règle de conduite, il a concouru avec imprévoyance, mais avec ardeur, à la destruction d'un ordre de choses que ses mains débiles seront impuissantes à rétablir [17].

Note 17: (retour) J'ai connu plus tard les circonstances qui ont servi de prétexte au renvoi si brusque de M. de Chateaubriand et qui l'ont justifié. Les voici: M. de Chateaubriand était lié d'une manière intime avec une personne de la cour, qui est assez connue pour que je ne donne aucun détail sur elle. La fortune de cette dame étant dérangée, le désir de la rétablir lui donna l'idée d'une grande opération de bourse sur les fonds espagnols qui étaient tombés au plus vil prix. M. de Chateaubriand, sur sa demande, écrivit d'une manière impérative à M. le marquis de Talarue, ambassadeur de France à Madrid, pour qu'il eût à obtenir du roi la reconnaissance immédiate des anciens emprunts faits par les Cortès. Ferdinand, qui était d'un caractère naturellement opiniâtre, malgré l'injonction et les menaces qui accompagnaient cette demande, refusa de se soumettre, et, dans l'indignation que lui inspirait cet acte oppressif, s'adressa au roi Louis XVIII pour se plaindre. La démarche n'avait été ni décidée en conseil ni ordonnée par le roi, et celui-ci comprit la nécessité d'un désaveu formel et de la destitution de son ministre. Cette mesure, qui servait merveilleusement les passions et les intérêts de M. de Villèle, dont l'autorité ne rencontrerait plus alors d'opposition dans l'avenir, fut prise sans le moindre retard, sans aucune explication, et tellement, que M. de Chateaubriand l'apprit de la manière la plus inopinée, un jour de réception aux Tuileries, où il s'était rendu pour faire sa cour au roi. (*Note du duc de Raguse.*)

La guerre d'Espagne était une chose politique et raisonnable dans les circonstances où on était placé. Faire disparaître une révolution sur la frontière, mettre fin aux intrigues et aux déclamations qui l'accompagnaient, étaient choses prudentes. L'exécution devait en être facile, car cette révolution n'était soutenue que par une très-petite fraction du peuple. Sans aucune racine dans les masses, elle était combattue par toutes les hautes influences. La maison de Bourbon avait une bonne occasion de faire un essai de l'armée. Le baptême de sang est nécessaire à de nouveaux drapeaux, à de nouvelles couleurs; jusque-là des troupes n'offrent que peu de garantie. On avait senti la nécessité de s'attacher les chefs de l'armée; mais des faveurs gratuites produisent des effets tout autres que des faveurs méritées. Celle-ci apportent avec elles le sentiment des droits. On y a la conviction de la justice rendue et confiance dans les sentiments de bienveillance témoignés. L'armée désirait sincèrement mériter, et lui en offrir le moyen était d'une sage politique. Elle reçut en effet l'annonce de la guerre avec une grande joie.

Les mécontents avaient rêvé une défection parmi les troupes, et quelques centaines de réfugiés et de gens exaltés qui avaient passé la frontière vinrent planter le drapeau tricolore sur la rive espagnole de la Bidassoa. J'eus la douleur d'apprendre que Fabvier était avec eux. Exaspéré par le débordement de haine dont il avait été l'objet à l'occasion des affaires de Lyon, époque où il était encore animé de bons sentiments et avait de bonnes intentions, il avait fini par se jeter à corps perdu dans tout ce qu'il y avait de plus hostile au gouvernement. Il avait été l'un des principaux conspirateurs en août 1820, et, quoique acquitté par la Chambre des pairs, il avait vu avec joie une occasion de nuire. Il se réunit donc à cette poignée de Français qui se déclaraient les ennemis de leur pays et recommençaient, sans avoir un noble sentiment à présenter pour excuse ni un motif louable à faire valoir, la conduite des émigrés, trouvée autrefois par eux si criminelle. Fabvier, plus qu'un autre, était coupable; car il ne cessait jamais et à tout propos de professer sa haine contre les étrangers et la doctrine qu'il est criminel de combattre son pays. Il agissait en opposition avec ses principes au moment même où ses passions et ses intérêts l'y invitaient. Pauvre humanité!

Une armée de cent mille hommes, commandée par le duc d'Angoulême, fut organisée. Le duc de Bellune, alors ministre de la guerre, très-brave homme, bon et excellent soldat, du caractère le plus honorable, mais mauvais administrateur, donna des ordres assez confus, nullement appropriés aux besoins. Leur mauvaise exécution en fit ressortir particulièrement l'insuffisance. Les idées les plus bizarres se présentaient aux ministres et aux généraux. À les entendre, il semblait, en vérité, que la France n'eût jamais eu d'armée, et que personne ne connût l'art d'administrer.

On partait d'emporter des munitions de guerre à raison de huit cents cartouches par homme, tandis que le plus grand approvisionnement ne s'élève pas ordinairement au delà de cent, dont les deux tiers sont transportés par des attelages réguliers. On voulait transporter avec soi des fourrages pour la cavalerie, et que sais-je? on montrait une ignorance incroyable, et on faisait des projets et des raisonnements qui tenaient de la stupidité. Je dis au duc de Bellune et au général Bordesoulle qui m'en parlèrent: «Si l'on parvient à faire transporter à la suite de l'armée soixante cartouches par homme et du pain pour huit jours, on doit remercier le ciel, et je doute, ajoutai-je, que vos moyens puissent arriver jusque-là.»

Des approvisionnements se formaient; mais, au lieu d'avoir de la farine, on eut du blé, et les moyens de mouture des environs de Bayonne n'étaient pas en rapport avec les consommations. On plaça des magasins de fourrages sur un point, et on avait soin de diriger la cavalerie sur un autre. On omit de passer de bonne heure des marchés pour les transports, et de s'assurer ainsi des voitures et des mulets de la frontière. Enfin, au lieu de réunir l'armée d'abord sur les bords de la Garonne, dans des cantonnements larges, pour organiser les divisions et les en faire partir pour passer à jour fixe la frontière, on les accumula à Bayonne, où il y eut encombrement.

Les mesures de l'administration avaient été mal prises; elles avaient été surtout incomplètes. Cela parut au grand jour, mais ces torts furent singulièrement augmentés par les généraux placés près de M. le duc d'Angoulême et particulièrement le général Guilleminot, son major général, et le général Bordesoulle, investi de sa confiance. Ces généraux, qui auraient dû se considérer comme les sauvegardes de l'honneur de l'ancienne armée et prouver aux Bourbons, de toutes les manières, la confiance que méritaient ses chefs, spéculèrent sur l'ignorance de M. le duc d'Angoulême. On exagéra les besoins, et en même temps on présenta, pour sortir d'embarras, un spéculateur attentif, un homme habile, qui ne manque jamais aux grandes circonstances, et dont la prévoyance et l'esprit ne sont jamais en défaut. Ouvrard s'était emparé de tous les moyens de transport du pays, par des marchés passés d'avance, chose que l'administration militaire aurait pu faire comme lui, et il vint les offrir. C'était un secours pour l'expédition, mais non pas une nécessité.

Une armée en offensive ne peut vivre avec des magasins et des transports à sa suite que pendant peu de jours. Arrivée à quatre marches de distance, des réquisitions dans le pays traversé peuvent seules la faire subsister. On établit le contraire et l'on fit des marchés d'urgence avec Ouvrard. On le mit en possession de tous les magasins formés par le ministère, dont la valeur dépassait douze millions, et dont l'emploi ne pouvait être fait au profit de l'armée qui entrait en campagne et allait s'en éloigner immédiatement.

L'opinion publique en Espagne était favorable à l'expédition. Aussi, au moment où les troupes parurent, des vivres furent apportés de toutes parts. Ouvrard les fit d'abord payer comptant à un prix élevé. L'abondance fit baisser les prix et bientôt on ne paya plus qu'avec des bons. Cette opération, si simple en elle-même, aurait pu être faite par l'administration, car le trésor de l'armée regorgeait d'argent. En attachant à chaque division un agent de la trésorerie, en payant chaque jour les bons délivrés la veille, l'armée était assurée de ne manquer de rien, et le pays était content et satisfait.

Je le répète, la moindre réflexion démontre qu'une armée stationnée, ou en retraite, peut seule vivre par des magasins. Dans l'offensive, des ressources locales doivent satisfaire à ses besoins. Dans un pays ennemi, ces réquisitions sont faites comme impôt; en pays ami à titre d'avances. Dans la circonstance et ayant de l'argent, il fallait payer directement, et non au moyen d'un intermédiaire qui payait à vil prix ou ne payait pas, tandis que lui-même était payé à des prix exorbitants. Mais les entourages de M. le duc d'Angoulême n'y auraient pas trouvé leur compte. À la solde d'Ouvrard, et payés par lui pour fasciner les yeux de leur chef, ils ne négligèrent rien pour remplir cette tâche facile. Le prince fut donc trompé et dupe. On ne doit pas s'en étonner ni trop l'en blâmer; mais on peut lui reprocher d'avoir pris fait et cause pour les fripons qui l'entouraient avec une obstination incroyable, quand, la voix publique les avant accusés, le roi nomma une commission pour faire une enquête. Cette commission, composée des hommes les plus honorables et les plus capables de la Chambre des pairs, amena un résultat concluant. Les torts d'une administration prodigue et corrompue furent démontrés, et le duc d'Angoulême ne pardonna jamais au maréchal Macdonald, président de la commission, d'avoir fait connaître la vérité.

Les généraux Guilleminot et Bordesoulle furent poursuivis par l'opinion. On leur conseilla de demander à la Chambre des pairs d'être mis en jugement. Ils hésitèrent longtemps, craignant d'être pris au mot. Enfin, cette démarche ayant été faite, tout fut bientôt assoupi.

M. le duc d'Angoulême acquit de la popularité pendant cette campagne et montra un caractère qui l'honora. Le général Guilleminot ayant été choisi pour être son major général, le parti ultra-royaliste murmura. On voulut effrayer le prince par les opinions supposées à ce général, qu'on essaya même de compromettre. On fit partir par la diligence une malle remplie de cocardes tricolores, à l'adresse d'un de ses aides de camp. Cet envoi, qui fut dénoncé en même temps, et sans doute par ceux qui l'avaient fait, fut arrêté à la barrière. Grand éclat, grand scandale, grands cris; courrier expédié par le duc de Bellune pour faire arrêter cet officier; proposition de remplacer le général Guilleminot, et voyage du duc de Bellune à Bayonne dans l'intention d'être son successeur. M. le duc d'Angoulême vit le piége, et, il faut en convenir, le piége était grossier. Il dit que, puisque, quinze jours auparavant, on avait cru le général Guilleminot capable et digne de sa confiance, il devait en être de même encore en ce moment, et il avança l'officier contre lequel on avait dirigé cette misérable intrigue. Cette conduite sage et ferme éleva dans l'opinion M. le duc d'Angoulême et fit penser qu'on pouvait s'attacher à lui.

L'armée une fois en mouvement, ce prince se plaça au milieu des troupes, marcha à la tête des colonnes et se fit garder par les troupes de ligne, de préférence aux gardes du corps et à la garde royale. Enfin il fit à propos et noblement tout ce qui convenait pour se populariser.

On connaît cette campagne. Nulle part l'armée ne trouva la moindre résistance. On célébra beaucoup le premier coup de canon, tiré à la frontière contre un petit nombre de Français rassemblés autour du drapeau tricolore. L'on parla avec trop d'éloges d'une fidélité qui ne pouvait être mise en doute, en pareille circonstance. On eut l'air de mettre en parallèle cette dispersion de quelques centaines de pauvres diables sur un territoire étranger avec les événements de 1815 et la rencontre de Napoléon après son débarquement à Cannes, quand il se présentait lui-même à des troupes qui étaient peu de temps auparavant sous son autorité et qui étaient pleines de ses souvenirs. Le général Valin, commandant l'avant-garde, acquit en cette occasion une sorte de gloire. Les troupes constitutionnelles se retirèrent partout sans combattre. L'opération, au reste, fut bien conduite. On prit possession de Madrid. Maître de la capitale, M. le duc d'Angoulême organisa un gouvernement provisoire, une sorte de régence, qui, à peine établie, le contraria et rendit ses opérations difficiles. Il eût été sage de se déclarer lui-même régent, jusqu'au moment de la liberté du roi. Sa qualité de Bourbon lui donnait des droits particuliers à cette dignité. Il aurait ainsi évité des chocs scandaleux entre les troupes et ceux qu'elles avaient délivrés. Le parti persécuteur et avide qui faisait arrêter sous le plus frivole prétexte, et souvent dans le but unique d'avoir une rançon, n'aurait pas eu d'appui.

Les Cortès se réfugièrent à Cadix. On les y poursuivit. Les généraux Bordesoulle et Bourmont furent chargés du commandement des troupes dirigées sur ce point. À leur arrivée il était facile de s'emparer du fort du Trocadero, dont la possession donne le moyen d'approcher assez près de Cadix pour bombarder la ville; mais les Espagnols, revenus de leur première surprise, y mirent des troupes et l'armèrent. M. le duc d'Angoulême arriva avec des renforts, et on disposa tout pour attaquer ce poste, d'abord avec du canon et ensuite pour l'enlever de vive force. Cette entreprise réussit. Les troupes montrèrent de la valeur et entrèrent dans l'eau jusqu'aux épaules, sous le feu de l'ennemi. Quelque mauvaises que fussent les troupes espagnoles, l'entreprise était hardie, et le succès honore les soldats qui l'exécutèrent.

Une circonstance particulière marqua ce fait d'armes. Le prince de Carignan, déclaré héritier du trône de Sardaigne, le même qui, en 1821, avait été entraîné dans un mouvement politique coupable par des intrigues révolutionnaires, s'était décidé, pour expier ses torts, à venir en personne combattre la révolution d'Espagne. Il servait dans l'armée française comme volontaire. Il se plaça, lors du coup de main du Trocadero, avec les grenadiers de la colonne d'attaque, traversa le bras de mer au gué, soutenant, au moyen de sa haute taille et de sa main puissante, plusieurs officiers, qui, moins grands que lui, perdirent pied et étaient au moment de se noyer. Il parvint un des premiers sur les retranchements ennemis. Cette conduite énergique, qui honore celui qui en est l'auteur, éclaira sur-le-champ d'une auréole brillante les marches du trône sur lequel il devait s'asseoir un jour.

La prise du Trocadero fit combler de louanges M. le duc d'Angoulême. Il méritait certainement quelques éloges; mais les flatteurs le placèrent à la tête des grands capitaines. Ils dirent et répétèrent qu'il avait réussi là où Napoléon avait échoué, sottise dont la moindre réflexion fait voir l'absurdité. Il y eut une émulation incroyable parmi les flatteurs. Et M. de Chateaubriand fut un des premiers qui contribuèrent puissamment à enivrer M. le duc d'Angoulême, qui finit par se croire réellement un grand général. Il finit par s'imaginer qu'il avait fait la guerre, lorsqu'il n'avait fait que marcher contre des troupes qui se retiraient toujours à la seule vue de la poussière de sa cavalerie. Cela ressemblait plus à une chasse qu'à toute autre chose. Les récompenses furent prodiguées. Il était bon d'en donner quelques-unes; mais on ne mit aucune réserve dans leur distribution. Les intrigants furent encouragés. On faisait des récits solennels des moindres rencontres. L'on en vint jusqu'à rendre compte de prétendus combats, où pas un seul homme ne s'était trouvé, pour demander des grâces qui furent accordées.

Une fois le roi Ferdinand en liberté et replacé sur son trône, M. le duc d'Angoulême rentra en France, ramenant avec lui la plus grande partie de l'armée et ne laissant à Madrid qu'un corps d'occupation.

Je le répète, cette expédition fut bien conduite et elle mérite des éloges; mais aussi les difficultés étaient nulles. Elle fut un grand événement par l'esprit qu'elle donna aux troupes. Dès ce moment, les Bourbons eurent une armée. Pour peu qu'ils eussent gouverné avec sagesse, rien n'aurait pu les renverser. Leurs ennemis les plus ardents n'en concevaient alors ni la possibilité ni l'espérance.

Je ne veux pas quitter cet article de la guerre d'Espagne, en 1823, sans entrer dans quelques détails sur les intrigues de toute nature qui se sont liées à cet événement. L'expédition fut résolue, ainsi que je l'ai déjà dit, au congrès de Vérone, et la France fut chargée de l'exécuter au nom de toute l'Europe. Mais, l'opération à peine commencée, les fautes politiques d'un côté, et le mauvais vouloir de plusieurs de ceux qui l'avaient conseillée et demandée, semblaient créer à plaisir des obstacles à ses succès.

M. le duc d'Angoulême avait trois partis à prendre. Il pouvait traiter l'Espagne en pays conquis, ne fonder ses actes que sur les droits de la conquête, au titre de général de l'armée française, jusqu'au moment où Ferdinand, mis en liberté, serait remonté sur son trône et aurait repris les rênes du gouvernement.

Il pouvait aussi, en sa qualité de Bourbon, se déclarer régent pendant l'interrègne, et il pouvait enfin établir une régence composée de nationaux.

C'est à ce dernier parti qu'il s'est arrêté, et il était le plus mauvais; car c'était appeler, dans la mission sainte qui lui était donnée de rétablir l'ordre dans le pays, le concours des passions espagnoles, qui, aveugles et ardentes de leur nature, accompagnées toujours d'un fol orgueil, faisaient naître mille complications plus funestes les unes que les autres. Il arriva, ce qu'il aurait dû prévoir, que les mêmes Espagnols, que la Révolution avait matés et soumis, ne voulurent plus compter pour rien ceux qui venaient de leur rendre la liberté et sous l'appui desquels ils respiraient. Non-seulement ils ne montrèrent aucune déférence pour l'autorité française, mais encore ils devinrent une puissance rivale qui lutta contre elle avec la prétention de l'égalité. Ainsi les actes qu'une politique sage avait commandés, les traités sous l'empire desquels la pacification s'était opérée, et que le généralissime avait revêtus de son approbation, furent foulés aux pieds par les régents insensés.

Une nation, révoltée et en armes, capitule quand elle se soumet. Elle ne se rend pas à discrétion. Les armées qu'elle a levées ne peuvent pas être proscrites en masse. Si on veut la destruction de tout ce qui s'est soulevé, on éternise la guerre, dont les alliés libérateurs soutiennent seuls le poids. Enfin les questions capitales doivent être décidées par une politique sage et généreuse, et non par des passions populaires.

Il arriva cependant que la régence donna des ordres absolument opposés à ceux du duc d'Angoulême, et que ceux qui avaient mis bas les armes à la suite d'un traité et d'une amnistie régulière, comme les troupes de Ballesteros, furent poursuivies, incarcérées, dépouillées et fusillées. Bien plus, les passions politiques servirent souvent de masque à une cupidité honteuse; et tel individu ne fut arrêté que pour être mis à contribution quand on lui ouvrait les portes de sa prison.

Mais c'était une grande insulte faite à l'armée française, et ces fautes allaient ressusciter des troubles qu'il était important d'empêcher de naître. M. le duc d'Angoulême le sentit et se décida à rendre l'ordonnance d'Anduxar, devenue fort célèbre, contre laquelle quelques personnes ont beaucoup crié, mais qui était impérieusement commandée par la nécessité, la raison, la justice et la dignité de l'armée française.

Un de ceux qui l'ont le plus ouvertement critiquée est le prince de Metternich. En cela on peut supposer, avec quelque fondement, qu'il regrettait seulement de voir cesser une partie des embarras de l'armée française, et que, jaloux de ses succès, il voulait rendre sa tâche presque impossible. On en sera convaincu quand on saura qu'au commencement de l'expédition il avait décidé le roi de Naples à demander la régence pendant l'interrègne, et qu'il avait soutenu cette prétention de tout son pouvoir. Ainsi ce n'était pas assez, à leurs yeux, pour l'armée française, de rencontrer les obstacles de toute nature que le pays, l'esprit du peuple espagnol, ses passions, son ignorance et son orgueil insensé devaient lui créer à chaque pas, il fallait encore y ajouter ceux qui naîtraient de l'autorité et du concours d'un régent étranger à l'armée, ignorant les affaires du pays, et dont le pouvoir aurait été exercé par l'ambassadeur de Naples à Paris, le prince de Castelcicala, l'homme le plus intrigant et le plus brouillon qui fût jamais.

M. le duc d'Angoulême revint à Paris; il y fit une entrée solennelle. Toutes les troupes étaient sous les armes. Il vint trouver le roi, qui l'attendait aux Tuileries sur le balcon de l'horloge, du côté du jardin. Les troupes défilèrent. Étant de service à cette époque, c'est moi qui lui fis les honneurs de cette journée.

La santé de Louis XVIII allait, depuis une année, en décroissant d'une manière rapide. Tout faisait présager sa fin prochaine. L'affaiblissement de ses facultés et l'influence de madame du Cayla avaient contribué à mettre Monsieur dans les affaires. Ce prince finit par gouverner tout à fait, de manière qu'au moment où il monta sur le trône rien ne fut changé; et cependant il se manifestait des espérances vagues qu'une nouvelle direction allait être donnée à la marche du gouvernement.

La mort de Louis XVIII est un des spectacles les plus admirables dont j'aie jamais été témoin. Son courage, sa résignation, son calme, furent extraordinaires. Il envisagea sa fin sans inquiétude et sans terreur. Il la vit arriver sans montrer la moindre faiblesse. Je ne puis exprimer l'impression que je ressentis dans ce temps. Louis XVIII n'avait pas pour soutien les idées religieuses, si consolantes à l'heure suprême; il n'éprouvait pas cette foi vive qui créé des espérances au moment où tout est prêt à nous échapper. Il pratiquait régulièrement les devoirs de la religion, plus comme chose d'exemple et d'étiquette que comme un voeu de son coeur et une conviction de son esprit. Son affaiblissement progressif lui annonça, longtemps d'avance, l'approche du terme de sa vie. Cette vue si prodigieuse s'éteignait et lui faisait pressentir les ténèbres prêtes à succéder à la lumière. Il voulut être mis dans le secret de sa fin, et questionna Portal, son premier médecin. Il lui demanda si ses derniers moments seraient accompagnés de beaucoup de souffrances et d'un long séjour dans son lit. Portal refusa de répondre et rejeta bien loin l'idée de sa fin. Le roi insista et lui commanda de répondre, en ajoutant qu'il savait bien sa mort prochaine. Portal lui obéit et lui dit: «Sire, vous souffrirez peu et vous mourrez dans votre fauteuil si vous le voulez, et, dans tous les cas, vous resterez peu de temps dans votre lit.--Tant mieux, répondit le roi; je serai préservé des surplis de mon frère.» Réponse remarquable et qui indique les limites de sa croyance.

Ce pauvre roi s'affaissa graduellement, et au point d'avoir le corps courbé en cercle et le menton proche des genoux. Sa vie était presque éteinte. Malgré cet état de souffrance, il remplissait toujours les devoirs apparents de la royauté. Il reçut, le jour de la Saint-Louis, les visites d'usage. Ce spectacle faisait mal à voir. Quelle triste disposition pour célébrer sa fête! Le samedi, 11 septembre, il déjeuna encore avec nous, ou plutôt il vint à table occuper sa place accoutumée. On fit de grands efforts pour le relever assez pour lui faire avaler un verre de vin de liqueur. Ce jour-là fut le premier où il eut des moments d'absence. Je ne sais ce qu'il fit de désagréable à madame la duchesse d'Angoulême. Il revint à lui et, s'en étant aperçu, il lui dit, avec un calme admirable et une douceur angélique: «Ma nièce, quand on meurt, on ne sait pas bien ce qu'on fait.» Le même jour, madame du Cayla le vit pour la dernière fois, et elle ne sortit pas de son cabinet les mains vides. Elle lui présenta à signer un ordre d'acheter pour elle l'hôtel de Montmorency, situé sur le quai; et lui, aveugle et mourant, apposa au bas un trait informe, qui fut pris pour une signature régulière par M. le duc de Doudeauville, ministre de la maison du roi. Cet hôtel, immédiatement acheté et payé comptant au maréchal Mortier la somme de sept cent mille francs, devint la propriété de madame du Cayla.

Le roi répugnait à se mettre au lit. On l'y engagea fortement, et il répondit: «Ce sera l'avis officiel de ma fin prochaine; alors, jusqu'à ma mort, les spectacles seront fermés et la Bourse en férie. Tout sera suspendu: c'est une grande chose que la mort d'un roi de France. Il faut faire en sorte que le fardeau pèse le moins longtemps possible sur le peuple.» Il avait dit: «Je prévois aller jusqu'à jeudi; je pourrai encore tenir mon conseil le mercredi, et puis ensuite je partirai.» Le dimanche au soir cependant, il se coucha pour ne plus se relever. Le mardi, vers les deux heures après midi, on crut l'agonie arrivée, et tout le monde courut au château. Les prêtres, remplissant leur office, se mirent à réciter les prières des agonisants. Il reprit ses sens, et, ayant entendu l'un d'eux lui dire: «Sire, unissez-vous d'intention à nos prières,» il lui répondit: «Je ne croyais pas en être déjà là; mais, peu importe, continuez!» Sa vie se soutint encore pendant la journée et la nuit du mercredi. Le jeudi, à trois heures du matin, il expira. Il est impossible de ne pas admirer une fin si courageuse, si calme et si ferme. Il y a près de neuf ans, au moment où j'écris, que ce spectacle s'est offert à mes yeux, et j'en éprouve encore de l'émotion. Il n'est pas de grand homme dont la vie ne serait honorée par une semblable mort.

Tous les courtisans étaient rassemblés dans la galerie de Diane. La famille royale, les prêtres, les médecins et le service de chambre étaient seuls auprès du roi. Au moment où le médecin, qui tenait le bras de louis XVIII, eut déclaré qu'il avait cessé de vivre, madame la duchesse d'Angoulême se tourna vers Monsieur et le salua roi. Un moment après, le duc Charles de Damas vint, et, les larmes aux yeux, nous dit: «Messieurs, le roi est mort!» Peu de minutes après, le duc de Blacas sortit et dit: «Messieurs, le roi!» et Charles X parut. Sensation difficile à peindre que celle produite par cette double annonce en si peu de moments. Le nouveau roi fut entouré des charges, et tout, sauf la personne du roi, se trouva dans l'ordre accoutumé. Belle et grande pensée que celle de cette vie non interrompue du dépositaire de la souveraine puissance! Par cette fiction, il n'y a pas de lacune dans l'existence de ce pouvoir protecteur de la société, si nécessaire à sa conservation.

Le gouvernement était, par le fait, depuis plus d'une année, dans les mains de Monsieur. Ainsi le même ordre de choses devait continuer, et cependant il y avait du mouvement dans les figures; on voyait des espérances naître et des existences pâlir. Tout le monde accompagna le nouveau roi dans son appartement, au pavillon Marsan. Il fit connaître aux ministres qu'il les confirmait dans leurs fonctions. Chacun se retira et tout rentra dans l'ordre accoutumé.

Le roi alla s'établir à Saint-Cloud; là, il reçut les félicitations de tous les corps de l'État. Beaucoup de harangues lui furent adressées. Toutes renfermaient l'expression de l'amour public, et je crois qu'elles étaient sincères; mais l'amour du peuple est, de tous les amours, le plus fragile et le plus sujet à s'évanouir. Le roi répondit d'une manière admirable, avec à-propos, avec esprit et avec chaleur. Ses réponses, peut-être moins correctes que celles de Louis XVIII, avaient du mouvement et de l'âme; et il est si précieux d'entendre, chez ceux qui sont investis de la souveraine puissance, des choses qui partent du coeur, que Charles X eut un grand succès. Je l'écoutai avec soin, et j'admirai sincèrement cette facilité de varier son langage en parlant des mêmes sujets, et de modifier ses expressions suivant le degré d'éminence de l'autorité qui l'avait complimenté. Ainsi, au tribunal de première instance, à la cour royale et à la cour de cassation, on ne peut leur parler que de justice, et cependant la réponse adressée à l'un de ces tribunaux n'aurait pas convenu aux deux autres, tant la mesure était observée.

Les obsèques du roi eurent lieu suivant les formes de l'étiquette et les usages consacrés. Elles furent célébrées avec magnificence. Toutes les troupes qui étaient à portée furent réunies. M. le Dauphin fut chargé de mener le deuil. Chose remarquable! une discussion de prérogative et de droit s'étant élevée entre le grand aumônier et l'ordinaire, c'est-à-dire l'archevêque, il ne se trouva pas de prêtres dans le cortége funèbre du roi très-chrétien, dans le trajet du château des Tuileries à l'église de Saint-Denis.

Les restes du roi défunt forent déposés à Saint-Denis, dans une chapelle ardente. Pendant quinze jours chacun put s'y rendre pour prier. Enfin l'inhumation eut lieu. Cette cérémonie, dont les circonstances ont quelque chose de poétique et conservent encore l'empreinte du moyen âge, mérite d'être racontée avec détail.

Tout rappelle, dans cette occasion, l'origine des souverains, autrefois chefs militaires, menant les nations à la guerre et combattant à leur tête. Tout ce qui composait l'armure ou l'ornement de bataille d'un chevalier se trouvait réuni et était censé avoir été à l'usage personnel du roi. On y avait joint les symboles de la puissance publique. Ainsi, depuis les éperons jusqu'au heaume du roi, depuis sa lance jusqu'à l'épée de France et le drapeau de France, tout était porté par des individus de la cour, désignés à cet effet. Ces objets divers furent portés processionnellement dans le cortége. À une certaine époque de la cérémonie, le chef des hérauts d'armes appela successivement chaque individu en ces termes: «Monsieur le..., apportez les brassards (ou tout autre objet) du roi.» Celui qui en était chargé sortait de sa place, faisait huit révérences, et jetait dans le caveau ce dont il était porteur. Le drapeau du 1er régiment de la garde royale était placé entre mes mains.

Comme le pays ne meurt pas, deux insignes, destinés à représenter sa puissance, le drapeau et l'épée de France, sont appelés les derniers, s'inclinent sur la tombe sans y être précipités, et se relèvent après que le nouveau souverain a été proclamé aux cris de *Vive le roi!*

M. de Talleyrand portait le drapeau de France. J'ignore si sa charge de grand chambellan lui donnait cette prérogative. S'il en était autrement et s'il a été désigné par un choix spécial, on aurait pu le confier à quelqu'un qui aurait semblé mieux garantir sa conservation.

Cette cérémonie des funérailles d'un roi de France, dont peu de personnes vivantes avaient été témoins, eut un grand effet; car, quoiqu'elle soit éloignée de nos moeurs, elle a quelque chose de symbolique qui peint la société et indique les bases sur lesquelles elle est fondée. Un magnifique catafalque était placé dans l'élise; mais sa forme élégante et la nature de ses ornements ne rappelaient pas assez une cérémonie funèbre. Tels furent les derniers soins dont Louis XVIII fut l'objet.

CORRESPONDANCE ET DOCUMENTS

RELATIFS AU LIVRE VINGT-DEUXIÈME.

LYON EN 1817, PAR LE COLONEL FABVIER.

Ayant fait les fonctions de Chef d'État-Major du Lieutenant du Roi dans
les septieme et dix-neuvieme divisions militaires [18].

Note 18: (retour) Les événements de Lyon, quelque peu éloignés de nous par la date, sont tellement oubliés, que nos lecteurs seront sans doute bien aises d'en trouver une relation un peu plus étendue dans l'extrait que nous insérons ici. (*Note de l'Éditeur.*)

«... Les événements qui s'étaient passés à Lyon et dans quelques communes voisines, le 8 juin, avaient été présentés au gouvernement comme le résultat d'une conspiration aussi vaste dans son plan que grave dans son objet et atroce dans ses moyens.

«Il ne s'agissait de rien moins que de renverser le gouvernement après avoir immolé les autorités et livré au meurtre et au pillage la demeure de tous les vrais royalistes. Des bandes nombreuses, disait-on, étaient partout organisées; des armes leur avaient été distribuées; des sommes considérables consacrées à leur solde; elles avaient des chefs audacieux et entreprenants, et ce n'était là qu'une des ramifications d'un plan immense qui n'embrassait pas seulement les départements environnants, mais la France entière, qui se liait avec les mouvements de Lisbonne, avec la révolution de Fernambouc.

«Cependant on apprenait, par les rapports mêmes, que ces bandes nombreuses n'avaient paru nulle part. Vingt gendarmes et quelques chasseurs des Pyrénées avaient suffi pour maintenir le calme ou pour le rétablir partout où il avait été un instant troublé; la ville de Lyon n'avait été témoin d'aucun mouvement, aucun membre du prétendu comité directeur n'avait été arrêté; quelques malheureux paysans avaient été seuls surpris dans leurs villages, s'agitant sans chef et sans but déterminé.

«Le gouvernement dut s'étonner en comparant de pareils résultats avec les suppositions qu'on vient de lire sur l'importance, la réalité et les causes du mouvement. Ses doutes s'augmentèrent à l'arrivée des documents officiels envoyés par un fonctionnaire dont le dévouement à la cause royale avait été prouvé d'une manière éclatante dans des circonstances difficiles.

«Mais ce témoignage isolé ne pouvait effacer les assertions unanimes des autres autorités. Celles-ci donnaient d'ailleurs, chaque jour, un nouveau poids à leurs accusations en dénonçant de nouveaux complots, en se disant sur la trace d'autres conspirateurs, en multipliant les arrestations. La cour prévôtale venait encore jeter dans la balance le poids de ses arrêts sanguinaires; le fatal tombereau parcourait lentement les communes qui entourent Lyon; au moment même où la hache faisait tomber les têtes de quelques malheureux, elle menaçait les jours d'un plus grand nombre; des horreurs sans cesse renaissantes semblaient ainsi destinées à couvrir les traces des premières horreurs, et la vérité devenait à chaque instant plus difficile à découvrir.

«Toutefois, au milieu des incertitudes où le jetaient des avis discordants, le gouvernement apprenait que le département du Rhône était livré à la plus grande terreur; que des soldats égarés traitaient les paisibles citoyens des campagnes comme les habitants d'une ville prise d'assaut; que les agents des autorités leur livraient une guerre plus terrible encore, et qu'il était à craindre que bientôt, lasse de sa résignation, la population, réellement révoltée, ne se fît elle-même justice de tous les excès dont elle était victime.

«C'est au milieu de ces graves circonstances que le maréchal duc de Raguse a été envoyé dans les septième et dix-neuvième divisions, avec les titres et les pouvoirs de lieutenant du roi. Il arriva le 3 septembre à Lyon.

«Il éprouva d'abord, pour connaître la vérité, les mêmes embarras qui avaient arrêté le gouvernement. Les principales autorités fournissaient des relations si uniformes, elles paraissaient encore si alarmées des dangers terribles qu'elles avaient conjurés, disaient-elles; elles citaient un si grand nombre de faits, se prévalaient de tant de révélations, se louaient si vivement de leur dévouement et de leur énergie, attaquaient enfin le témoignage et l'opinion du fonctionnaire qui s'élevait contre elles par des imputations si graves en apparence, qu'il fallut croire un moment que la conspiration n'était que trop réelle, que la France leur devait des actions de grâce, et que tout le mal qu'elles avaient fait avait été un mal nécessaire.

«Mais, à mesure qu'il lui fut permis de sortir du cercle étroit dans lequel il avait été renfermé pendant les premiers jours; lorsqu'il eut donné accès auprès de lui à tout ce que Lyon offrait de citoyens respectables par leur fortune, leurs lumières, leur industrie, leur caractère ou leur conduite, la situation terrible de cette ville et les événements qui l'y avaient plongée s'offrirait à lui sous un jour bien différent. Il s'imposa alors l'obligation de tout voir par lui-même: les nombreuses procédures de la cour prévôtale furent déroulées et examinées avec soin; tous ceux qui pouvaient donner des renseignements utiles furent interrogés. Il ne tarda pas ainsi à se mettre au courant de ce qui se passait encore, à apprendre ce qui s'était fait avant son arrivée, et bientôt le rapprochement du présent et du passé présenta d'abord la pénible conviction que des ennemis du repos de la France, abusant sans doute de la faiblesse et de l'erreur des principaux chefs de l'autorité, s'étaient emparés du pouvoir et qu'ils s'en servaient pour livrer à la plus étrange persécution tout ce qui ne partageait ni leurs principes ni leurs intérêts.

«La ville de Lyon et les communes qui l'entourent avaient vu renaître pour elles le régime de 1793. Comme alors, les hommes qui avaient le pouvoir proclamaient que la terreur seule pouvait le faire respecter, et n'agissaient que trop bien en conséquence de ce principe; comme alors, la haine avait pris la place de la justice, et tous les moyens paraissaient légitimes pour écraser ceux qu'on regardait comme des ennemis. Dans ces derniers temps, on ne frappait les victimes qu'après les avoir trompées, et la violence n'était que le dernier terme des combinaisons les plus révoltantes.

«Une foule d'agents parcouraient la ville et les campagnes, s'introduisaient dans les cabarets et jusque dans les maisons particulières, y prenaient le rôle d'un mécontent, exhalaient les plaintes les plus vives contre l'autorité, annonçaient des changements, des révolutions, et, s'ils arrachaient un signe d'approbation à de malheureux citoyens pressés par la misère ou tourmentés par mille vexations, ils s'empressaient d'aller les dénoncer et recueillir te prix de leurs infâmes stratagèmes.

«Les procédures de la cour prévôtale ont attesté l'emploi de ces moyens odieux; mais l'excès même avec lequel on s'y livrait les a bientôt rendus publics. Chacune des autorités ayant ses moyens de police à part, à chaque instant ces vils instruments se rencontraient sans se connaître, s'attaquaient avec une égale ardeur, et bientôt le moins diligent, dénoncé par l'autre, expiait un moment sous les verrous son infamie. Il fallait alors décliner sa mission: l'autorité intervenait pour réclamer son agent; le prisonnier disparaissait et allait ailleurs chercher une nouvelle proie ou préparer un nouveau scandale.

«À l'aide de ces nombreux délateurs, les prisons regorgeaient de victimes entassées avec un tel désordre, que la lecture seule des registres d'écrou prouvait à quel point était porté le mépris des lois et de l'humanité. Indépendamment de celles que la procédure ordinaire plaçait sous la main de la cour prévôtale, on voyait encore dans les caves de l'hôtel de ville des centaines de malheureux, victimes de vaines terreurs ou de funestes conseils; et là, ces malheureux, privés de tous soins comme de tout secours, attendaient des mois entiers la faveur d'être interrogés; et tel, qui ne l'a été qu'au bout de quatre-vingt-deux jours, a fini par être acquitté. L'arbitraire était porté dans toutes les parties de l'administration. Les autorités municipales prenaient des arrêtés contraires aux lois et condamnaient à l'emprisonnement pour des faits qu'aucune loi ne considère comme des délits.

«Un aussi funeste exemple ne pouvait manquer d'être suivi par les maires des communes rurales: aussi voyait-on plusieurs de ces fonctionnaires, oubliant leurs devoirs et méprisant toutes les lois, administrer leurs communes d'après leurs passions, imposer des amendes, des corvées, et tel d'entre eux, pour satisfaire sa haine, disposer des propriétés particulières sur le plus vain prétexte, et, par les insultes les plus graves, exciter le mécontentement de ses administrés.

«Lorsque les magistrats s'abandonnaient ainsi à leurs passions sans réserve et sans pudeur, il est facile de pressentir à quels excès se livreraient ceux qui étaient appelés à exécuter leurs ordres.

«Des colonnes mobiles parcouraient les campagnes, imposaient arbitrairement telle commune à leur fournir, non pas seulement des vivres qui ne leur étaient pas dus, mais des effets d'habillement.

«Des détachements chargés de protéger de cruelles exécutions ont ajouté à l'horreur de ce spectacle, en insultant, en maltraitant les femmes et les enfants que la terreur n'avait pas fait fuir de leur domicile, l'épouse qu'on venait de rendre veuve, la mère dont on venait de frapper l'enfant.

«Et, lorsqu'un cri d'indignation générale a forcé de livrer les coupables à la sévérité des lois, elles n'ont pu les atteindre, et c'est la terreur qu'ils avaient répandue qui assurait leur impunité [19].

Note 19: (retour) Le capitaine Darillon, qui commandait à Saint-Genis-Laval le détachement dont je viens de rappeler la conduite, acquitté par le conseil de guerre, était resté dans les rangs de son régiment, malgré les instantes demandes du corps d'officiers, et ce n'est que quelques jours après l'arrivée de M. le maréchal de Raguse qu'on a obtenu son renvoi.

Condamné en l'an XI comme parricide, le sieur Darillon s'était réfugié en Espagne, d'où il est rentré en France, à la suite de l'armée anglaise, en 1814.

«Ce n'était pas seulement au milieu des campagnes que les lois et l'humanité, plus respectable encore, étaient foulées aux pieds par des hommes indignes de porter l'habit de soldat; au milieu même de la ville de Lyon, sous les yeux de leurs chefs, ils prodiguaient l'insulte et l'outrage.

«Pendant notre séjour dans cette ville, un soldat, placé en sentinelle près d'une prison, lâche son coup de fusil à bout portant sur un malheureux qui, à travers les barreaux de sa fenêtre, leur reprochait les attentats de Saint-Genis-Laval. Au bruit de l'explosion la garde accourt, et, sans attendre l'ordre de son chef, fait feu sur les infortunés qui s'empressaient autour de leur camarade mourant. Deux sont blessés à ses côtés; l'officier du poste, traduit devant un conseil de guerre avec les soldats, a invoqué pour leur défense l'usage suivi jusqu'alors. Jusqu'à présent, disait-il, on a tiré dans les prisons presque journellement. Et cette horrible justification, qui n'eût dû servir qu'à livrer à la justice d'autres coupables, a suffi pour sauver ceux-ci [20]. En vain les nombreuses irrégularités de ce jugement ont été dénoncées au conseil de révision; on n'en a retiré que la triste certitude que, dans l'état où se trouvaient les choses à Lyon, ce n'était plus la justice impartiale, mais l'aveugle et féroce esprit de parti qui départissait les peines et les absolutions, et nous verrons bientôt si les arrêts de la cour prévôtale étaient faits pour affaiblir cette conviction.

Note 20: (retour) En effet, on a appris que, depuis six semaines, la même chose était arrivée quatre fois, et qu'un détenu avait été tué roide à la prison de Roanne, sans qu'on eût fait aucune recherche.

Le jugement repose sur une prétendue consigne verbale que le lieutenant général commandant la division disait avoir retirée, et que plusieurs chefs de ce poste déclarent cependant avoir reçue.

«Ici je néglige une foule de détails qui ajouteraient à l'horreur de la situation de cette malheureuse contrée à l'époque de l'arrivée du maréchal. Je ne parle pas des patrouilles commandées et volontaires parcourant la ville à chaque instant du jour et de la nuit, après avoir chargé publiquement leurs armes. Je ne dis pas que chaque jour, depuis un an, des visites domiciliaires, exécutées avec plus de brutalité qu'on ne peut en supposer, allaient répandre l'effroi dans les asiles les plus respectables, dans les familles les plus honorées. Je ne rends pas compte des circonstances du désarmement opéré; je ne dis pas que tel habitant, après avoir abandonné les armes qu'il avait réellement, était obligé d'en aller acheter un plus grand nombre pour les livrer encore, parce qu'il avait plu aux agents de l'autorité de fixer la quantité qu'il était présumé posséder. Je ne dis pas que la persécution contre les officiers à demi-solde avait été poussée à l'excès le plus inconcevable; que, dans certaines communes, ils avaient reçu l'ordre de déposer jusqu'à leurs épées; que nulle part ils ne pouvaient se présenter en uniforme, ni paraître au spectacle et au café plus de deux ensemble sans s'exposer à être insultés et dénoncés.

«Il serait trop long aussi de raconter les destitutions pour cause d'opinion, de parler des femmes et des enfants jetés dans les cachots pour les forcer à indiquer l'asile de leur époux et de leur père.

«Le tableau révoltant dont je viens de tracer une légère ébauche devait bien faciliter l'explication des véritables causes de l'événement qui avait servi de prétexte à d'aussi terribles représailles. En voyant des magistrats se livrer tout entiers à l'esprit de persécution dans un moment où le besoin de concilier et de ramener les coeurs se faisait si vivement sentir, n'était-il pas naturel de soupçonner ou leur témoignage ou leur jugement à propos des faits sur lesquels la persécution était fondée.

«L'examen de ces faits eux-mêmes vint bientôt renforcer ces soupçons. Je crois qu'il est difficile de les connaître et de douter encore.

«Il est à remarquer qu'antérieurement au 8 juin, toutes les fois que des bruits de conspiration ont circulé, que des agitations sont devenues probables, des agents des autorités ont été arrêtés comme fauteurs de ces bruits ou de ces mouvements.

«Cette observation est justifiée par ce qui s'est passé à l'époque de la prétendue conspiration du 22 octobre 1816. Il fut alors constaté que le révélateur n'était autre chose qu'un agent de la police militaire, et qu'il avait lui-même organisé le complot par lui dénoncé.

«Aux mois de novembre et de décembre c'étaient encore des instruments de la même autorité qui fomentaient des troubles.

«Au mois de février, l'agitation devînt plus sensible, parce que la misère sans cesse croissante de la classe ouvrière les rendait plus susceptibles de recevoir les impressions funestes qu'on cherchait à leur faire prendre. C'est dès cette époque qu'on entendit parler d'enrôlements secrets.

«Le lieutenant de police fit alors arrêter plusieurs individus qui lui étaient signalés comme coupables de ces menées. Parmi eux se trouva le nommé Brunet, ancien facteur de la poste. Il ne nia pas la part qu'il avait prise aux enrôlements; mais il fut réclamé comme agent de police militaire, et à ce titre mis en liberté.

«Au mois de mai, ce fut le sieur Cormeau, capitaine de l'ex-garde, qui fut pris en flagrant délit. Mais, comme le sieur Brunet, il déclara qu'il n'avait fait qu'exécuter les ordres de l'autorité supérieure.

«Ce qui est remarquable, c'est qu'à chacune de ces époques l'arrestation de ces divers agents ne manquait jamais d'être suivie d'un calme profond, comme pour mieux attester que l'agitation était leur ouvrage.

«Nous voici arrivés au 8 juin. Je supprime une foule de détails pour n'offrir ici que les faits les plus importants.

«Voyons d'abord par quels effets s'est manifesté ce complot immense qui devait, ce jour-là, éclater à la fois dans Lyon et dans toutes les communes environnantes; entraîner sur cette ville la population presque entière des campagnes, armée et enrégimentée, pour s'y réunir avec des bandes non moins nombreuses, qui s'étaient déjà réparti les divers postes qu'il s'agissait d'enlever en plein jour en bravant une garnison nombreuse et dévouée aux ordres de ses chefs.

«Il est constant que Lyon n'a pas été témoin, le 8 juin, de la plus légère tentative. Pas un seul homme n'a été arrêté les armes à la main. Un ouvrier a été saisi à la barrière, se dirigeant hors de la ville et portant des cartouches; mais cet homme a affirmé sur-le-champ que le sac qui les contenait, à son insu, venait de lui être confié, une minute auparavant, par un individu qui devait le reprendre une minute après; mais la barrière par laquelle il sortait ne conduisait à aucune des communes en révolte, et enfin, dans aucun cas, cette circonstance n'empêcherait de conclure que la ville est restée étrangère au mouvement dans lequel elle devait jouer un si grand rôle.

«Qu'est-il arrivé dans les campagnes? Des communes qui entourent Lyon, onze seulement ont entendu sonner le tocsin, et, sur ces onze, quatre sont placées précisément à l'opposé des autres, et, par conséquent, à une distance qui ne leur permettrait ni de se réunir ni de se secourir mutuellement.

«Et combien d'hommes croit-on que le tocsin ait rassemblés dans ces onze communes? Deux cent cinquante en tout, parmi lesquels soixante seulement étaient bien ou mal armés, mais sans munitions, et dont un grand nombre est accouru avec des seaux, croyant être appelé pour éteindre un incendie [21].

Note 21: (retour) Ceux de Millery.

«Cette faible troupe a-t-elle du moins cherché à se réunir et s'est-elle dirigée sur Lyon? Deux communes seulement ont vu quelques-uns de leurs habitants sortir du territoire; partout ailleurs on s'est tumultueusement assemblé dans l'intérieur des villages pour se disperser après quelques cris séditieux et quelques voies de fait qui n'ont coûté la vie à personne.

«Tous ces faits sont constatés par les procédures dirigées contre ces malheureux par la cour prévôtale.

«Ce simple aperçu suffirait peut-être pour nous montrer cette prétendue conspiration comme la suite des combinaisons perfides, heureusement déjouées au mois d'octobre, au mois de novembre, au mois de février, au mois de mai précédents. Ne semblerait-il pas, en effet, que tout avait été disposé de manière à fournir un prétexte à la haine, un levier à l'ambition, sans faire cependant courir de danger réel aux spéculateurs?

«Mais ces considérations déjà si puissantes ne prennent-elles pas plus de poids encore lorsqu'on rapproche de ces faits quelques circonstances non moins remarquables; lorsque l'on considère que, d'après leur propre aveu, les autorités étaient instruites depuis plusieurs jours, et surtout dès le 7 juin, que le complot devait éclater le lendemain au soir; et cependant, ni le 7 juin ni le 8 au matin, il n'a été pris de leur part aucune mesure pour prévenir le mouvement des campagnes.

«Lorsqu'on trouve encore, parmi les plus ardents moteurs de l'émeute, des agents de l'autorité;

«Lorsqu'on voit que le nommé Brunet, le même homme qui, arrêté au mois de février comme coupable d'enrôlement séditieux, avait été mis en liberté en qualité d'agent de police militaire, à été saisi de nouveau comme l'un des hommes qui avait prêché l'insurrection avec le plus d'audace; lorsqu'on sait que ce misérable, relâché bientôt après par un ordre du prévôt, arrêté de nouveau par celui du lieutenant de police, a été définitivement élargi d'après une déclaration écrite d'un adjudant de place, portant que Brunet n'a rien fait que par ses ordres;

«Lorsqu'il est constant que presque tous ceux qui avaient affecté de se mettre à la tête du mouvement ont disparu sans qu'on ait fait aucune démarche pour faire tomber sur eux les rigueurs dont on a accablé les malheureux paysans qu'ils avaient égarés ou trompés;

«Lorsqu'on voit les événements qui ont suivi le 8 juin empreints du même caractère que ceux qui l'ont précédé.

«Le gouvernement, on s'en souvient, averti par les rapports du lieutenant de police, avait manifesté quelques doutes sur les causes et l'importance du complot. Si, dès lors, le calme eût subitement succédé au court orage qui venait de gronder pendant quelques heures dans quelques communes rurales, il eût été difficile d'échapper à la manifestation de la vérité. On sentit le besoin de le faire gronder encore pour convaincre de sa réalité, et il faut convenir qu'il y a lieu de s'étonner qu'une semblable conduite n'ait pas rendu ce département le théâtre d'une épouvantable catastrophe.

«Si l'on se rappelle, en effet, les horreurs commises, les actes arbitraires, les vexations, les insultes dont on a accablé une population généreuse; si l'on fait attention que ces persécutions frappaient des hommes que la stagnation du commerce, que la misère, qu'une administration malfaisante, excitaient au mécontentement; si l'on considère qu'avant l'arrivée du maréchal ces hommes semblaient abandonnés par le gouvernement lui-même, mal instruit des faits, à la haine de leurs ennemis et ne pouvaient attendre leur délivrance que de leur désespoir, pourrait-on assez admirer leur longanimité, assez louer le sacrifice généreux qu'ils ont fait pendant si longtemps de leurs trop justes ressentiments?

«Eh bien, pour se faire une idée de cette admirable conduite, il faut connaître les piéges affreux qu'on a semés partout sous les pas de ceux dont on avait exaspéré les esprits.

«Le moyen le plus fréquemment employé, et le plus dangereux sans doute, était d'indiquer des points de ralliement, de répandre le bruit d'une conspiration générale, de placer à sa tête des généraux renommés par leur bravoure et par la haine qu'on leur suppose contre le gouvernement actuel.

«Dès la fin du mois de juin, on entendit répéter partout que les mécontents, désespérés de n'avoir pu se réunir le 8 juin, allaient tenter une nouvelle attaque. On annonçait surtout, pour un jour fixe, un mouvement à Tarare et dans les communes environnantes; les forêts voisines recélaient, disait-on, un grand nombre de révoltés: un agent du gouvernement, qui a visité cette forêt dans le plus grand détail, n'y a trouvé que deux mendiants et un vagabond.

«Un nommé Fiévée, dit Champagne, est arrêté comme l'un des provocateurs de ces troubles; il avoue qu'il a reçu une mission d'un particulier connu.

«À l'instant les bruits cessent, et Tarare est tranquille.

«Quelques jours après, des bruits plus intenses circulent dans la ville et dans les campagnes; c'est décidément le 25 août que les révolutionnaires ont assigné pour se livrer au massacre et au pillage, et renverser le gouvernement. Le nommé Blanc, arrêté au moment où il se rendait à Villefranche, pour y suivre des opérations, se déclare agent de l'autorité. Sur son carnet étaient inscrits comme conspirateurs dix-huit habitants des plus respectables de Villefranche, avec lesquels il prétendait avoir assisté à une réunion séditieuse; interrogé et confronté, il avoue qu'il n'en a vu aucun, et que ces noms lui ont été fournis chez un fonctionnaire public de cette ville.

«Le bruit de cette prétendue insurrection était tellement répandu, que, la veille du jour fixé, plus de six mille habitants sortirent de Lyon, pour fuir les dangers dont cette ville leur paraissait menacée.

«Toutefois tout fut tranquille le 25 août, comme les jours précédents. C'est peu de jours après que le maréchal duc de Raguse arriva à Lyon: il y a paru sans troupes, n'y a fait aucune menace, aucune démonstration militaire; et depuis lors, non-seulement il n'y a pas eu le plus léger mouvement, mais aucun bruit alarmant n'a désormais circulé. Cette circonstance ne semble-t-elle pas faite pour achever de démontrer que le repos de cette contrée n'eût jamais été troublé, si l'autorité y avait été constamment entre les mains d'hommes capables de résister à toutes les tentations, à toutes les passions, pour veiller courageusement à l'exécution des lois, premier intérêt et première volonté du roi.

«Je n'ai pas parlé encore de tous les moyens employés pour essayer de tromper le gouvernement et la France sur l'intensité du mal que l'on prétendait avoir arrêté, sur la gravité des dangers dont on se vantait d'avoir sauvé le royaume.

«Il me reste à jeter un coup d'oeil sur le plus déplorable, sur le plus odieux de tous ces moyens, parce qu'il a entraîné des malheurs irréparables, parce que la justice elle-même en est devenue complice, et que des malheureux ont succombé dans le sanctuaire même où l'indépendance et les lumières des magistrats semblaient leur promettre et protection et justice.

«Il devenait essentiel, pour ceux qui avaient proclamé l'existence d'un atroce et immense complot, que les malheureux, de l'ignorance et de la misère desquels on avait abusé, fussent jugés avec la plus grande rigueur. La gravité des peines et le nombre des condamnés parurent un moyen puissant de faire croire à la gravité du crime et au grand nombre des coupables. Par une fatalité que je ne cherche point à expliquer, la cour prévôtale n'a que trop bien servi cette odieuse combinaison.

«On remarque d'abord le soin qu'elle a mis à diviser en onze procédures différentes ce qui ne devait évidemment faire l'objet que d'une seule, d'après le propre système de l'accusation. En effet, bien que les mouvements eussent eu lieu dans diverses communes, ils avaient éclaté le même jour et à la même heure, et dépendait, disait-on, d'un seul et même complot.

«Or cette division insolite et illégale n'a pas seulement eu l'effet de prolonger pendant quatre mois la terreur que devaient répandre l'instruction, les arrêts et les exécutions qui en étaient la suite; elle a encore fourni, pour augmenter le nombre des victimes, un prétexte qu'une seule et même procédure eût sans doute fait disparaître.

«Vainement les auteurs du Code pénal, cédant à un sentiment d'humanité et de justice et aux leçons de la prudence, avaient prescrit de ne frapper, et même de ne poursuivre que les auteurs et les chefs, soit qu'il s'agisse d'une association de malfaiteurs, soit qu'il s'agisse de punir un attroupement séditieux. (Articles 100, 267 et 292.)

«Vainement ici les procédures elles-mêmes attestaient-elles que les auteurs ou directeurs vrais ou apparents du complot étaient contumaces; que les infortunés qui gémissaient aux pieds de la cour prévôtale n'étaient presque tous que de misérables paysans, qui s'étaient assemblés en tumulte au bruit du tocsin et s'étaient dissipés, peu d'heures après s'être réunis, sans avoir reçu les armes qui leur avaient été promises, sans avoir vu les chefs qui devaient se mettre à leur tête, et enfin sans avoir fait la plus légère tentative pour exécuter le plan qu'on leur supposait.

«La cour prévôtale, cédant sans doute à l'erreur, mais à l'erreur la plus cruelle et la plus déplorable, a fait passer sur la fatale sellette, à l'aide de ses onze procédures, cent cinquante-cinq accusés, dont cent vingt-deux présents; et, dans ce nombre, le plus considérable peut-être qu'aucune procédure criminelle ait jamais traîné devant les tribunaux, chose horrible à dire! presque aucun n'a échappé à une peine plus ou moins grave. Vingt-huit ont été condamnés à la mort; six aux travaux forcés; trente-quatre à la déportation; quarante-deux à un emprisonnement plus ou moins long, et les autres soumis à une longue surveillance et à un cautionnement qu'ils sont hors d'état de fournir.

«Ainsi, sur un attroupement qui n'a pas excédé deux cent cinquante hommes, et dont soixante seulement étaient armés, plus de cent dix auront été condamnés comme auteurs ou comme chefs de la sédition [22].

Note 22: (retour) Dans une seule commune, Amberieux, dix-neuf sont désignés comme ayant rempli des emplois.

«Et, de tous ces malheureux, un seul a fait résistance à la force publique en blessant un gendarme qui allait le frapper. Tous les autres ont fui désarmés avant que quelques cavaliers, envoyés à leur poursuite, eussent eu le temps de les atteindre; et ceux qui, dans un premier moment de terreur, avaient cherché un refuge dans les bois étaient sortis de cet asile, se fiant aux proclamations et aux promesses, qui étaient faites par leurs maires et par leurs curés, d'un pardon généreux.

«C'est dans ces circonstances, c'est au mépris de la double garantie qu'offraient à ces hommes égarés et l'indulgence de la loi et la parole de leurs magistrats et de leurs pasteurs, que cent cinquante familles sont plongées dans le deuil, dans la misère et dans la désolation.

«Cet aperçu est révoltant sans doute; il serait facile de le rendre plus révoltant encore, en offrant ici le tableau des irrégularités graves et nombreuses qui ont signalé et l'instruction et les arrêts. On eût dit que la justice et la loi, indignées, avaient refusé, dans cette circonstance, et leurs formes et leur langage. L'accusation, vaguement conçue, était toujours suivie d'une non moins vague condamnation. Souvent même la condamnation supposait un attentat dont l'accusation n'avait pas parlé. En un mot, les arrêts ne ressemblaient que trop souvent à ces jugements en masse qui nous rappellent une si terrible époque, et dans lesquels le seul point important était qu'ils continssent le nom des victimes.

«La douzième procédure n'était pas encore terminée lors de l'arrivée du maréchal dans la dix-neuvième division. Celle-ci était destinée à faire justice des coupables qui pouvaient appartenir à la ville de Lyon.

«L'instruction durait depuis quatre mois, et rien n'annonçait encore le jour du jugement. Le maréchal demanda les causes de ce retard extraordinaire et fâcheux; on ne put en donner de satisfaisantes. Il insista pour qu'il fût mis un terme à l'horrible agonie des malheureux que la hache menaçait encore et à l'épouvante que la contrée entière éprouvait. Il l'obtint avec peine.

«Le résultat a prouvé que la cour prévôtale n'avait pas épuisé ses rigueurs. Mais la procédure est venue confirmer, ce qui était devenu déjà si évident, que l'insurrection qui avait eu lieu ne tenait nullement à ce plan vaste et combiné qu'on avait supposé; qu'il n'y avait parmi les insurgés aucun but arrêté; les uns croyant s'armer pour rétablir Napoléon, d'autres pour le prince d'Orange, ceux-ci pour la république, ceux-là contre les étrangers; qu'il n'existait ni bandes organisées, ni dépôt d'armes, ni chefs connus, ni sommes distribuées [23]; que les séditieux n'ont su qu'entreprendre, et n'ont rien entrepris; elle a prouvé enfin que l'insurrection était l'ouvrage de quelques misérables, ardents à compromettre par les bruits mensongers, par de fausses espérances et par des menées criminelles, tous ceux que leur faiblesse, leur mécontentement et leurs besoins rendaient plus susceptibles d'être leurs dupes.

Note 23: (retour) Si ce n'est environ mille francs, sur lesquels le sieur Barbier, révélateur, a réservé pour lui huit cent vingt et un francs.

«Mais ce qui en résulte de plus remarquable encore, c'est l'indice des étrange moyens employés pour parvenir à ajouter au témoignage des espions le témoignage de quelques-unes de leurs malheureuses victimes.

«Cinq accusés, Vernay, Coindre, Caffe, Gaudet et Geibel, avaient, dans leurs interrogatoires écrits, compromis diverses personnes; dans les débats ils ont désavoué, comme d'horribles mensonges, les déclarations qui les mettaient à l'abri de la justice et de la vengeance, et protesté qu'elles leur avaient été arrachées par des menaces atroces, par l'espérance que ces révélations les feraient acquitter; plusieurs même ont protesté qu'on avait écrit ce qu'ils n'avaient pas dit dans leurs interrogatoires, subis à la mairie. L'un d'eux surtout, le nommé Vernay, qui, condamné à la peine de mort par contumace, avait été surpris dans son asile, et se trouvait réduit à lutter contre une première condamnation, épouvanté par sa position, par le sort de tant de malheureux, avait perdu la raison et adopté aveuglément toutes les fables dont on avait cru avoir besoin pour donner quelque crédit au système d'accusation.

«Arrivé devant la cour prévôtale, en présence d'un nombreux auditoire, ce malheureux balbutia d'abord quelques mots dans le sens de ses prétendues révélations; mais bientôt, cédant à ses remords et au cri de sa conscience, il ne veut plus d'un salut qui lui coûte un parjure, et, subissant l'entraînement que fait naître presque toujours une inspiration généreuse, il s'écrie, avec cet accent que le mensonge n'imite pas: «J'atteste ce Christ, qui est devant mes yeux, que ce que j'ai dit n'est pas la vérité; on m'y a forcé par les plus terribles menaces. Je vous eusse accusé vous-même, monsieur le président, si on l'eût exigé. Me voilà à votre disposition; vous pouvez me faire mourir, je le sais; mais j'aime mieux mourir sans honte et sans remords que de vivre déshonoré par le mensonge et la calomnie: quand vous voudrez, je suis prêt.»

«Nous autres spectateurs de ce débat, nous nous souviendrons longtemps de la profonde émotion que fit naître ce désaveu noble et touchant. Il ne désarma pas les juges de Vernay: ils condamnèrent ce malheureux au dernier supplice, pour n'avoir pas persisté dans sa prétendue révélation. À côté de lui, Barbier, Volozan et Bitternay, qui s'avouaient chef du complot, furent acquittés comme révélateurs.

«Je me hâte d'ajouter que la cour prévôtale, sans doute subjuguée elle-même par cette scène touchante, crut devoir surseoir à l'exécution de son arrêt et que Vernay a sur-le-champ obtenu sa grâce.

«Ici se terminent enfin les opérations de la cour prévôtale, relatives aux événements du 8 juin. En parcourant cette esquisse rapide, le lecteur ne verra que trop bien que les actes de l'autorité judiciaire ne sont pas faits pour changer ou affaiblir l'opinion qu'on a recueillie de l'examen des faits; il peut connaître maintenant la nature des événements dont la France a été un instant la dupe, et le département du Rhône la déplorable victime.

«Après avoir essayé de donner une idée des malheurs qui ont accablé cette contrée, de l'état de trouble et d'angoisse dans lequel elle était plongée, il me reste à dire ce qui a été fait pour arrêter le mal et prévenir celui qui était encore à craindre.

«Les premiers soins du maréchal ont été de faire cesser l'arbitraire et de rendre aux lois la force qu'elles avaient perdue; de faire tous ses efforts pour rapprocher ce qu'on avait affecté d'isoler, calmer les esprits qu'on avait exaspérés, former des réunions faites pour représenter la ville, et non une faction, rendre à tous une justice égale, tendre aux malheureux une main secourable.

«Il a fallu ensuite inspirer aux persécuteurs une crainte utile, donner quelque satisfaction aux persécutés; pour cela, huit maires ont été suspendus de leurs fonctions [24], et six officiers ont été renvoyés. Le gouvernement a sanctionné ces mesures. Les maires ont été définitivement révoqués [25], et les six officiers renvoyés dans leurs foyers.

Note 24: (retour) Deux de ceux qui ont signé la pétition adressée à la Chambre des députés avaient chacun deux mairies à la fois. On leur a laissé celle des communes où ils avaient leur résidence; le troisième réside à Lyon, où son état de médecin le fixe toute l'année.

Note 25: (retour) On a feint de craindre une réaction dangereuse pour ces maires révoqués. Deux rapports officiels ont été demandés sur cet objet; tous deux ont prouvé que les craintes étaient mal fondées: les lois protègent ces messieurs comme elles auraient dû protéger leurs administrés.

«Il n'en a pas coûté davantage pour rétablir le calme; de nouvelles autorités le maintiennent, et se feront bénir par une population paisible.

«Tous les condamnés à moins de cinq ans ont eu leur grâce entière; ceux à plus de cinq ans ont été remis à un an; ceux à la déportation à trois ans, ainsi que ceux condamnés aux travaux forcés; la peine de Vernay a été commuée en dix ans de prison.

«Toutes les amendes ont été remises, et c'est un bienfait qui touche plus de cinq cents habitants.»

À SON EXCELLENCE, MONSIEUR LE DUC DE RICHELIEU

PRESIDENT DU CONSEIL DES MINISTRES.

«Monsieur le duc,

«Vous vous rappellerez sans doute les sentiments pénibles que j'éprouvai il a quelques mois, lorsqu'au retour d'une mission toute pacifique les passions se déchaînèrent contre moi, quoique les résultats les plus évidents et les plus salutaires attestassent à la France entière et les intentions paternelles de Sa Majesté en me chargeant de cette mission, et le but de mes efforts. Je pus mépriser les écrits obscurs qui furent répandus contre moi; je dédaignai même de répondre aux sorties violentes qui retentirent dans la Chambre des députés; j'avais pour moi l'approbation publique et solennelle du roi, le sentiment d'avoir bien fait, et l'ardeur de mes amis à me défendre et à fixer l'opinion sur les circonstances qui caractérisent les événements qui ont momentanément troublé la paix de la seconde ville du royaume. Aujourd'hui que la résolution généreuse que prit dans le temps le colonel Fabvier est un motif d'accusation contre lui; aujourd'hui que l'on veut mettre en question la véracité de ses récits, lorsque ses récits lui ont été inspirés par son amour du bien public et son attachement pour moi, je dois prendre la parole, et par mon assertion y ajouter tout le poids que je puis leur donner.

«Les rapports que vous avez reçus de moi, monsieur le duc, lorsque toute la vérité m'a été connue, établissent tous les faits dont le colonel Fabvier a publié le tableau. Tout ce qu'il a écrit peut être justifié, et, si jamais une enquête faite avec courage et impartialité constate aux yeux de la France ce qui s'est passé dans ce malheureux pays, on verra que de choses il aurait pu dire encore; et vous savez, monsieur le duc, que ce n'est pas la première fois que j'exprime le voeu de cette enquête. Beaucoup de gens ont paru blâmer les révélations faites par le colonel Fabvier, et ceux-là mêmes n'avaient pas trouvé mauvais des attaques injustes. Singulier privilége que celui qui autoriserait l'attaque et proscrirait la défense!

«On s'est récrié contre la censure qui a été faite des actes d'un tribunal malheureusement trop célèbre. Je sais le respect que l'on doit à la chose jugée; mais, lorsque les lois sont impuissantes pour réparer les iniquités, il faut que l'opinion en fasse justice, qu'elles lui soient signalées afin d'en prévenir le retour: ainsi, loin qu'il soit contraire aux intérêts de la société de montrer au grand jour ce triste monument des passions des hommes, cette manifestation est conforme aux devoirs d'un bon citoyen, et certes ce serait assumer la durée de leurs déplorables effets que de les enfouir au centre de la terre, comme certaines gens en ont exprimé le désir avec tant de candeur.

«On a prétendu que c'était attenter à la dignité du gouvernement, que de signaler la coupable conduite de ses agents. L'honneur du gouvernement n'est pas dans l'impunité de ceux qu'il emploie. L'homme qui, revêtu d'un pouvoir, en use dans un but différent de celui pour lequel il lui a été confié, l'homme qui en tolère un emploi condamnable, l'un et l'autre sont coupables. Dépositaires d'une portion de l'autorité royale, de cette autorité protectrice et salutaire à l'ombre de laquelle reposent les citoyens, ils sont responsables du mal qu'ils ont fait comme du mal qu'ils n'ont pas empêché; le dépôt qu'ils ont entre les mains est un trésor dont le bon emploi intéresse autant et plus encore le souverain que les citoyens; car, si la victime d'une injustice est blessée dans ses droits, le souverain est menacé dans le premier de ses biens, dans l'affection de ses peuples... Et quelle épouvantable conséquence ne résulte-t-il pas de la conduite d'agents faibles ou passionnés, de représenter aux yeux du peuple entier celui qui est dépositaire de la toute-puissance comme incapable de protéger, et de représenter au prince le peuple que des souffrances ont blessé, comme son ennemi, quand au fond dur coeur ce peuple ne demandait pour prix de sa fidélité et de son dévouement que la protection qu'il était en droit d'exiger, protection qu'il était également dans l'intérêt, dans les devoirs et dans les sentiments du monarque de lui accorder?

«Pour combattre les assertions du colonel Fabvier, le général Canuel se prévaut du dédommagement très-léger que je demandais en sa faveur, en même temps que j'insistais sur la nécessité de son changement; il ne devait voir dans ma conduite que mon impartialité et les incertitudes que j'éprouvais encore. La vérité ne se montre qu'avec lenteur au grand jour, et celui qui la cherche de bonne foi la contemple souvent pendant longtemps avant de la reconnaître. Ce n'est que plus tard que j'ai acquis les lumières qui ont fixé d'une manière absolue mon opinion sur les événements de Lyon. Le général Canuel attaque en calomnie le colonel Fabvier; il doit me comprendre dans son accusation, car je déclare ici solennellement que l'écrit qu'il attaque ne renferme que la vérité. Au surplus, si le général Canuel appelle devant les tribunaux tous ceux qui professent hautement la même opinion, il y fera comparaître la France presque entière.

«Je vous demande pardon, monsieur le duc, de la publicité que je donne à cette lettre; vous rendrez justice au motif qui me décide, et vous êtes trop familier avec les sentiments d'honneur et de délicatesse pour ne pas l'approuver.

«Je prie Votre Excellence de recevoir l'assurance de ma haute considération.

«LE MARÉCHAL, DUC DE RAGUSE.

«Châtillon-sur-Seine, le 1er juillet 1818.»

NOTE DU DUC DE RAGUSE SUR LES ÉVÉNEMENTS DE LYON
ADRESSEE AUX MEMBRES DE LA CHAMBRE DES DEPUTES.

«On vient de rendre compte à la Chambre des députés d'une pétition signée par trois maires du département du Rhône qui réclament contre les dispositions qui les révoquent. Les conclusions de la commission, adoptées par la Chambre, en ont fait justice et pourraient me dispenser de donner des explications à cet égard. Cependant, comme il est étrange que des individus placés dans leur position osent appeler l'attention publique sur eux, et comme le profond silence qui a été gardé sur les événements de Lyon pourrait donner de la consistance à ces libelles répandus chaque jour pour égarer les esprits, je sens qu'il est de mon devoir de donner, sinon un détail complet de ce qui s'est passé, ce serait dépasser les bornes que je me suis prescrites, et d'autres s'en chargeront bientôt; mais au moins je veux soulever assez le voile pour que l'opinion publique puisse enfin se fixer.

«Je commencerai d'abord par répondre à la pétition des maires; j'entrerai ensuite en matière.

«La pétition est signée par MM. Henri Destournelles, Durand et Figurey.

«M. Destournelles était tout à la fois maire du faubourg de la Guillotière et de la commune de Saint-Didier au Mont-d'Or. Il lui était impossible de remplir cette double fonction; je lui ai ôté la mairie qui était loin de sa résidence.

«M. Durand était également maire de deux communes, celle de Neuville et celle de Fleurieux. Il ne pouvait pas occuper deux mairies ensemble; je lui ai ôté celle de Neuville, et cet acte a paru un grand bienfait aux habitants, qui en ont témoigné hautement toute leur joie.

«M. Figurey est un médecin qui passe sa vie à Lyon, et qui cependant avait été nommé maire de Brignais. Les occupations de son état l'empêchaient de remplir ses fonctions municipales, et notamment le 8 juin il s'est bien gardé de se rendre à son poste pour y faire respecter l'autorité du roi.

«Tels sont les individus et les circonstances qui servent de prétexte à une pétition présentée contre un prétendu abus de pouvoir. Voyons maintenant ce qui s'est passé à Lyon.

«Je n'ai pas le projet de repousser des injures; mais je sens le besoin de prendre la défense de Français que l'on signale à la haine de leurs concitoyens sans qu'ils l'aient méritée. L'exposé de quelques faits préparera les esprits à la connaissance de tristes vérités, et il sera prouvé un jour que cette ville qu'on se plaît présenter comme un foyer de troubles et de révoltes a éprouvé tous les maux que les malheurs de notre époque et l'esprit de persécution de quelques individus pouvaient réunir sur elle, sans que la masse de sa population ait cessé d'être résignée, fidèle, amie de l'ordre et de la paix.

«J'arrivai à Lyon le 3 septembre, muni des pouvoirs les plus étendus pour les circonstances les plus extraordinaires. Je ne vis d'abord que les autorités. Toutes s'accordaient dans leurs récits. À les entendre, le danger avait été immense; on devait le salut de la ville et de la France à leur énergie; le peuple était comprimé par la terreur militaire, malgré le nombre et la fureur des factieux; leurs combinaisons embrassaient, disait-on, le monde entier, et les révolutions de Lisbonne et de Fernambouc, d'accord avec celle de Lyon, en étaient la conséquence. Depuis le 8 juin, on n'avait cessé de prédire des mouvements pour les jours fixes: le 25 août avait été désigné pour une insurrection générale; la tranquillité ne fut pas troublée, mais la terreur avait été si vive, que, suivant le rapport de M. le maire de Lyon, six mille personnes en étaient sorties l'avant-veille.

«Par suite de ces inquiétudes, fondées ou imaginaires, les autorités prenaient, sans s'inquiéter des lois, les précautions que leur inspiraient leurs craintes ou tout autre motif. Ainsi les troupes faisaient le service le plus actif et les patrouilles les plus rigoureuses, auxquelles se joignaient encore des hommes de bonne volonté, choisis particulièrement pour ce service. Les espions des différentes polices organisées dans Lyon se croisaient dans les ateliers et les cabarets; les prisons étaient remplies sans qu'on songeât à exécuter les articles peu nombreux des lois qui veillent aux droits et à la santé des détenus. Les rapports des diverses autorités au gouvernement s'accordaient dans leurs éloges réciproques et dans les plans de conspiration qu'ils prétendaient découvrir. Les agents subalternes imitaient ce zèle. Ainsi chaque citoyen était exposé à l'action illégale d'une foule d'agents plus ou moins insolents; des visites domiciliaires se faisaient arbitrairement depuis un an par des officiers, des commissaires, etc., sans qu'on observât aucune des formalités voulues par les lois; des espions, qui ne trouvaient pas matière à montrer leur zèle et à gagner leur argent, cherchaient à organiser des troubles; lorsqu'un d'eux était tombé dans les filets de quelque autre, il était réclamé par une autorité qui l'avouait, et il sortait de prison pour aller opérer ailleurs. Le spectacle, les lieux publics, avaient été abandonnés par les citoyens opprimés. Les officiers en non-activité étaient principalement l'objet de toutes les persécutions, de toutes les embûches, de toutes les humiliations; dans quelques communes, on voulut même, lors du désarmement, les forcer à déposer leurs épées à la mairie!

«Le maire de Lyon avait fait jeter dans les cachots et entasser dans les caves de l'hôtel de ville plus de deux cents personnes, et tel individu, ainsi qu'il a été prouvé par les débats devant la cour prévôtale, est resté quatre-vingt-deux jours au secret sans être interrogé, et cependant a fini par être acquitté. Plus de vingt personnes, qui n'étaient accusées d'aucun délit, avaient été également arrêtées d'après ses ordres, et dans l'objet seul de les forcer à dire où étaient leurs parents ou leurs amis, leurs pères mêmes!

«Le même magistrat présidait un tribunal que la loi ne connaît pas et condamnait à des amendes et à la prison.

«Les campagnes éprouvaient aussi des vexations sans nombre et presque incroyables. Des rapports officiels que j'ai entre les mains, font connaître que tel ou tel maire a imposé les corvées les plus pénibles aux habitants de sa commune, sans autres règles que son caprice ou sa haine, dégradé, sous de vains prétextes, les propriétés de ceux de ses administrés qui avaient encouru sa disgrâce, imposé des amendes et levé des contributions sans y être autorisé et sans en rendre compte; que tels ou tels autres, qui se prétendent royalistes, ont défendu de fêter la Saint-Louis, et ont requis la gendarmerie pour dissiper, ce jour-là, des danses paisibles, par opposition, sans doute, à l'esprit de sagesse, de modération et d'équité qui anime le roi.

«Partout enfin la terreur et la tristesse étaient peintes sur tous les visages, et les gens sages voyaient qu'une semblable conduite amènerait une insurrection réelle et une catastrophe.

«Telle était la situation de Lyon à l'époque de mon arrivée.

«Après quelques visites et des revues, je réunis chez moi toutes les sociétés, rompues depuis longtemps. J'invitai toutes les administrations, des officiers de chaque régiment, quelques officiers en non-activité, et les principaux négociants et fabricants sur la liste qui me fut fournie par le maire.

«Pendant la première soirée, un de mes aides de camp remarqua un factionnaire qui, placé sur le quai, repoussait au loin les habitants qui passaient sous la croisée. L'officier, interrogé sur cette consigne, que personne n'avait donnée, répondit: «Oh! les habitants sont si méchants, que, si on les laissait approcher, ils jetteraient des pierres dans les croisées.» On fit retirer cet homme, et bientôt le quai fut couvert de curieux, sans qu'on entendît d'autre bruit que quelques cris de *Vive le roi!* en signe d'un commencement d'espérance.

«Un dernier trait, ajouté à ceux que j'ai déjà cités plus haut, achèvera de faire connaître jusqu'à quel point était porté le système de terreur militaire adopté par les autorités.

«Peu de jours après mon arrivée à Lyon, quelques prisonniers, détenus à la maison de Saint-Joseph, se prennent de dispute avec le factionnaire placé à l'extérieur. La querelle s'échauffe; le soldat se prétend insulté: il fait feu; la garde sort; on tire encore deux coups de fusil: trois prisonniers sont grièvement blessés, et le concierge manque être tué lui-même. Et c'est sur l'*usage* que l'officier prétend s'excuser! «Jusque-là, dit-il dans son rapport, on a tiré presque journellement.» Effectivement, l'enquête qui fut faite prouva que, antérieurement, dans trois circonstances différentes, on avait tiré, et qu'une fois un prisonnier avait été tué roide sur la place.

«Je fis mettre au conseil de guerre l'officier et les soldats qui avaient fait feu. Ils furent acquittés. Le procureur du roi appela de ce jugement au conseil de révision, et, quoique la procédure offrît de nombreuses omissions dans les formalités exigées par la loi, quoique le jugement lui-même fût entaché d'une cause de nullité, il fut confirmé par le conseil de révision. J'avais fait ce que j'avais pu pour qu'un pareil attentat ne demeurât pas impuni. On peut voir le jugement à la suite de cette note; on y lira qu'il suppose qu'une consigne existait qui ordonnait de tirer sur les prisonniers qui se montreraient à travers les barreaux de leurs croisées.

«Je pourrais ajouter d'étranges choses à ce tableau; mais cela me paraît superflu. Je ne puis cependant m'empêcher de parler des travaux de la cour prévôtale; ses travaux expirent, et je me restreindrai autant que possible.

«Un mouvement insurrectionnel éclate le 8 juin, mouvement prévu et annoncé. Le tocsin sonne dans onze communes. À ce signal, calcul fait sur les lieux, deux cent cinquante à trois cents individus se réunissent, chacun dans leur commune. Un certain nombre accourt avec des seaux, ainsi qu'il a été prouvé par les débats, croyant arriver à un incendie. Sur les deux cent cinquante, à peine soixante étaient armés; aucun d'eux n'avait de munitions. De ces deux cent cinquante individus, cent cinquante-cinq ont été mis en jugement, presque tous condamnés, dont vingt-huit à mort, parmi lesquels onze ont été exécutés. Un enfant de seize ans perd la vie pour avoir fait une menace que cependant il n'a pas exécutée. Les dispositions du Code qui sont favorables aux accusés sont violées ouvertement, et la procédure est conduite de telle manière, que les individus qui sont condamnés le plus justement le sont cependant d'une manière illégale. Cette malheureuse procédure dure cinq mois, et pendant cinq mois la terreur règne partout.

«Telle est, en peu de mots, l'histoire de la cour prévôtale de Lyon; mais le roi, dont la justice est toujours là pour tout réparer, dont la bonté est inépuisable pour pardonner, vient de rendre un grand nombre de ces malheureux à la société et d'adoucir beaucoup le sort de ceux auxquels il ne pouvait pas entièrement faire grâce.

«Tel est, je le répète, le tableau fidèle de ce qui s'est passé à Lyon. J'ai trouvé ce pays dans un état d'agitation extrême, chacun croyant marcher sur un volcan. Je n'ai point amené de troupes avec moi, je n'ai point fait de dispositions qui pussent en imposer, et, du jour de l'arrivée de l'envoyé du roi, la tranquillité a été rétablie et n'a pas cessé un instant de régner; et, quoique les dispositions qui, dans mon opinion, doivent en assurer la durée n'aient pas été complétement prises, il est probable qu'elle ne sera plus troublée. Ce qui s'est passé avant et depuis mon arrivée suffit pour expliquer à tout esprit clairvoyant la cause des troubles et le moyen de maintenir le calme et la paix chez une population qui ne demande que repos et protection.

«Les actes que j'ai faits dans ma mission se bornent à la révocation de quelques maires, devenue indispensable; au renvoi de six officiers, dont la conduite avait provoqué cet acte de sévérité, et à la mise en jugement, et, par suite, la condamnation de deux gendarmes qui avaient laissé échapper un prisonnier. J'ai réclamé partout l'exécution des lois, fermé le tribunal arbitraire présidé par le maire de Lyon, envoyé les détenus devant leurs juges naturels, et, pénétré de l'esprit qui anime le roi et de l'importance des devoirs qui m'étaient imposé, j'ai mis toute l'énergie dont j'étais capable à assurer le règne de la justice. Pas un seul individu n'a été arbitrairement arrêté par mes ordres, mais j'ai fait élargir ceux qui étaient détenus illégalement. Enfin, je suis parvenu à rétablir l'empire des lois, premier besoin des hommes qui vivent en société, et garantie de leur repos et de leur bonheur. Plus les passions seront déchaînées contre moi, et mieux je sentirai le bonheur, je dirai presque le mérite d'avoir rendu la paix à une si nombreuse population, à la seconde ville du royaume, à ce foyer si admirable de notre industrie.»

PIÈCES RELATIVES À L'AFFAIRE DE LYON.

NOTICE DES ARRETS DE LA COUR PREVOTALE DU DEPARTEMENT DU RHONE, A L'OCCASION DES EVENEMENTS DU MOIS DE JUIN 1817; ET MOTIFS DE LETTRES DE GRACE ET DE CONTESTATION DE PEINES POUR LA PLUPART DES ACCUSES QU'ELLE A CONDAMNES.

«La ville de Lyon et le département du Rhône ont prouvé leur amour pour les lois et leur disposition à la tranquillité, par la longue patience qu'ils ont montrée dans l'état d'oppression et de persécution où ils ont gémi pendant longtemps, et la richesse de ce pays garantit suffisamment l'éloignement qu'il doit avoir pour l'anarchie, et son attachement pour l'ordre.

«Les mouvements qui se sont fait sentir au mois de juin dernier, sur deux points du département, dans dix ou douze communes, ne démentent point ce bon esprit: conçus sans aucun but fixe, sans plan déterminé, sans aucuns moyens d'exécution, par un petit nombre d'obscurs perturbateurs, ils ne furent, pour la plupart des habitants qui y ont pris part, paysans grossiers, pauvres et crédules, que le fruit d'une surprise.

«Ce n'est pas sans étonnement que les hommes non prévenus ont entendu répéter jusqu'à satiété, par une certaine faction, que ces passagères et vagues agitations avaient mis l'État et le trône en danger. La moindre attention aux moyens employés pour les produire, au peu de suites qu'elles eurent, à l'impuissance et au petit nombre des insensés qui avaient rêvé un mouvement, aurait suffi pour dissiper toutes ces illusions si elles avaient été de bonne foi.

«Il est certain que, dans toutes les communes où il y a eu de l'agitation, on avait commencé par sonner inopinément la cloche d'alarme, signal accoutumé des incendies, bien certain qu'on était de voir accourir aussitôt, comme dans un piége, la foule des curieux et des oisifs, avec celle des bons habitants qui croiraient voler au secours de leurs voisins. À cet appel inattendu même des officiers municipaux, comme les débats l'ont constaté, on accourut en effet de toute part. À Millery surtout on vit beaucoup d'habitants se présenter sur la place avec des seaux; ceux d'Irigny accoururent à Saint-Genis où le tocsin se faisait aussi entendre, mais isolément ou par petits groupes et presque tous sans armes; la même cause produisit ailleurs de semblables effets.

«Lorsque ces rassemblements furent formés, des chefs plus ou moins audacieux, comme l'a dit le procureur du roi, cherchèrent, soit par des menaces, soit par de fallacieuses illusions à égarer, à entraîner la multitude, ce qui prouve qu'elle n'était ni instruite ni complice des desseins des agitateurs.

«Ces fourberies, ces menaces, ont été constatées par tous les débats et même par un grand nombre de déclarations écrites; elles étaient de nature à intimider une population ignorante et grossière, façonnée par état à l'obéissance et à la servitude; toutefois elles eurent peu de succès. M. le procureur du roi l'a dit lui-même: «on ne put faire en chaque endroit que de fort légères recrues [26] parmi les propriétaires;» il n'y eut qu'un petit nombre d'hommes appartenant aux dernières classes de la société, les vrais prolétaires, qui se laissèrent entraîner: circonstance qui diminue beaucoup encore l'importance qu'on a voulu donner au mouvement.

Note 26: (retour) Il est constant que deux cent cinquante personnes au plus ont pris part aux rassemblements, et que, dans ce nombre, il n'y eut pas soixante ou soixante-dix hommes de réellement armés, et la plupart sans munitions.

«Dans le fait, que se passa-t-il? la populace fit ce que fait toujours en pareil cas une populace déchaînée: elle commit çà et là quelques excès en pillant dans quatre ou cinq maisons des boissons, des comestibles, des effets mobiliers; elle insulta ou arrêta trois curés, trois ou quatre maires et autant de gardes champêtres; elle enleva dans quelques lieux le drapeau blanc; plusieurs reprirent la cocarde tricolore; d'autres firent entendre des cris de *Vive l'Empereur!* À Millery, la nuit se passa à combattre entre le maire des Cent-Jours et le nouveau maire, pour la conservation ou la conquête du fauteuil municipal; mais nulle part on ne vit aucun corps organisé, formé en bande proprement dite; nulle part il n'y eut un seul officier nommé; nulle part on ne forma aucune entreprise; ni l'on ne se mit en marche régulière contre Lyon; tout se passa en vaines agitations, sans but, sans plan et sans moyens, comme on l'a déjà dit.

«Telle est l'histoire très-fidèle de tous les événements des 8 et 9 juin: elle est constatée par les déclarations écrites des témoins, par les débats des audiences, par les arrêts mêmes de la cour prévôtale; un seul coup de pistolet fut tiré dans les douze communes; tout le bruit ne fut, comme l'a dit encore M. le procureur du roi, «qu'un court orage que nos campagnes entendirent gronder. Il ne fallut que diriger quelques brigades de gendarmerie, quelques détachements de chasseurs sur les divers points menacés... Et, à la fin du jour, la plupart de ces bandes étaient presque de toutes parts rompues, fugitives et dispersées.» Le lendemain, à six heures du matin, tout était rentré dans l'ordre.

«Voilà ce qu'on a présenté à la France et à l'Europe comme un attentat qui avait compromis les destinées du royaume. Ce n'est pas seulement l'ambition de quelques hommes en place qui s'est livrée à ces exagérations pour surprendre les faveurs du prince, une faction trop connue, celle des ultra-royalistes, en a fait encore son point d'appui pour décrier le roi, son gouvernement et ses principes, pour diffamer le ministère et ses intentions, pour rejeter sur les débris épars de l'armée les fautes de quelques militaires en retraite. C'est cette faction qui, affectant de confondre tous les royalistes constitutionnels et soumis, c'est-à-dire la masse du peuple français, avec une poignée d'obscurs séditieux, se félicitait avec une joie barbare d'un événement qui lui semblait devoir ruiner à son profit le système politique adopté par le roi et ses ministres.

«C'est dans ces circonstances que la cour prévôtale a tiré son glaive.

«Appelée spécialement, par la loi de son institution, à poursuivre et punir toute réunion séditieuse, elle ne fit que son devoir en procédant contre les coupables.

«Mais ce devoir avait sa mesure et ses bornes tracées par la politique et l'humanité non moins que par les lois, et c'est ce qu'elle ne comprit pas.

«En général, lorsqu'il s'agit de crimes commis par la multitude, la raison d'État demande une grande circonspection. L'utilité publique, qui est la première mesure des peines, veut quelquefois qu'on fasse grâce à cause des conjonctures des temps et des lieux; il est des cas où le vrai magistrat, reculant, effrayé comme la loi elle-même, devant un trop grand nombre de coupables, renonce à punir comme il le pourrait, ou ne frappe qu'à demi, de peur qu'une justice trop sévère ne ressemblât à une vengeance, et les supplices à une réaction.

«Cette modération est surtout nécessaire après une grande révolution: «Quand une république, suivant le langage de Montesquieu, et l'on sait que ce nom ici signifie toute espèce d'État; quand une république est parvenue à détruire ceux qui voulaient la renverser, il faut se hâter de mettre fin aux vengeances, aux peines, aux récompenses mêmes... Il vaut mieux, dans ce cas, pardonner beaucoup que punir beaucoup; exiler peu qu'exiler beaucoup... sous prétexte de la vengeance de la république, on établirait la tyrannie des vengeurs... Il faut rentrer le plus tôt que l'on peut dans ce train ordinaire du gouvernement où les lois protégent tout et ne s'arment contre personne.» Ce tableau semble avoir été fait pour le temps où nous sommes.

«Au moins n'aurait-on dû rechercher que les excitateurs, les chefs attroupements.

«Une cause, disent les criminalistes, qui doit faire diminuer la peine due au crime est la multitude et le grand nombre des délinquants, comme dans les séditions, émotions populaires, rébellions, etc.; car, dans ces cas, on ne doit punir que les principaux moteurs du crime.»

«Les philosophes ont été du même sentiment que les criminalistes; ils ont écrit partout cette maxime déjà énoncée plus haut, «qu'en matière de crimes commis par une multitude la raison d'État et l'humanité demandent une grande clémence.»

«Les législateurs ont mille fois consacré cette doctrine tutélaire.

«Louis le Grand, dans sa célèbre ordonnance de 1670, ordonna que, dans le cas d'un crime commis par une communauté d'habitants, le procès fût fait particulièrement aux principaux auteurs du crime et à leurs complices.

«Bonaparte et son gouvernement, qu'on n'accusera certainement ni de pusillanimité ni d'une excessive indulgence, a rempli son Code pénal, le même qui nous gouverne aujourd'hui, des distinctions à faire entre les chefs et leurs instruments.

«S'agit-il par exemple d'une association de malfaiteurs? L'article 267 prescrit de poursuivre les auteurs et directeurs de l'association, les commandants en chef ou en sous-ordre de ces bandes, et épargne le reste.

«S'agit il de réunions illicites? L'article 292 ne prescrit encore de poursuivre que les chefs, directeurs ou administrateurs de l'association.

«S'agit-il enfin d'attroupements séditieux, de bandes armées, quel qu'en soit l'objet? Les articles 100 et 213 ordonnent expressément «qu'il ne soit prononcé aucune peine contre ceux qui, ayant fait partie de ces bandes, sans y exercer aucun commandement, et sans y remplir aucun emploi ni fonction, se seront retirés au premier avertissement des autorités civiles ou militaires, ou même depuis, lorsqu'ils n'auront été saisis que hors des lieux de la réunion séditieuse, sans opposer de résistance et sans armes.

«Ils ne seront punis dans ces cas (ajoute la loi), que des crimes particuliers qu'ils auraient personnellement commis, et néanmoins ils pourront être renvoyés pour cinq ans, ou au plus jusqu'à dix, sous la surveillance spéciale de la haute police.

«La raison de cette indulgence est que, s'il importe de punir les séditieux, il importe encore plus de prévenir les séditions. Il fallait donc poursuivre les chefs et épargner leurs malheureux instruments, au lieu de frapper en détail et d'affaiblir, en la divisant, l'action de la justice. Une seule séance de deux ou trois jours eût suffi au plus terrible exemple, et ce coup unique, tombé avec l'éclat et la rapidité de la foudre sur ceux qui s'étaient mis à la tête des attroupements, eût été pour toutes les factions une leçon plus utile que cette profusion de supplices, qui n'a jamais rendu les hommes meilleurs, et qui, en se répétant de mois en mois, depuis le mois de juin, sans qu'on puisse encore en apercevoir le terme, n'a pu servir qu'à aigrir les esprits, à tourmenter l'opinion, et épouvanter toutes les imaginations.

«Malheureusement la cour prévôtale, entourée de clameurs ultra-royalistes, et se faisant peut-être elle-même une fausse idée des dangers qu'on avait pu courir, s'est laissé dominer par un système aveugle de sévérité; réunissant ce qu'il fallait séparer, séparant ce qu'il fallait réunir, elle a confondu les chefs avec leurs instruments, et elle a divisé en onze procédures, qui ont duré quatre mois, la poursuite de ces divers attroupements, qui pourtant, ne formant à ses yeux qu'un seul et même crime, ne devaient être dans cette pensée que la matière d'une seule et même instruction.

«C'est ainsi que cent vingt-deux individus présents ont été mis en jugement, et trente-trois par contumace, en tout cent cinquante-cinq, nombre effrayant, dont aucune conspiration, aucune sédition, aucun événement, n'avaient jamais donné l'exemple; de ces cent cinquante-cinq accusés, quarante-cinq seulement ont été acquittés, mais à la charge, pour la plupart, d'une surveillance et d'un cautionnement qu'ils ne sauraient fournir; vingt-huit ont été condamnés au dernier supplice, que onze ont subi; quarante-deux ont été condamnés à un emprisonnement plus ou moins long; six aux travaux forcés; trente-quatre à la déportation.

«Cent cinquante familles ainsi retranchées en un instant de la société; deux ou trois cents enfants réduits à la misère et au désespoir, non moins perdus pour la société, par la mendicité, le vagabondage et les vices qui en sont la suite; une foule de parents, de vieillards privés de tout appui sur les bords de la tombe; un nombre si extraordinaire de victimes aurait droit d'intéresser la bonté et la sagesse du gouvernement, quand même les méprises déplorables qui ont déterminé leurs condamnations ne seraient pas un appel suffisant à sa justice.

«D'abord on se plaint, non sans quelque apparence de raison, de l'espèce de déloyauté avec laquelle ont été arrêtés et livrés à la cour prévôtale la plupart des accusés qu'elle a atteints. Dispersés, comme on l'a dit, à la première apparition des gendarmes, et revenus bientôt du funeste égarement où les avaient entraînés leur crédulité et leur faiblesse, ils s'étaient retirés dans les bois, isolés et sans armes, poursuivis par le remords non moins que par la crainte. Des maires, des curés, même des militaires, prennent sur eux de publier, et ce fut sans doute de bonne foi, qu'un pardon généreux attend les fugitifs qui rentreront paisiblement dans leurs foyers, et que la justice ne s'arme que contre les chefs. Pleins de confiance en ces paroles, et incapables de mesurer la profondeur du précipice creusé par leur imprudence, les fugitifs regagnent paisiblement leurs habitations et se présentent volontairement aux autorités civiles et militaires. Deux jours s'écoulent, et ils sont tous arrêtés. Trois d'entre eux, dans la seule commune de Saint-Andéol, payent de leur tête leur fatale sécurité; sept, de la déportation; deux, des travaux forcés; ceux des autres communes ne sont pas plus heureux.

«L'instruction et les débats s'ouvrent enfin, et ne répondent que trop aux préliminaires: les jugements semblent arrêtés d'avance d'après de secrètes notions indépendantes des débats. Tout le monde a remarqué que les accusés étaient toujours rangés, sur la fatale sellette, dans l'ordre où ils devaient être frappés. Ils étaient rangés en forme de demi-cercle ouvert du côté des juges; les premiers, en commençant par l'extrémité du côté gauche, étaient destinés à la mort; ceux qui les suivaient, à la déportation: les autres, aux travaux forcés; ensuite, à l'emprisonnement; les derniers, formant l'extrémité à droite, composaient le petit nombre qui devait être acquitté. Il est remarquable que, de dix arrêts rendus par la cour prévôtale, il n'en est pas un seul qui ait trahi ces prévoyantes dispositions: ni les efforts des avocats, ni les lumières produites par les débats, n'y ont jamais apporté le moindre changement. L'événement était tellement prévu d'après cet arrangement, que le peuple, toujours si avide de ce genre de spectacle, avait presque déserté les audiences dans les derniers temps.

«Abordons maintenant chacun des arrêts de la cour prévôtale; apprécions-en les dispositions principales.

«La première erreur où la cour prévôtale est tombée, c'est de se considérer comme juge du crime de complot ou attentat contre l'État ou le gouvernement, tandis quelle ne doit connaître que des réunions séditieuses, soit qu'elles aient rapport à des crimes d'État ou à tout autre crime ou délit.

«En effet, ce qui constitue la juridiction prévôtale, c'est moins la nature du crime que la manière dont il est commis.

«C'est ainsi, par exemple, que l'assassinat est cas prévôtal, s'il a été commis sur un grand chemin, et non s'il a été commis ailleurs.

«C'est ainsi que les actes séditieux sont cas prévôtaux, s'ils ont été commis dans les lieux publics ou destinés aux réunions habituelles de citoyens, et non s'ils ont éclaté dans d'autres lieux.

«C'est pour cela que, d'après l'article 9 de la loi prévôtale du 20 décembre 1815, les réunions séditieuses sont toujours cas prévôtaux, quel qu'en soit l'objet, et, s'il est permis à ces tribunaux d'examiner les rapports qu'elles peuvent avoir avec la sûreté de l'État, ce n'est nullement comme juges des crimes d'État, c'est seulement comme juges de la peine qui doit être infligée aux séditieux, selon les circonstances.

«La mission de la cour prévôtale était donc uniquement de poursuivre les réunions séditieuses reprochées à quelques habitants des campagnes, soit qu'elles eussent ou non des rapports avec des complots contre le gouvernement. Ses devoirs et son autorité, dans cette circonstance, étaient réglés par l'article 97 du Code pénal, qui a pour objet la sédition formée pour le renversement du gouvernement; par l'article 98 qui se rapporte à d'autres crimes politiques; par les articles 209, 210, 211, 212, qui ont en vue des crimes ou délits privés; elle pouvait punir de mort dans le cas de l'article 97; de la déportation dans le cas de l'article 98; de réclusion, de travaux forcés ou d'emprisonnement, dans le cas des articles 209, 210, 211 et 212; elle devait acquitter, d'après les articles 100 et 213, les accusés qui, n'ayant exercé aucun commandement ou emploi dans les réunions séditieuses, auraient été arrêtés hors du lieu des réunions séditieuses, sans résistance et sans armes. Mais, en aucun cas, elle ne devait appliquer les articles 87, 88 et 91, qui n'ont pour objet que les attentats ou complots contre la sûreté de l'État, lesquels ne sont point dans ses attributions, et qui n'ont jamais cessé d'appartenir aux cours d'assises; témoin, à Paris, la conspiration de l'*Épingle noire*, quoiqu'elle parût avoir reçu un commencement d'exécution; témoin à Lyon la conspiration toute récente de Chambouret, et auparavant celle de Nossel, Lavalette et Montain, auxquelles on a prétendu rattacher celle qui nous occupe, et qui n'ont pas laissé d'être jugées par la cour d'assises, quoique postérieures à la loi institutive des cours prévôtales.

«C'est ce que la cour prévôtale de Lyon n'a jamais voulu comprendre; de onze arrêts qu'elle a rendus, il en est huit où les condamnations ont été opiniâtrement fondées sur les crimes d'État définis aux articles 87, 88 et 91 du Code pénal, sans que jamais elle ait voulu appliquer les articles 97 et 98, qui, réunis à l'article 9 de la loi prévôtale, étaient cependant la source principale de sa compétence; d'où il suit que des arrêts, même justes au fond, et qu'on pourrait justifier par les articles 97 et 98, n'en sont pas moins illégaux.

«En vain le barreau, affligé d'une si cruelle méprise, après les deux premiers arrêts, se réunit pour charger Me Guerre, l'un des anciens du barreau, et l'un des défenseurs dans la cause des habitants de Saint-Andéol, de défendre, au nom de tous, la vraie doctrine; tous les efforts de cet orateur et de ses collègues furent inutiles: rien ne put retirer la cour prévôtale de la fausse voie où elle s'était engagée.

«Il faut donc retenir, sous ce premier point de vue, que toutes les condamnations fondées sur les articles 87, 88 et 91 ont été très-illégales; s'il en est plusieurs qu'on puisse justifier par l'application qui eût dû être faite des articles 97 et 98, il en est un bien plus grand nombre qu'on peut blâmer, d'après le refus constant qui a été fait de l'application des articles 100 et 213.

«Un autre genre de crime, dont la cour prévôtale s'est emparée, et qui n'était pas de sa compétence, c'est celui de non-révélation: elle a souvent puni ce crime; et cependant la loi du 20 décembre 1815 ne lui en attribue point le pouvoir. Il est aisé de comprendre, en effet, que la cour prévôtale, n'étant appelée à connaître que de crimes connus très-publiquement, ne pouvait être compétente pour juger le crime de non-révélation, qui est le crime du silence, et, par conséquent, l'opposé de ceux attribués aux cours prévôtales.

«Ce qui n'est pas moins affligeant dans les arrêts de la cour prévôtale, c'est de voir que souvent les condamnations ne répondent pas même aux accusations qui y sont énoncées, c'est-à-dire que des prévenus ont été condamnés pour des crimes dont ils n'avaient pas été accusés, dont ils n'ont pu se défendre, et sur lesquels ne portaient pas les arrêts de compétence.

«Enfin ce qui comble la mesure de ses irrégularités, c'est la manière vague dont les accusations et les condamnations se trouvent exprimées dans les arrêts: la plupart des accusations qui y sont rappelées consistent en imputations d'avoir «fait partie des bandes armées, et d'avoir ainsi pris part à l'attentat dont le but, y est-il dit, était de renverser le gouvernement, d'exciter les Français à s'armer contre l'autorité du roi, et de porter le pillage, le massacre ou la dévastation partout où l'insurrection éclaterait.»

«Rien de plus vague assurément; ce n'est là qu'un vaste cadre où toutes sortes de crimes peuvent trouver place, mais qui n'exprime ni la part que chaque individu a pu prendre à la prétendue conspiration, ni les faits particuliers dont chacun a pu se rendre coupable.

«Les condamnations n'ont rien de plus positif: plusieurs accusés sont déclarés convaincus de cris, de discours, de faits et d'actions très-caractérisés, y est-il dit, mais qu'on ne rapporte pas.

«En sorte qu'il est impossible de reconnaître quels sont les crimes pour lesquels chaque prévenu est frappé! Tout est incertain et indéterminé; tout paraît arbitraire; et quand on songe qu'on rassemblait et frappait jusqu'à vingt individus dans une même séance par une si vague accusation, on se rappelle involontairement ces jugements en masse qui ont particulièrement souillé les plus terribles jours de notre Révolution, et qui conviennent si peu au temps où nous vivons, au prince juste et sage qui nous a été rendu pour nous ramener à de meilleurs principes.

«Toutes ces observations vont être justifiées par une courte et rapide analyse de tous les arrêts qui en sont l'objet.

PREMIER ARRET.--15 juin 1817.

«Claude Raymond et Saint-Dubois, condamnés à mort.

«Ces deux infortunés ayant subi leur supplice, ce n'est pas pour eux qu'on va apprécier l'arrêt de leur mort, mais ce sera pour se fixer sur l'ensemble des opérations de la cour, et pour faire servir, s'il est possible, le malheur de ces deux hommes, au salut des autres accusés.

«Il résulte textuellement de l'arrêt que Raymond fut «accusé et ensuite déclaré convaincu d'avoir fait partie de la bande armée qui s'est réunie à Saint-Genis-Laval, le dimanche 8 juin, à six heures du soir, et d'avoir été arrêté les armes à la main.» Raymond pouvait être condamné à mort en vertu de l'article 97, qui punit de mort les réunions séditieuses formées pour renverser le gouvernement; on lui a appliqué l'article 87, qui punit le complot, l'article 88, qui punit l'attentat, l'article 91, qui punit les moyens employés pour exciter la guerre civile; trois crimes dont Raymond n'était pas accusé.

«Quant à Saint-Dubois, c'est encore pis.

«Le fait pour lequel il a été condamné, et qui a été constaté par les débats, est d'avoir été arrêté, le dimanche 8 juin, à Lyon, par les préposés de l'octroi, à la porte de Serin, chargé de seize paquets de cartouches à fusil, qu'il paraissait porter hors de la ville.

«Aucune lumière n'a été acquise, dans les débats, sur la destination réelle de ces munitions.

«L'accusé prétendit seulement qu'à quelque distance de la barrière un ouvrier l'avait prié, sous quelque prétexte, de porter ce paquet hors la barrière, où on le reprendrait de ses mains, mais qu'il ne vérifia pas ce qui le composait.

«La suite des événements apprendra peut-être que le paquet fut remis à cet infortuné par un espion de la faction, qui, lui-même le fit ensuite arrêter à la barrière.

«Quoi qu'il en soit, Saint-Dubois fut accusé «d'avoir fourni et procuré des munitions aux bandes armées, ou du moins d'avoir tenté de leur en fournir et procurer.»

«Il fut déclaré convaincu «d'avoir agi pour procurer des munitions aux bandes armées qui s'étaient formées pour consommer l'attentat dont il s'agit.»

«Il est bien constant que, dans le fait, aucunes munitions ne furent fournies par Saint-Dubois à des bandes armées; toutefois la simple tentative, dans cette matière, eût pu être punie comme le crime même.

«Mais quelle était la loi à appliquer? C'était l'article 96 du Code pénal, qui se rapporte textuellement à cet objet. Qu'a-t-on fait cependant? On l'a condamné comme conspirateur, d'après les articles 87, 88 et 91; en sorte qu'on l'a puni pour un crime dont il n'avait pas été accusé, et qu'il n'avait pas commis.

«Était-il au moins coupable du crime d'avoir remis ou tenté de remettre des munitions à des rebelles? C'est ce qui n'a été nullement vérifié, quoi qu'en dise l'arrêt.

«Saint-Dubois a été arrêté sortant par la porte de Serin; or il n'y a eu ni bandes ni attroupements de ce côté.

«Les munitions que portait Sainte-Dubois n'étaient certainement pas destinées aux attroupements de Saint-Genis et des communes environnantes, car ces communes sont au midi, et il marchait au nord.

«Elles n'étaient pas mieux destinées pour les insurgés de Charnay et des communes voisines, car la route qui y conduit est celle de Vaise, sur la rive droite de la Saône, et Saint-Dubois, qui s'en serait fort éloigné en suivant celle de Serin, qui est sur la rive gauche de la Saône, avait dépassé le dernier pont qui y conduit, lorsqu'il fut saisi.

«Ces munitions n'étaient donc point destinées aux insurgés connus; la condamnation a donc été au moins hasardée.

DEUXIEME ARRET.--19 juin 1817.

«Jean Valençot fut accusé d'avoir levé et organisé la bande armée qui, le dimanche 1er juin, se réunit au pré de la Serrandière, dans la commune d'Amberieux, pour l'exécution d'un attentat dont le but était de détruire ou de changer le gouvernement, d'exciter les citoyens à s'armer contre l'autorité du roi, et de porter la dévastation, le meurtre et le pillage dans les communes où l'insurrection se manifesterait.»

«Jean Valençot fut déclaré convaincu des mêmes faits; on eût pu le punir de mort, en vertu de l'article 97 du Code pénal; on lui appliqua les articles 87, 88 et 91 du code pénal, qui lui étaient étrangers.

TROISIEME ARRET.--25 juin 1817.

«Joseph Lourd, dit Dechamps, fut accusé, avec Jean Trouchon et Jacques Pélissier, «d'avoir fait partie de la bande armée qui a été levée et organisée à Brignais, le dimanche 8 juin, à six heures du soir, pour l'exécution d'un attentat dont le but était de détruire ou de changer le gouvernement, d'exciter les citoyens à s'armer contre l'autorité du roi, et de porter le pillage, le meurtre et la dévastation dans les lieux où l'insurrection se manifesterait.»

«Trouchon et Pélissier furent acquittés; Lourd fut «déclaré coupable d'avoir fait partie de la bande armée de Brignais, et d'avoir par là participé à l'attentat et au crime dont il s'agit.»

«En conséquence, il fut condamné à mort, en vertu des articles 87, 88 et 91 du Code pénal.

«Condamnation illégale, puisqu'il n'avait été ni convaincu ni même accusé du crime de complot ou d'attentat qui est l'objet de ces articles; condamnation injuste, puisque l'article 100 défend de prononcer aucune peine contre celui qui, ayant fait partie d'une bande armée sans y exercer aucun emploi ni commandement, a été saisi hors du lieu de la réunion séditieuse, et que Joseph Lourd, n'ayant été arrêté que le lendemain, 9 juin, à six heures du matin, dans son lit, sans résistance, ne pouvait subir aucune condamnation.

QUATRIEME ARRET.--28 juin.

«Vingt et un habitants de la commune de Saint-Andéol ont été accusés «d'avoir fait partie de la bande armée qui a été levée et organisée à Saint-Andéol le lundi 9 juin, à sept heures du matin, et d'avoir participé par là à l'attentat dont le but était de changer ou de détruire le gouvernement, etc...» (Même formulaire que dans le précédent arrêt.)

«Voici quel fut le jugement:

«1° Jean-Baptiste Fillion, Laurent Colomban et Andéol Desgranges furent déclarés coupables d'avoir concerté l'attentat dont il s'agit avec Aimé Barret (chef des mouvements de Saint-Andéol) dans la nuit du 8 au 9 juin, et d'avoir concouru à son exécution.

«En conséquence, et en vertu des articles 87, 88 et 91 du Code pénal, ces trois victimes ont été mises à mort.

«Fillion, Colomban et Desgranges ont donc péri pour un crime de complot ou d'attentat dont ils n'avaient pas été accusés, et dont la cour prévôtale n'aurait pas été juge.

«2° François Desgranges, *dit* Gros, Jean-Antoine Champin, Alexandre Guillot, Andéol Colomban, François Charvin et Claude Guillot père furent déclarés «coupables, non-seulement d'avoir, par leurs cris et leurs discours, mais encore par leurs actions, provoqué au renversement du gouvernement.»

«Et, en vertu de l'article 1er de la loi du 9 novembre 1815, ils furent condamnés à la déportation.

«Encore un crime très-indéterminé, et pour lequel il n'y avait point d'accusation.

«3° Jean-François Champin fils et Étienne Targe fils ont été déclarés «coupables de rébellion envers les officiers et agents de la police administrative de la commune de Saint-Aodéol.»

«D'après les articles 209 et 210 du Code pénal, ils ont été condamnés à cinq ans de travaux forcés.

«Même observation: Champin et Targe ont été condamnés pour un crime dont ils n'avaient jamais été accusés, et sur lequel il n'y avait eu ni instruction, ni jugement de compétence, ni défense.

«Autre observation non moins grave: Ce fait de rébellion ou de résistance avec violence et voies de fait à l'autorité n'a été mis, ni par la loi du 20 décembre 1815, ni par la loi sur les cours spéciales, à laquelle celle-là se réfère, au nombre des cas prévôtaux.

CINQUIEME ARRET.--4 juillet 1817.

«Neuf prévenus ont été accusés, suivant l'arrêt, d'avoir fait partie de la bande armée qui a été levée et organisée à Charnay, le dimanche 8 juin, à quatre heures du soir, au son de la cloche, et qui est sortie de Charnay pour marcher sur Lyon; d'avoir participé par là à l'attentat, etc., etc.»

«Les condamnations n'ont point répondu à cette accusation.

«1° Jean-François Dechet a été condamné à mort pour avoir eu un emploi dans la bande armée. L'arrêt ne dit pas quel emploi. Et l'accusation, rapportée par l'arrêt même, n'en supposait aucun.

«2° Jean-François Bocuse et Laurent Charbonnay ont été condamnés à la déportation, pour avoir, selon l'arrêt, «provoqué directement, par leurs cris et leurs discours, et par des faits et actions, très-caractérisés de leur part, au renversement du gouvernement.»

«Condamnation vague et non motivée; condamnation prononcée sous un prétexte totalement étranger à l'accusation énoncée en l'arrêt.

«3° Benoît Montaland, déclaré coupable du crime de rébellion envers un agent de l'autorité administrative dans l'exercice de ses fonctions, et condamné aux travaux forcés pour cinq ans.

«Montaland n'avait point été accusé de ce crime suivant le titre de l'accusation consignée dans l'arrêt.

SIXIEME ARRET.--18 juillet.

«Vingt individus étaient accusés d'avoir «fait partie, ayant à leur tête, comme chef supérieur, le nommé François Oudin, du rassemblement armé, formé au son du tocsin et aux cris de: *Vive l'Empereur!* à Saint-Genis-Laval, dans le but de renverser le gouvernement; d'avoir rempli dans cette bande divers emplois, fonctions ou commandements; d'avoir cherché à entraîner dans leur révolte toute la population de Saint-Genis et des communes environnantes; de s'être réunis aux séditieux du village de Brignais, où ils ont commis divers excès; d'avoir marché contre la ville de Lyon, point central de la sédition, avec l'intention d'y porter le pillage et le massacre, etc.; de s'être rendus coupables et complices de l'assassinat commis sur un gendarme et d'une résistance avec armes et violence à la force armée.»

«Cette accusation serait la plus complète et la plus positive de toutes, si on avait dit quels genres d'excès avaient été commis à Brignais et par quels accusés nommément ils l'avaient été; si on avait dit encore quelle espèce d'emplois, fonctions ou commandements avaient été remplis par chaque accusé dans la bande, ou quels étaient particulièrement les prévenus qui les auraient remplis.

«On ne l'a pas fait; on a préféré de promener au hasard le glaive prévôtal sur la tête de tous, sur la tête des innocents comme sur celle des coupables; en un mot, on a, en quelque sorte, jugé en masse.

«Voici quel a été l'arrêt:

«1° Oudin, convaincu «d'être l'un des agents de l'attentat, et d'y avoir participé en levant et organisant une bande armée, à la tête de laquelle il a marché sur Lyon et Brignais,» a été condamné à la peine de mort, en vertu des articles 87, 88 et 91 du Code pénal. La cour prévôtale aurait pu et dû appliquer l'article 97, où était exclusivement le siége de la matière, et son arrêt eût été irréprochable; mais, en punissant François Oudin pour un crime d'attentat dont elle n'était pas juge, elle a imprimé un caractère évident d'illégalité à un jugement qui, d'ailleurs, était très-juste.

«2° Pierre Dumont, convaincu de deux faits: l'un, d'avoir fait partie du rassemblement armé; l'autre, d'avoir commis une tentative d'assassinat sur le curé d'Irigny, a aussi été condamné à mort. Il était âgé de seize à dix-sept ans.

«Il est impossible d'approuver cet arrêt. D'abord la première des deux imputations ne pouvait donner lieu à aucune peine, puisque Dumont avait été saisi sans résistance et sans armes hors du lieu de la réunion séditieuse, où il n'avait exercé aucun emploi. C'était, sous ce rapport, le cas de lui appliquer l'article 100.

«La seconde imputation n'avait point été la matière de l'accusation; elle était outrée. L'enfant avait dit au curé: «Crie *Vive l'Empereur!* ou je te tue!» Et, en disant ces paroles criminelles, il avait, en effet, un pistolet à la main. Mais, d'une part, il n'a point été vérifié, et l'arrêt n'énonce pas même que le pistolet se trouvât chargé; d'autre part, il ne paraît pas que le curé ait voulu racheter sa vie en prononçant l'invocation qu'on exigeait de lui. L'arrêt enfin n'exprime pas que le coup ait été détourné par aucune circonstance fortuite, indépendante de la volonté de l'enfant. Ce ne fut donc point là une véritable tentative d'assassinat dans le sens de la loi.

«D'un autre côté, en admettant ce fait, il n'aurait pas autorisé un arrêt de mort, car il n'y avait évidemment ni préméditation ni guet-apens dans le sens des articles 296 et 297 du Code pénal, l'enfant n'ayant pu prévoir l'arrivée fortuite du curé d'Irigny, dans ces circonstances, à Saint-Genis Laval. On n'eût pu prononcer, tout au plus, d'après l'article 304, que la peine des travaux forcés à perpétuité.

«3° Gaspard Berger, Jean Foy, Denis Bauchet et François Guillermin, convaincus, dit l'arrêt, d'avoir, «non-seulement par leurs cris et leurs discours, mais encore par des faits et des actions très-caractérisés, provoqué au renversement du gouvernement,» ont été condamnés à la déportation.

«Imputations vagues, comme on l'a déjà dit, et qui ne sauraient justifier une condamnation aussi terrible.

«4° Étiennette Templardon, Jean Rapet, Benoît Rivoire, Michel Rivoire, Antoine Roman, *dit* Lavigne, et François Thiollin, déclarés coupables d'avoir commis des actes séditieux en invoquant le nom de l'usurpateur, ont été condamnés à deux ans, trois ans et cinq ans d'emprisonnement, sauf Étiennette Templardon, dont la condamnation n'est que de trois mois.

«Au premier coup d'oeil, ces condamnations paraissent autorisées par l'article 17 de la loi prévôtale, et justifiées par l'article 10 de la loi du 9 novembre 1815; mais, pour peu qu'on y réfléchisse, on reconnaît bientôt qu'elles n'auraient pas du être prononcées.

«Ces actes séditieux faisaient partie de la sédition principale. Or, puisque l'article 100 du Code pénal accordait leur pardon à tous ceux qui, n'ayant point exercé d'emploi, avaient été saisis sans résistance et sans armes, comme tous ces accusés, hors de la réunion séditieuse, il n'était pas permis d'éluder cette disposition. Le plus grave des actes séditieux était la sédition même; l'attroupement ne pouvait donc pas être puni en partie quand la loi pardonne pour le tout.

SEPTIEME ARRET.--25 juillet.

«Dix-neuf individus mis en jugement.

«Tous accusés, dit l'arrêt, d'avoir participé à l'attentat dont le but était de détruire ou de renverser le gouvernement, etc., etc...; d'avoir fait partie des bandes qui se sont formées, le 1er juin, à la Serrandière, et, le 8, dans la commune d'Amberieux; d'avoir levé et organisé les bandes; d'y avoir rempli divers emplois ou commandements; d'avoir accepté différentes missions relatives à l'insurrection.»

«Accusation illégale quant au crime d'attentat, puisque la cour prévôtale n'était pas juge. Quant aux autres faits, ils sont déclarés communs à tous les accusés. Cependant il est bien aisé de voir que tous les accusés n'ont pas pu lever la même bande, c'est-à-dire se commander eux-mêmes; que tous n'ont pu y commander ou y remplir des emplois en même temps.

«Voici, au reste, les condamnations qui ont été prononcées:

«1° Louis Tavernier et Claude Nenne ont été condamnés à mort comme coupables d'avoir été «des agents de l'attentat, et d'avoir participé à l'exécution, en se réunissant aux bandes armées.»

«Comme agents de l'attentat, ils n'étaient pas justiciables de la cour prévôtale;

«Comme réunis aux bandes armées, sans le concours d'aucune autre circonstance, l'article 100 du Code pénal défendait de leur infliger aucune peine.

«2° Jean Prieur, déclaré coupable de faits semblables, mais acquitté d'après l'article 108, pour cause de révélation, n'exige aucune observation.

«3° Jean-Marie Soubry, condamné à la déportation, comme coupable d'avoir provoqué au renversement du gouvernement par des cris, des discours, des faits et des actions «très-caractérisés,» dit l'arrêt, mais non cités, peut être considéré comme condamné sans cause connue et arbitrairement.

«4° Jean Rampon, convaincu, dit l'arrêt, d'avoir volontairement reçu chez lui une troupe d'insurgés, a été condamné aux travaux forcés.

«Il n'avait pas été accusé de ce crime et n'avait pu s'en défendre. Il n'y avait pas même eu d'arrêt de compétence sur ce point, lequel n'est pas cas prévôtal.

«5° Jean Tissut, Claude Joannard, Annet Bouvant, Pierre-Charles Latreille, Antoine Charnay fils, Jean Valeurot, Louis Magnin, Guillard, *dit* Casaud, ont été condamnés à un emprisonnement et à une amende, pour avoir répandu des nouvelles alarmantes et invoqué le nom de l'usurpateur.

«Ils n'en avaient pas été accusés, et n'ont pas été entendus sur ces faits.

HUITIEME ARRET.--7 août.

«Cet arrêt a été rendu contre trente-trois contumaces. Il condamne à mort seize prévenus comme moteurs des réunions séditieuses, et tous les autres, deux seulement exceptés, à d'autres peines.

«On n'a rien à dire sur cet arrêt, si ce n'est que, frappant de mort, quoique de loin, les chefs, la cour pouvait se dispenser d'atteindre les autres et de priver l'État d'un si grand nombre de familles, perdues pour la société.

NEUVIEME ARRET.--12 août.

«Douze prévenus.

«Tous accusés, dit l'arrêt, d'avoir fait partie de la bande armée qui s'est formée à Millery, dans la nuit du 8 au 9 juin dernier, pour l'exécution d'un attentat dont le but était de renverser le gouvernement, etc.; laquelle bande a attaqué MM. les maire et adjoints de ladite commune, et a tiré des coups de fusil sur eux, etc.»

«Les condamnations ne répondent point à cette accusation.

«1° Jean-Pierre Gervais, Favier-Prince, Paul Decroze, Fleury Brottet, Jean Luquel, déclarés coupables d'avoir provoqué au renversement du gouvernement par des cris, des discours, des faits et des actions très-caractérisés, y est-il dit, mais qui n'y sont pas rapportés, sont condamnés à la déportation.

«Condamnation non motivée et tout à fait arbitraire.

«2° Odet Potin, Gervais Potin, Jean Champin, Étienne Guinand, Antoine Vaillard et Matthieu Jumeau, comme coupables d'actes séditieux en invoquant le nom de l'usurpateur et arborant la cocarde tricolore, ont été condamnés à un emprisonnement de plusieurs années et à l'amende.

«Les prévenus n'avaient point été accusés de ces faits.

DIXIEME ARRET.--20 août.

«Treize prévenus.

«Tous accusés, dit l'arrêt, de participation à l'attentat qui a été commis le 8 juin dernier, dont le but était de détruire le gouvernement...

«1° Pierre Dautant, dit l'Escarpin, est condamné à la déportation, comme coupable de cris, discours, faits et actions tendants au renversement du gouvernement, mais que l'arrêt ne rapporte pas.

«Condamnation extrêmement illégale, puisqu'elle ne constate point la cause précise de la condamnation, et que Dautant n'avait point été accusé de semblables faits.

«2° Jean Damas, Pierre Guillot, Benoît Jaricot, Justinien Lhopital, Antoine Clamaron, Jean Antoine Hannequin, Joseph Poisat et Pierre Guy, déclarés coupables d'actes séditieux à l'occasion de l'attentat dont il s'agit, mais sans qu'on exprime en quoi ils consistent, condamnés à un emprisonnement et à l'amende.

«Condamnation vague, arbitraire, et qui peut être réputée sans cause.

ONZIEME ARRET.--8 septembre.

«Vingt-deux prévenus.

«Tous accusés, selon l'arrêt, «de participation à l'attentat qui a été commis dans le département du Rhône, dont le but était de renverser le gouvernement.»

«Pierre Clemel, Henri Mattet, Berthaud, dit Cluvier, et Simon Trevenet, condamnés à la déportation, comme ayant participé aux mouvements insurrectionnels, et comme s'étant rendus coupables d'actes de provocation au renversement du gouvernement.

«Comme ayant participé aux mouvements insurrectionnels dans lesquels ils n'avaient exercé aucune autorité, ils ne pouvaient être soumis à aucune peine suivant l'article 100 du Code pénal.

«Comme coupables d'actes de provocation, ils pouvaient d'autant moins être punis, qu'il n'y avait pas même eu d'accusation sur ce point.

«Hubert Mouchetand, François Delhorme, François Chapuy, Pierre Durdilly, Philippe Blanc, Pierre Rebut, Benoît Desgouttes, Jean Boulon, Jean Guigoud, Aimé Lestra et François Coupier, ont été condamnés à un emprisonnement et à une amende comme coupables d'actes séditieux.

«Point d'accusation de ce genre.

«Point de définition des faits.

«Condamnation illégale et arbitraire.

«Tels sont les arrêts rendus par la cour prévôtale du Rhône sur les événements du 8 juin.

«L'analyse rapide qu'on vient d'en faire justifie ce qu'on a dit en commençant, qu'elle a fait beaucoup trop de victimes, que presque toutes ont été condamnées d'une manière illégale et le plus souvent injuste.

«Ne dirait-on pas que tous ces arrêts ont été rendus sous la funeste influence d'une faction trop connue, qui voudrait établir ou conserver sa prépondérance par la terreur, et donner au gouvernement, par l'exagération des fautes et par la multitude des supplices, un démenti sur la direction qu'il suit?

«Les opérations de la cour prévôtale ont été affranchies de la censure de la cour de cassation, mais non pas de la révision du roi, source et principe de toute justice, et encore moins de l'usage que Sa Majesté peut faire de la touchante et sublime prérogative de faire grâce ou de commuer les peines.

«Que la justice prenne ici le nom de clémence, elle n'y perdra rien et personne ne s'en plaindra. La cour prévôtale elle-même, qu'on peut ne pas renouveler, du moins en ce moment, mais qu'il ne faut pas avilir, conservera sa terrible considération.

«Que le salut de cette foule de condamnés et de leurs nombreuses familles, non moins condamnées qu'eux-mêmes, paraisse l'ouvrage du roi, et l'amour du peuple pour ce prince, déjà si cher à tous les vrais Français, s'en accroîtra encore, s'il est possible.

«La mission de la cour prévôtale, on ne saurait trop le répéter, était principalement dans les articles 97, 98 et 100 du Code pénal, et dans l'article 9 de la loi prévôtale.

«Elle avait donc à constater avant tout s'il y avait eu sédition, et quel était le caractère et le but de la sédition. Elle avait à reconnaître ensuite si les accusés avaient exercé ou non une autorité quelconque dans les attroupements, et s'ils avaient été saisis dans les réunions séditieuses ou au dehors.

«Elle était autorisée à punir de mort dans le cas de l'article 97, à prononcer la déportation dans le cas de l'article 98; mais il fallait pardonner dans le cas de l'article 100, et ce cas était celui de la presque totalité des accusés.

«Voilà ce qu'elle n'a point fait.

«Jamais elle n'a appliqué les articles 97 et 98, qui constituaient essentiellement sa compétence, préférant de recourir aux articles 87, 88 et 91 qui n'appartiennent qu'aux cours d'assises, mais qui ne pardonnent jamais.

«Jamais surtout elle n'a appliqué l'article 100, qui convenait à la position de la plupart des accusés, et qui les épargnait.

«Et ce qui comble la mesure de l'étonnement, c'est que le procureur général, saisi de chaque arrêt de compétence, d'après l'article 39 de la loi prévôtale, n'ait jamais élevé la voix en faveur des principes; c'est que la chambre d'accusation de la Cour royale, méconnaissant la noblesse et l'importance de ses fonctions, ait toujours accordé une prompte et aveugle approbation à des erreurs si extraordinaires. Que de maux on eût évités si l'on se fût sérieusement pénétré de ces premiers devoirs!

«Tant de fautes n'ont pas peu contribué à tourmenter l'opinion publique, à alarmer une classe nombreuse de la société, à entretenir les divisions, à placer les partis extrêmes dans un état déplorable d'hostilité, à corrompre enfin dans ces derniers temps la conscience des électeurs, qui se sont si malheureusement égarés dans plusieurs de leurs suffrages.

«Un acte éclatant de justice ou de clémence peut seul réparer le mal qui a été fait, et ramener dans les rangs des royalistes constitutionnels qui, à Lyon, comme ailleurs, se serrent de plus en plus autour du trône, et les ultra-royalistes, en leur montrant que le règne des exagérations est passé, et les ultra-libéraux en leur faisant connaître que le gouvernement ne fait acception de personne, et que sa justice est la même pour tous.

«On pense qu'il convient, dans ces circonstances, de commuer la peine de tous ceux qui ont été condamnés à des peines afflictives ou infamantes, et de prendre en considération la longue détention déjà subie par les autres, pour leur faire grâce entière.

«Et, pour appliquer cette distinction d'une manière positive aux infortunés qui en sont l'objet, on les divisera en quatre classes.

PREMIÈRE CLASSE.--DÉPORTATION.

«On propose de la commuer en un emprisonnement de deux ans, en leur tenant compte de la détention que les condamnés auront déjà subie lorsque cette mesure pourra être prise.

«Une exacte justice exigerait peut-être grâce entière, puisque tous les déportés ont été condamnés illégalement. Mais, comme au fond ils n'étaient rien moins qu'irréprochables, et qu'il ne faut jamais avilir l'autorité, alors même qu'elle s'égare, on pense que toutes les considérations seront conciliées par la commutation proposée.

«Les individus à qui cette mesure doit être appliquée sont les ci-après nommés:

«Claude Guillot père, François Desgranges, Jean-Antoine Champin, Alexandre Guillot, Andéol Colomban, Andéol Millet, François Charvin, Joseph Bocuse, Laurent Charbonnay, Gaspard Berger, Jean Poy, Denis Bauchet, François Guillermin, Jean-Joseph-Marie Soubry, Jean-Pierre

Gervais, dit Culat, Favier Prince, Paul Decroze, Fleuri Brottet, Jean Luquet, Pierre Dautant, dit l'Escarpin, Pierre Clunel, Henri Mattet, Berthaud, dit Cluvier, Simon Trevenet.

DEUXIÈME CLASSE.--TRAVAUX FORCÉS.

«On propose de commuer cette peine en un emprisonnement d'un an.

«Ceux à qui cette grâce s'appliquera sont:

«Jean-Pierre Champin fils, Jean-Étienne Targe, Benoît Montaland, Jean Rampon.

TROISIÈME CLASSE.--EMPRISONNEMENT.

«Le plus grand nombre des prévenus de cette classe a été condamné à cinq ans d'emprisonnement et à des amendes; d'autres, à trois ans; un petit nombre, à une année ou à quelques mois.

«Ils auront subi près de six mois de détention lorsqu'il sera possible de s'occuper d'eux. On propose de leur faire grâce entière de l'emprisonnement et de l'amende.

«Ceux à qui cette faveur s'appliquera sont:

«Étiennette Templardon, femme Bertholat, Jean Rapet, Benoît Rivoire, Michel Rivoire, Antoine Roman, François Thiollier, Jean Tissut, Annet Bouvant, Pierre-Charles Latreille, Antoine Charnay fils, Jean Valençot, Louis Magnin, Guillard, dit Casaud, Odet Potin, Gervais Potin, Jean Champin, Étienne Guinand, Antoine Saillard, Michel Jumeau, Jean Damas le jeune, Pierre Guillot père, Benoît Jaricot, Justinien Lhopital, Antoine Clamaron, Jean-Antoine Hannequin, Joseph Poisat, Pierre Guy, Hubert Mouchetand, François Delhorme, François Chapuy, Pierre Durdilly, Philippe Blanc, Pierre Rebut, Benoît Desgouttes, Jean Bouton, Jean Guigoud, Aimé Lestra, François Coupier.

QUATRIÈME CLASSE.--MISE EN LIBERTÉ.

«La plupart des prévenus mis en liberté ont été soumis à deux, trois et cinq ans de surveillance. On propose de laisser subsister cette disposition, soit parce qu'en dernière analyse ces prévenus, quoique non convaincus, faute de témoins, ne paraissent pas avoir été beaucoup plus irréprochables que les condamnés, soit parce que cette mesure est bonne à maintenir partout où il y a eu de l'agitation.

«On propose conséquemment de soumettre à cinq ans de surveillance les condamnés de la première classe, à trois ans ceux de la seconde, à un an ceux de la troisième, à compter du moment de leur mise en liberté; mais de réduire en même temps le cautionnement dont ils sont tenus à trois cents francs, deux cents francs et cents francs.

«On propose enfin de faire grâce à tous des frais, ou tout au moins d'en retrancher la solidarité, pour ne pas ruiner plusieurs familles, qui seraient obligées de payer pour toutes.»

SUITE À LA NOTE RELATIVE AUX OPÉRATIONS DE LA COUR PRÉVÔTALE DU RHÔNE
PAR SUITE DES EVENEMENTS DU MOIS DE JUIN 1817.

CONSPIRATION DE LYON.

«Il y avait vingt-huit accusés présents.

«Suivant les arrêts de compétence ils étaient prévenus «de participation à l'attentat commis dans le département du Rhône, etc., dont le but était de détruire ou changer le gouvernement.»

«Madame de Lavalette en particulier était prévenue d'avoir secondé le complot par sa correspondance avec des chefs de comités insurrecteurs, ou tout au moins d'avoir eu connaissance de leurs desseins.

«L'acte d'accusation était conforme à ces énonciations.

«Il avait pour vice capital de n'être, comme les précédents, qu'un accusation en masse, et de ne point préciser les faits attribués à chaque prévenu individuellement.

«La session s'est ouverte sous des formes aussi sinistres que les précédentes. On a semblé prendre à tâche de prolonger la discussion et d'éloigner autant qu'on l'a pu le jugement, en ne donnant chaque jour qu'une seule audience de quatre à cinq heures. Ce n'est que lorsqu'il a été question d'entendre la défense des accusés que la cour prévôtale a changé de système.

«Rien d'irrégulier comme cette instruction.

«1° Le premier jour on fit retirer les témoins pendant qu'on examinait les accusés; mais aux trois audiences suivantes les témoins demeurèrent librement dans la salle et purent régler sur ce qu'ils entendaient les dépositions qu'ils avaient à faire. On n'en fit point l'appel.

«2° On donna publiquement lecture de plusieurs interrogatoires de prévenus non présents aux débats. En vain les avocats des prévenus s'y opposèrent; cette lecture fut ordonnée par arrêt.

«3° On avait appelé pour témoin un nommé Leprieur, précédemment coaccusé et acquitté dans l'affaire des campagnes. Cet homme n'a pas paru.

On a donné lecture des déclarations qu'il avait faites, quoique jamais on ne puisse lire les déclarations d'un témoin, s'il n'est pas mort depuis.

«4° On a entremêlé l'examen de deux témoins, en présence même l'un de l'autre dans l'examen des accusés.

«5° On a même lu à l'audience du 28 une déposition écrite du nommé Fiévée, dit Champagne, témoin désigné pour être entendu, et qu'en effet on a entendu à l'audience du 30, et qui était alors en accusation par ordre du ministre de la police générale, et qu'on a mis brusquement en liberté pour pouvoir le produire.

«Voilà pour la forme.

«Au fond les débats n'ont répondu ni à l'acte d'accusation ni à certaines passions.

«D'abord on a vu cinq accusés, les nommés Vernay, Coindre, Caffre, Gaudet et Gribel, désavouer hautement les récits consignés dans leurs interrogatoires écrits, et les révélations faites en leur nom contre diverses personnes. Ils ont dit qu'ils n'avaient tenu ce langage que parce qu'ils étaient menacés de la guillotine par le maire, ou par le sieur Guichard, son secrétaire, et même qu'on avait écrit beaucoup plus qu'ils n'avaient dit.

«Ensuite les accusés, dont plusieurs sont évidemment des agents d'intrigues, et particulièrement le nommé Barbier, n'ont plus osé reproduire en public une partie de leurs impostures. Barbier avait prêté son nom devant le prévôt, soit contre M. de Saineville, qu'une certaine faction calomnie depuis longtemps, soit contre madame de Lavalette que l'on voulait atteindre à tout prix. Il avait représenté M. de Saineville comme le principal complice de la conspiration; il n'a pas osé le répéter. Il disait avoir vu des lettres de madame de Lavalette, adressées aux chefs de la prétendue conspiration; il n'a pas osé le répéter face à face, et dans le fait il avait formellement déclaré, dans son interrogatoire du 22 juin, que jamais il n'avait vu de semblables pièces; ce que M. le prévôt et Barbier avaient apparemment oublié.

«En dernière analyse, les débats ont prouvé:

«1° Que des insinuations perfides avaient éveillé dans la tête de quelques individus des pensées très-coupables, et peut-être même des desseins criminels; mais qu'aucun mouvement séditieux n'avait éclaté dans Lyon; ce qui, sans justifier l'immoralité de plusieurs prévenus, écartait pourtant la compétence de la cour prévôtale, qui n'est juge, suivant l'article 9 de la loi du 20 décembre, que des séditions, quel qu'en soit l'objet.

«2° Que ces hommes, qu'on avait égarés par de très-fausses espérances, par des annonces de mesures et d'apprêts chimériques, n'avaient ni argent, ni armes, ni aucuns moyens d'exécution, et se seraient seulement réunis dans des cabarets pour attendre l'événement.

«3° Qu'on n'a rien fait pour constater ces prétendues réunions, n'ayant jamais voulu faire entendre ni les cabaretiers du faubourg de Serin, qui ne sont qu'au nombre de six, et chez qui l'on supposait cependant une réunion de huit cents hommes, ni les maîtres des autres lieux publics où se seraient faites ces réunions.

«4° Que le but des mouvements suggérés par une faction trop connue à ses dupes n'avait rien de fixe, les uns croyant agir pour se défendre d'une nouvelle invasion de l'étranger, d'autres pour Napoléon et sa famille; ceux-là pour le prince d'Orange; ceux-ci pour une république; les autres pour un gouvernement provisoire, et le plus grand nombre pour faire baisser le prix du pain: divergence qui prouve qu'il n'y avait point de véritable complot.

«5° Qu'il n'y a point eu d'argent distribué par des chefs de parti, car on n'a constaté qu'un mouvement de mille à onze cents francs; encore paraît-il que, sur cette somme, le nommé Barbier avait reçu pour lui huit cent vingt francs à titre de prêt, et a retenu cette somme entre ses mains sans en faire part à ses prétendus complices.

«6° Que les prétendus conjurés n'ont rien entrepris ni voulu entreprendre.

«Enfin la cour prévôtale a prononcé le 2 novembre.

«Elle a fait grâce aux nommés Barbier, Volozan cadet et Bitternay, en vertu de l'article 108 du Code pénal, sous prétexte qu'ils avaient fait d'utiles révélations.

«Elle a condamné à la peine de mort Jean-Marie Vernay, quoiqu'il n'eût pas moins fait de révélations.

«Elle a condamné, comme coupables de non-révélation, huit accusés, savoir:

«Les nommés Coindre, Gervais, Manquat, Perrot, à cinq ans d'emprisonnement et cinq cents francs d'amende chacun;

«Le nommé Sériziat, à trois ans de prison et cinq cents francs d'amende;

«Et les nommés Gagnère, Meyer et Granger, à deux ans d'emprisonnement et cinq cents francs d'amende.

«Les autres accusés ont été acquittés.

«On n'a rien à dire des trois premiers, si ce n'est qu'on a moins récompensé en eux d'utiles révélations que la lâche complaisance avec laquelle ils ont adopté toutes les fables qu'on leur a faites dans l'objet de donner de la consistance à la supposition d'un véritable complot, tandis que, dans le fait, tout s'est réduit à quelques vaines démarches sans accord et sans but, et que l'on ne voulait que surprendre les hommes qu'on avait égarés, dans quelques coupables démonstrations. Cette vérité, qui ne tardera peut-être pas beaucoup à éclater, est déjà constatée par l'instruction préliminaire de la procédure d'un nommé Cormeau, dont la prochaine cour d'assises est saisie, et où ce misérable a textuellement avoué qu'en excitant deux ou trois paysans du village de Saint-Rambert-l'Île-Barbe à s'armer contre le gouvernement, il avait agi comme commissaire de la police militaire et dans l'objet de les compromettre: ce sont ses propres termes.

«La cour prévôtale n'avait pas plus de motifs de condamner Vernay à la peine de mort. Cet homme, déjà condamné à mort par contumace, lorsqu'il a été arrêté, et épouvanté par sa position non moins que par les promesses et les menaces du maire, perdit la raison, et à son tour adopta toutes les nouvelles fables dont on crut avoir besoin pour justifier le système de la faction. Mais, revenu à lui-même lorsque les débats se sont ouverts, il a rétracté tout ce qu'il y avait de faux dans ses interrogatoires écrits. «J'atteste, a-t-il dit, ce Christ qui est devant mes yeux que ce que j'ai dit n'est pas la vérité; on m'y a forcé par les plus terribles menaces: je vous aurais accusé vous-même, monsieur le président, si on l'eût exigé. Je suis à votre disposition. Vous pouvez me faire mourir; mais j'aime mieux mourir sans honte et sans remords que de vivre déshonoré par le mensonge et la calomnie.» C'est à peu près en ces termes que parla cet infortuné.

«Ce langage parut ne pas plaire aux juges. Vernay a été condamné à la peine de mort, mais avec sursis et sans doute aussi avec recommandation à la clémence du roi.

«La grâce de Vernay se recommande assez par la générosité de ses rétractations. Sa grâce lui était assurée par l'article 108 du Code pénal en persistant, tandis qu'il courait à la mort en changeant de langage. Qui a pu l'y porter? aucun autre intérêt que celui de la vérité et de l'honneur; et, en effet, son défenseur montra clairement aux juges la fausseté presque matérielle des déclarations qu'on lui avait arrachées.

«Tant de courage mérite de fixer les regards du roi. Chaque jour sa bonté inépuisable récompense des actions mille fois moins difficiles et moins honorables: celle-là eut deux mille témoins qui admirèrent une si rare vertu et qui pleurèrent sur le malheur auquel il s'exposait. Une grâce entière honorera l'individu, le gouvernement du roi et le nom français.

«La condamnation, d'ailleurs, fut illégale. Elle a été fondée encore sur la supposition d'un complot ou d'un attentat, tels qu'ils sont définis par les articles 87, 88, 91 du Code pénal, tandis qu'elle n'aurait pu l'être que dans le cas où il y aurait eu sédition pour l'exécution du complot suivant l'article 97. On n'a pas invoqué cet article parce qu'il n'y a pas eu sédition, et la cour prévôtale n'est cependant jamais juge du complot quand il n'y a pas sédition.

«Le crime de non-révélation, imputé aux autres condamnés, n'était pas énoncé dans l'acte d'accusation: on ne l'a imaginé que pour dire qu'il y avait quelque chose à révéler, et voilà huit victimes de plus. Ces individus méritent aussi d'obtenir la remise entière de la peine à laquelle ils ont été condamnés, en les laissant tous néanmoins, ainsi que Vernay, pendant un certain temps sous la surveillance de la haute police.»

LETTRE DU DUC DE RAGUSE AU DUC DE RICHELIEU.

«Châtillon-sur-Seine, le 30 juillet 1818.

«Monsieur le duc, j'ai reçu, il y a peu de moments, la lettre que vous m'avez fait l'honneur de m'écrire le 8 juillet, et je ne perds pas un instant pour y répondre.

«Je regrette que le mode de publication que j'ai choisi ait été blâmé par le roi. Il m'avait paru le plus simple et le plus naturel, et que je ne pouvais m'adresser qu'au ministre qui avait reçu mes rapports. Puisque Sa Majesté le désapprouve, j'expédie par estafette l'ordre de suspendre cette impression, s'il en est encore temps, et j'indique la nouvelle rédaction qui sera suivie. Je n'ai pu avoir l'intention de rappeler au roi ses devoirs et de lui tracer la conduite qu'il a à tenir; une pareille pensée ne pouvait venir à mon esprit, et, si dans la lettre que j'ai eu l'honneur de vous écrire, je suis entré dans quelques développements, j'ai eu pour objet de répondre aux principaux arguments qui ont été faits contre l'écrit du colonel Fabvier et de le défendre dans ses principales parties.

«Trouvez bon, monsieur le duc, que maintenant je revienne sur la nécessité de cette publication, et que je justifie de nouveau la résolution que j'ai prise de la faire.

«Il n'a pas tenu à moi que toute cette longue affaire n'ait été étouffée dès son principe. J'ai montré une longue patience à supporter des injures et des accusations odieuses. Lorsqu'elles ont pris un caractère officiel, il était impossible de se taire. Il fallait que quelqu'un parlât. Le mode le plus simple était que le ministère publiât ce qu'il fallait pour fixer l'opinion. Vous pouvez vous rappeler que, dans une longue conversation que j'eus avec vous à la Chambre des pairs, je vous témoignai que je ne demandais pas mieux que de ne point entrer en lice pourvu que l'on employât ce mode de réparation, mais vous me le refusâtes formellement. J'avais reçu, il est vrai, un témoignage public de la satisfaction du roi; mais M. de Chabrol, qui s'était mis à la tête de mes accusateurs, et qui contribuait à égarer l'opinion, n'avait-il pas reçu lui-même un témoignage de sa bienveillance, et de plus n'était-il pas investi de sa confiance par la place qu'on lui avait donnée? N'était-ce pas alors au ministère à détruire, par une démarche, l'influence fâcheuse qu'exerçait M. de Chabrol, et pouvait-il hésiter à se prononcer entre celui qui avait arrêté les maux de Lyon et les avait réparés autant qu'il était en son pouvoir, et celui sous les auspices duquel cette ville avait été bouleversée?

«Je voulais écrire alors. Ce fut par déférence pour les désirs du roi que je m'abstins de le faire moi-même. D'autres s'en chargèrent. Je suis resté impassible au milieu de toutes les discussions qui ont eu lieu; mais personne ne pouvait supposer que, lorsque mes amis s'exposaient pour moi, je les abandonnerais au moment du danger.

«Lorsque les affaires de Lyon ont été agitées à la Chambre des députés, et que les ministres ont pris la parole, ils n'ont pas paru en général avoir l'intention de me défendre, et la rédaction de leurs discours a été telle, que beaucoup de gens en ont conclu le contraire.

«Vous n'ignorez pas non plus, monsieur le duc, que primitivement quelques ministres, par leurs opinions personnelles, avaient donné des armes aux détracteurs de ma conduite à Lyon, et vous ne pouvez pas trouver extraordinaire que j'aie ressenti vivement ce que cette marche avait de blessant pour moi.

«Au moment où le colonel Fabvier est attaqué en calomnie devant les tribunaux, devais-je garder le silence? Il y aurait eu de la lâcheté, et, grâce à Dieu, il n'est pas dans ma nature de pouvoir m'en rendre coupable. Devais-je garder le silence pour être appelé en témoignage et jouer un rôle ridicule et forcé? Devais-je garder le silence pour être obligé d'intervenir plus tard dans cette affaire, qui peut changer de nature par la discussion dont elle sera l'objet, par la manière dont elle sera traitée suivant les passions ou les caprices des avocats, et voir mon nom mêlé avec des manifestations de principes qui ne seraient pas les miens et qui me placeraient dans une attitude opposée aux devoirs que j'ai à remplir? Non, sans doute. Il fallait que je prisse un attitude convenable, et, pour cela, m'expliquer nettement aujourd'hui que la cause est simple, et c'est ce que j'ai eu l'intention de faire.

«Enfin, monsieur le duc, dans toutes les circonstances, ma démarche en faveur du colonel Fabvier était conforme aux convenances et aux règles de la plus stricte équité; mais elle est devenue un devoir impérieux pour moi aujourd'hui que le colonel Fabvier éprouve une injustice qu'il n'avait nullement méritée, et qui lui fait perdre son emploi, et, par conséquent, tout son avenir. Il ne peut certainement y avoir que l'intention de le punir de la conduite qu'il a tenue, quoiqu'il n'ait été mû que par des sentiments louables et généreux, qui puisse expliquer l'éloignement du corps de l'état-major d'un des officiers les plus distingués de l'armée française, d'une haute capacité, couvert de blessures, et qui a aussi donné des preuves irréfragables de sa fidélité au roi, puisqu'il est du très-petit nombre de ceux qui, quels qu'aient été les moyens de pouvoir et de séduction employés auprès d'eux, ont refusé toute espèce de serment pendant les Cent-Jours.

«Je vous demande, monsieur le duc, d'être assez bon pour mettre cette lettre sous les yeux du roi, afin qu'il connaisse bien tous les motifs qui m'ont dirigé dans cette circonstance.

«Recevez, etc.»

(illustration tronquée.)

NOTE RECTIFICATIVE À JOINDRE À LA NOTICE SUR LE PRINCE DE METTERNICH

(Tome VI, page 391)

Le prince de Metternich, comme le lui reproche le duc de Raguse, a pu être, en général, d'une faiblesse excessive envers la Russie en ce qui concerne la Pologne. Mais telle ne fut pas son intention primitive. Un peu avant les Cent-Jours, la France, l'Angleterre et l'Autriche, ce qui veut dire MM. de Talleyrand, Castelreagh et Metternich, avaient signé un traité secret dirigé contre la Russie pour le cas où l'empereur Alexandre persisterait à mettre à exécution ses projets sur la Pologne. Napoléon, à son retour de l'île d'Elbe, trouva l'original de ce traité aux Tuileries, parmi ces papiers si bien classés dont parle le duc de Raguse, et que M. de Blacas n'avait pas jugé à propos de déranger. Napoléon communiqua ce traité à l'empereur de Russie, qui jusqu'à ce moment, en avait complétement ignoré l'existence. Il n'est pas besoin de dire que cette circonstance et les événements de 1815 changèrent la politique de l'Autriche, de l'Angleterre et des Bourbons, et que ce projet fut mis à néant.

(*Note de l'Éditeur.*)

FIN DU TOME SEPTIÈME.